Ehrenstein

Strukturverhalten

Gottfried W. Ehrenstein

Strukturverhalten

Struktur und Eigenschaften von Kunststoffen, Oberflächenspannung, Spannungsrisse

HANSER

Der Herausgeber:

Prof. em. Dr.-Ing. habil Dr. h. c. Gottfried Wilhelm Ehrenstein, Universität Erlangen-Nürnberg

Bibliografische Information der Deutschen Nationalbibliothek:

Die Deutsche Nationalbibliothek verzeichnet diese Publikation in der Deutschen Nationalbibliografie; detaillierte bibliografische Daten sind im Internet über <http://dnb.ddb.de> abrufbar.

www.hanser-fachbuch.de
Herstellung: Der Buchmacher, Arthur Lenner, Windach
Coverconcept: Marc Müller-Bremer, www.rebranding.de, München
Coverrealisierung: Max Kostopoulos
Coverbild: Dr.-Ing. Agnieszka Kopczynska
Logo: Erlanger Kunststoff-Schadensanalyse: Tobias Mattner, M. Sc.
Satz: Kösel Media GmbH, Krugzell
Druck und Bindung: CPI books GmbH, Leck
Printed in Germany

ISBN: 978-3-446-46703-3
E-Book-ISBN: 978-3-446-46710-1

FIAT IUSTITIA ET PEREAT MUNDUS

von Martin Luther und zuvor von Papst Hadrian VI

Meiner Frau Ute Threde-Ehrenstein in Dankbarkeit!

Der Herausgeber

(Quelle: LKT Erlangen)

Prof. em. Dr.-Ing. habil. Dr. h. c. Gottfried Wilhelm Ehrenstein wurde 1937 in Danzig geboren und hat nach einem humanistischen Abitur an der Technischen Hochschule Hannover Allgemeinen Maschinenbau studiert. Nach der Promotion (Prof. Matting) arbeitete er 10 Jahre in der Anwendungstechnischen Abteilung Kunststoffe der BASF AG und war gleichzeitig Lehrbeauftragter und nach der Habilitation 1976 Privatdozent der Fakultät für Maschinenbau der Universität Karlsruhe (TH, Prof. Macherauch). Von 1977 bis 1989 war er Inhaber des Lehrstuhls für Werkstoffkunde/Kunststoffe der Universität-Gesamthochschule Kassel. Nach Rufen an die TU Harburg, die Montanuniversität Leoben und die TU Berlin war er ab 1989 Professor für Kunststofftechnik des von ihm neu eingerichteten Lehrstuhls der Universität Erlangen-Nürnberg.

Von 1987 bis 1992 war er nebenamtlich Leiter des Süddeutschen Kunststoffzentrums in Würzburg. 1992 wurde er Honorarprofessor des Chemischen Instituts der Universität Qingdao, China, und 1996 Ehrendoktor der Technischen Universität Budapest. Prof. Ehrenstein ist vereidigter Sachverständiger der IHK Nürnberg für Kunststoffe und Sonderwerkstoffe auf Kunststoffbasis und des Deutschen Instituts für Bautechnik (DIBt), Berlin.

Er ist Gründer des Wissenschaftlichen Arbeitskreises Kunststofftechnik (WAK), der Dissertationsdatenbank und der Zeitschrift Kunststofftechnik im Rahmen von *www.kunststoffe.de* mit Unterstützung des Carl Hanser Verlages.

Prof. Ehrenstein war verheiratet und ist Vater von drei Söhnen.

Danksagung

Dieses Buch „Strukturverhalten" war nur dank vielfältiger Unterstützung möglich. Der Dank gebührt an erster Stelle der Leiterin der Analytik des Lehrstuhls für Kunststofftechnik Frau Dipl.-Ing. (FH) Gabriela Riedel und ihrer Vertreterin Frau Pia Trawiel, ebenso dem Leiter des Labors Mechanische Prüfung Dipl.-Ing. (FH) Jürgen Karsten. Frau Riedel und Frau Trawiel arbeiten seit 30 Jahren auf dem Gebiet der Strukturanalyse in der weltweit größten anwendungstechnisch und wissenschaftlich geprägten universitären Laborgruppe der Kunststofftechnik in Erlangen. Ihre systematische Analyse war ein fundamentaler Beitrag zum Gelingen dieses Buchs.

Ebenso möchte ich die Autorin Nicole Zaspel (als Nicole Braun mehrfach veröffentlicht) lobend erwähnen. Sie hat jahrelang aktiv und konstruktiv bei der Umsetzung der Manuskripte geholfen.

Begleitwort von Univ.-Prof. Dr.-Ing. Volker Altstädt

Die Kunststofftechnik umfasst ein breites Spektrum an Fachgebieten. Diese reichen von der Entwicklung und Synthese von Polymeren auf molekularer Ebene, über deren Verarbeitung und die Materialprüfung bis hin zur Anwendung. Um die Wechselwirkung zwischen der molekularen Struktur und den makroskopischen Eigenschaften von Polymeren bei der Schadensanalyse zu verstehen, braucht es viel Expertise und Erfahrung mit verschiedensten Messmethoden und deren folgerichtigen Interpretation. Das Verbinden der Teilbereiche ist bei der Schadensanalyse unumgänglich, da Polymere durch Modifikationen und Optimierung heute auf Höchstleistung getrimmt werden und dann auch leicht an eine Grenze kommen, wo eine Schädigung auftritt.

In diesen 5 Kapiteln im Band „Strukturverhalten" des Gesamtwerks steht die Verbindung „Wieso Weshalb Warum" im Vordergrund und die Frage, welche Mess- oder Prüfmethodik verwendet werden muss, um die Ursache einer Schädigung zu verstehen. Inhaltlich ist dieser Band stark physikalisch geprägt und von hoher Anwendungsrelevanz.

Die Oberflächenspannung ist bei Kunststoffen besonders beim Lackieren oder Bedrucken, beim Beschichten oder beim Verkleben von großer Bedeutung. Kunststoffschäden können durch mangelhafte Benetzbarkeit bzw. Nichtbenetzbarkeit, z. B. bei einer bedruckten Verpackungsfolie auftreten. In diesem Kapitel werden zunächst die Grundbegriffe erläutert und der physikalische Hintergrund auf molekularer Ebene erklärt. In der Praxis gibt es eine Vielzahl an Methoden, die Oberflächenspannung zu bestimmen. Diese werden alle erklärt und ihre Stärken und Schwächen kritisch aufgezeigt. Für den Praktiker sehr wertvoll ist ein abschließender Vergleich der Oberflächenspannungs-Messverfahren, der sinnvoll nach Methoden für Thermoplaste und Duromere unterscheidet. Die abschließenden praktischen Anwendungen helfen dem Leser, den zuvor gelernten Stoff praxisnah zu verwenden.

Die umgebungsabhängige Bildung von Spannungsrissen, im englischen auch „Environmental Stress Cracking" (ESC) genannt, ist einer der Hauptgründe für mechanisches Versagen und einer damit einhergehenden Verkürzung der Lebensdauer von Kunststoffbauteilen. Die daraus resultierenden Schadensfälle sind physikalisch bedingt und treten immer dann auf, wenn das Polymer zeitgleich sowohl einer mechanischen Last als auch einem aggressiven Medium ausgesetzt ist. In diesem Kapitel wird anschaulich gezeigt, dass abhängig von der Art des Polymers bereits eine simple Flüssigkeit wie Wasser als aggressives Medium bezeichnet werden und die Rissbildung auslösen kann. Dies führt zu dem Umstand, dass knapp 25 % aller Schäden auf ESC zurückzuführen sind. Von diesen 25 % entfallen fast 90 % auf die Klasse der amorphen Polymere, da diese aufgrund ihrer molekularen Struktur anfälliger sind als beispielsweise teilkristalline Polymere. Ein ESC-Versagen kann z. B. bei medizinischen Produkten im schlimmsten Fall zu lebensbedrohlichen Situationen führen. Da es sich bei ESC „lediglich" um einen rein physikalischen Vorgang handelt, sind die Möglichkeiten zur schnellen und wissenschaftlich belastbaren Untersuchung dieses werkstoffspezifischen Phänomens bis heute sehr begrenzt. Das Kapitel gibt eine sehr anschauliche und wissenschaftlich in die Tiefe gehende Einführung in das Phänomen (ESC) und zeigt auch werkstoffliche Einflüsse auf. Neben den wichtigsten Prüfmethoden wird die Gesamtproblematik an praxisnahen Schadensfällen anschaulich dargelegt.

Die magische Dreiecksbeziehung zwischen Struktur, Verarbeitung und Eigenschaften eines Werkstoffs kann ohne die Berücksichtigung des Einflusses der Verarbeitung und konstruktiver Faktoren nie abschließend geklärt werden. Für den Schadensanalytiker ist dieses Kapitel ein Leckerbissen, da hier die Schwächen der genormten Prüfverfahren ganz praxisnah diskutiert werden. Zunächst werden am Beispiel von DMA-Messungen die drei Zustandsbereiche der Kunststoffe eindeutig geklärt und dabei der Begriff der „Glastemperatur" und deren zweifelhafte Bestimmungsmethoden aus Sicht des Physikers und des Ingenieurs am Beispiel von amorphen Thermoplasten kritisch gegenübergestellt. Dabei werden auch Messmethoden wie modulierte DSC und pvT-Gerät zum Vergleich mit herangezogen. Vor der Diskussion des Schmelzverhaltens teilkristalliner Kunststoffe werden zunächst wichtige Begrifflichkeiten wie z. B. Keimbildung und morphologische Überstrukturen präzise definiert. Im Anschluss an die Darstellung der teilweise sehr komplexen morphologischen Struktur der Thermoplaste werden die Besonderheiten der mechanischen Prüfung von Kunststoffen diskutiert. Die übergeordnete Zielsetzung ist es, Kennwerte zu ermitteln, die eine Funktionstauglichkeit des Formteils über den vorgesehenen Einsatzzeitraum gewährleisten. Dazu müssen Daten für die Werkstoffbeurteilung vom Granulatkorn bis zur Formteilprüfung und Praxiserprobung bestimmt werden.

Zusammenfassend vermitteln die fünf Kapitel dieses Bandes dem Schadensanalytiker sehr wichtige Grundlagen und geben gleichzeitig wertvolle Anwendungstipps anhand praktischer Beispiele. Außerdem wird vor möglichen Fehlinterpretationen der Messergebnisse gewarnt. Professor Ehrenstein hat bereits im Jahr 2017 im „Jahresmagazin Kunststoffe" auf Unklarheiten in der Kunststofftechnik deutlich hingewiesen. Er stellt fest, dass die Eigenschaften der Kunststoffe im Bauteil fast nie ausreichend mit den in einem genormten Prüfverfahren ermittelten und den von den Rohstoffherstellern veröffentlichen Werten übereinstimmen, denn auch diese unterliegen den Einflüssen der speziellen Verarbeitungsverfahren in unterschiedlichen Werkzeugen zur Herstellung der Musterproben und sind nie unter den gleichen Bedingungen hergestellt wie später die Bauteile.

Univ.-Prof. Dr.-Ing. Volker Altstädt

Volker Altstädt arbeitete nach seinem Studium der Physik und seiner Promotion bei Prof. Gottfried W. Ehrenstein am Institut für Werkstofftechnik in Kassel (1987) acht Jahre bei der BASF AG in Ludwigshafen in der Polymerforschung, zuletzt als Gruppenleiter in der Abteilung Polymerphysik. Ab 1995 war er Lehrstuhlinhaber an der TU Hamburg-Harburg. Zusätzlich übernahm er ab 1998 die Leitung des Arbeitsbereiches Kunststoffe & Verbundwerkstoffe. Im Jahr 2000 wechselte Volker Altstädt an die Universität Bayreuth und übernahm dort die Leitung des Lehrstuhls für Polymere Werkstoffe an der Fakultät für Ingenieurwissenschaften. Parallel zu dieser Funktion ist Volker Altstädt seit 2009 alleiniger Geschäftsführer der Neue Materialien Bayreuth GmbH, einer außeruniversitären Landesforschungseinrichtung des Freistaats Bayern, die sich mit anwendungsnaher Werkstoff- und Verfahrensentwicklung für Kunststoffe, Verbundwerkstoffe und Metalle beschäftigt.

Die Forschungsarbeiten von Volker Altstädt beziehen sich auf die wissenschaftliche und anwendungs-orientierte Forschung und Entwicklung auf dem Gebiet der polymeren Werkstoffe mit dem Ziel, die naturwissenschaftlichen Erkenntnisse mit den Aspekten der Ingenieurwissenschaften zu verbinden. Realisiert wird dies durch eine enge interdisziplinäre Zusammenarbeit zwischen Chemikern und Ingenieuren.

Inhalt

1 Struktur der Kunststoffe

Es gibt kaum eine Verwendung von Werkstoffen, bei der vom Werkstoff lediglich seine Eigenschaft der Raumausfüllung verlangt wird. Meist muss er Anforderungen mechanischer, physikalischer, elektrischer oder chemischer Art genügen. Dies bedeutet, dass man bei der Konzeption eines Teiles eine Werkstoffauswahl treffen muss, die sich nicht nur nach rein wirtschaftlichen Gesichtspunkten richten kann, sondern auch die Kenntnis vom Eigenschaftsbild des Werkstoffs erfordert. Die Eigenschaftswerte der Kunststoffe werden zum größten Teil durch den Rohstoff-Lieferanten ermittelt und weitergegeben. Obwohl auf diesem Gebiet viel geleistet wurde und ein großes Wissen vorliegt, ist es für den Anwender der Kunststoffe oft schwierig, die für ihn wichtigen Daten unter den komplexen Bedingungen zu erhalten und dann entsprechend seinen Anforderungen zu bewerten.

■ 1.1 Grundlagen

Für die Durchführung von Schadensanalysen stehen eine Vielzahl von Verfahren und Methoden zur Verfügung, um die verschiedensten Schadenshypothesen zu untersuchen. Nicht immer reicht eine Methode aus, daher ist es sinnvoll, verschiedene Methoden zu kombinieren. Hier ist oftmals die Erfahrung des Schadensanalytikers gefragt. In Kapitel 1 „Systemische Schadensanalyse“ von Band 7 der Reihe „Erlanger Kunststoff-Schadensanalyse“ findet sich eine Methodenübersicht, die aufzeigt, welche Methoden für welche Fragestellungen sinnvoll genutzt werden können.

Eine Besonderheit liegt auch darin, dass die Eigenschaften der Kunststoffe stark von den Einflüssen bei der Verarbeitung und auch der konstruktiven Gestaltung abhängen. Eine Folge davon ist, dass die Eigenschaften der Kunststoffe im Bauteil fast nie ausreichend mit den in einem genormten Prüfverfahren ermittelten und denen von den Rohstoffherstellern veröffentlichen Werten übereinstimmen, denn auch diese unterliegen den Einflüssen der speziellen Verarbeitungsverfahren zur Herstellung der Musterproben.

1.2 Besonderheiten der Kunststoffe

Die Besonderheit der Kunststoffe im Hinblick auf die Analyse-Verfahren und -Methoden sind:

- Ihr Aufbau aus polymeren fadenförmigen Makromolekülen mit speziellen Kennzeichen, Bild 1.1. Die fadenförmige Struktur der Makromoleküle bewirkt häufig Anisotropien.
- Die praktisch realisierten Eigenschaften der Festigkeit und Steifigkeit der Kunststoffe, die sehr viel geringer sind, als die bei Glas und Metallen.

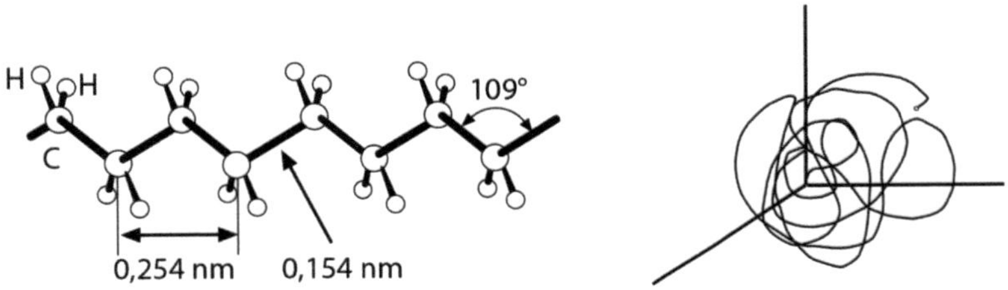

Bild 1.1 Makromoleküle in Kunststoffen
- durch Hauptvalenzen gebundene gleichartige Monomeren mit mindestens 1000 Atomen
- Hauptvalenzbindungen sind ca. 500 x fester als Nebenvalenzbindungen
- durch Hinzufügen oder Wegnehmen einzelner Gruppen ändern sich die Eigenschaften kaum
- Dicke: 0,1 bis 0,2 nm, Länge: 2 µm, optisch nicht sichtbar
- 60 % der Polymere bestehen nur aus Kohlenstoff (C) und Wasserstoff (H)
- die thermodynamisch günstigste Form eines Makromoleküls ist das Knäuel oder eine kugelförmige Kristallstruktur (Oberflächenspannung)
- es gibt keine vollständig kristalline Struktur; teilkristalline Thermoplaste bestehen aus fest miteinander verbundenen amorphen und kristallinen Bereichen (Faltungen)

Tabelle 1.1 Theoretische und experimentelle Festigkeit und Steifigkeit von Werkstoffen

Werkstoff	E-Modul [N/mm²]			Zugfestigkeit [N/mm²]		
	theoretisch	experimentell		theoretisch	experimentell	
		Faser	kompakt		Faser	kompakt
Polyethylen	300 000	100 000 (33 %)	1000 (0,33 %)	27 000	1500 (5,5 %)	30 (0,1 %)
Polypropylen	50 000	20 000 (40 %)	1600 (3,2 %)	16 000	1300 (8,1 %)	38 (0,24 %)
Polyamid	160 000	5000 (3 %)	2000 (1,3 %)	27 000	1700 (6,3 %)	50 (0,18 %)
Glas	80 000	80 000 (100 %)	70 000 (87,5 %)	11 000	4000 (36 %)	55 (0,5 %)

Werkstoff	E-Modul [N/mm²]			Zugfestigkeit [N/mm²]		
	theoretisch	experimentell		theoretisch	experimentell	
		Faser	kompakt		Faser	kompakt
Stahl	210000	210000 (100%)	210000 (100%)	21000	4000 (19%)	1400 (6,67%)
Aluminium	76000	76000 (100%)	76000 (100%)	7600	800 (10,5%)	600 (7,89%)

Die theoretische Festigkeit bei Kunstoffen liegt um den Faktor 30 bis 300 über der praktischen Festigkeit (kompakt); in Faserform werden v. a. durch Molekülorientierung höhere Anteile erreicht.

Zur Kennzeichnung der Festigkeit der Kunststoffe wird gerne die Zugfestigkeit genommen, weil diese Prüfung vor allem mechanisch relativ klar ist und die Probekörper leicht und zuverlässig hergestellt werden können. Die Verjüngung der Zug-Probekörper in der Mitte ist allerdings insofern kritisch zu bewerten, als sowohl die Makromoleküle aber auch besonders Fasern oder längsorientierte Füllstoffe die Eigenschaften in einer Richtung verstärken und mit den Festigkeitseigenschaften im realen Bauteil insofern nicht übereinstimmen, als die gemessene Festigkeit und im geringeren Maße auch Steifigkeit nicht der in einem Bauteil realisierten entspricht. Innerhalb der Verjüngungsstrecke ändern sich die Eigenschaften.

Die Bestimmung der Druckfestigkeit zu bestimmen ist wegen der problematischen Probenauflage, die extrem gleichmäßig sein muss, noch schwieriger. Die Biegefestigkeit hat das gravierende Problem, dass die auftretenden Zug- und Druck-Spannungen nicht gleich sind und unterschiedlich stark relaxieren. Für zuverlässige Schubspannungsmessungen braucht man zylindrische Probekörper, die extra gefertigt werden müssen und somit den Verhältnissen im Fertigteil nicht entsprechen.

1.2.1 Zustandsbereiche

Die wichtigste Besonderheit von Kunststoffen sind deren drei Zustandsbereiche im Vergleich zu den zwei Zustandsbereichen von Metallen, und besonders deren stetiger Übergang von einem in den anderen Zustandsbereich, Bild 1.4 und Bild 1.13. Zudem sind diese Übergänge von der einwirkenden Höhe und Art der Belastung und der Einwirkungsdauer abhängig. Die Lage und zum Teil auch Art der Übergänge ist nicht unbedingt reversibel wie das bei Metallen der Fall ist.

Die auffallende Besonderheit ist der **entropie- oder gummielastische Zustand**, der sich oberhalb des energieelastischen Hauptanwendungsbereichs und unterhalb des fließfähigen Zustands befindet. Die Entropieelastizität bringt das Bestreben der Makromoleküle zum Ausdruck, nach einer Verformung in den entropisch günstigsten Zustand, den Knäuelzustand, zurückzukehren.

Es ist dabei zwischen dem Verhalten von Thermoplasten und Duroplasten zu unterscheiden. Während die Thermoplaste jeweils drei eindeutige Zustandsbereiche aufweisen, ist dieses bei vernetzten Elastomeren und Duroplasten nicht der Fall. Bei ihnen fällt der Schmelz- oder Fließbereich durch die Vernetzung weg, ist aber im noch nicht vernetzten Zustand zu berücksichtigen.

In gleicher Weise können Zusätze und Komponenten verschiedenster Art mit eigenen Zustandsbereichen oder auch nur Beeinflussungen vorhandener Zustandsbereiche das Verhalten der Kunststoffe deutlich beeinflussen.

Eine Besonderheit ist bei den teilkristallinen Thermoplasten zu berücksichtigen. Wegen der Existenz der amorphen und der kristallinen Teilstrukturen und deren sich wechselseitig beeinflussenden Eigenschaften und des variierenden Verhältnisses, sind weitgehend stabile Verhältnisse von verschiedenen Faktoren der Verarbeitung abhängig.

Kunststoffe bestehen aus Makromolekülen mit starken chemischen Bindungen in Molekülrichtung (ca. 500-fach fester als senkrecht) und den physikalischen Bindungen zwischen den einzelnen Makromolekülen untereinander.

Die Lage der Zustandsbereiche und die Übergänge von einem in den anderen Zustandsbereich sind von verschiedenen Einflüssen abhängig und keineswegs bei allen Kunststoffvarianten gleich.

Die energieelastischen Zustandsbereiche der Hauptkomponente bei Thermoplasten und Duroplasten sind die wichtigsten Anwendungsbereiche. Bei Elastomeren ist der gummielastische Zustand der Hauptanwendungsbereich.

Die Verarbeitung der meisten Kunststoffe erfolgt im flüssigen und somit im schmelze- bzw. fließförmigen Zustand, gelegentlich auch im gummielastischen Zustand.

Unbegreiflich ist, dass bei amorphen Thermoplasten keine Schmelz- bzw. Fließtemperatur definiert ist.

Bei Schmelz-(kristalline Bereiche) und Fließtemperatur (amorphe Bereiche) beginnen Thermoplaste flüssig zu werden und können maschinell ordentlich verarbeitet werden bzw. beginnen feste Formen im Werkzeug anzunehmen.

Die häufig von naturwissenschaftlicher Seite genannte Begründung, dass eine Zustandsänderung thermodynamisch bei amorphen Thermoplasten nicht nachweisbar sei, interessiert den anwendenden Techniker nicht. Er will wissen, wann sein Material flüssig bzw. wieder fest wird. Das bestimmt, unter welchen Bedingungen größere Formänderungen möglich sind.

Die besonders von dem energieelastischen Zustand abhängigen Gebrauchstemperaturen der Formteile zeigen deutliche Unterschiede:

- kein gleichbleibender Wert für den thermischen Einsatzbereich;
- ein unterschiedlicher Glasübergangsbereich, bei amorphen deutlich schmaler und steiler abfallend;
- die häufig genannte Glasübergangstemperatur ist als Dimensions-Einsatzgrenze ungeeignet (Punkt größter Eigenschaftsänderungen). Wichtig ist der Beginn des Erweichungsbereichs.

Kunststoffe sind gekennzeichnet durch temperaturabhängige Zustandsbereiche. Dieses sind bei den Thermoplasten der feste (energieelastische), der gummielastische (entropieelastische) und der schmelzeförmige Fließ-Zustand. Bei Elastomeren und Duroplasten gibt es nur zwei Zustände, den festen und den gummielastischen Zustand.

Gekennzeichnet sind die Zustandsbereiche normalerweise durch den dimensionierungsrelevanten Speichermodul (je nach Messverfahren als E-Modul oder Schubmodul), den Verlustmodul und den Verlustfaktor/Dämpfung tan δ, sowie die Viskosität im Fließzustand.

Thermoplaste bestehen aus linearen oder verzweigten Makromolekülen. Der Zusammenhalt erfolgt bei den Amorphen durch Verhakungen und Verschlaufungen, bei Teilkristallinen durch zusammenhängende und untereinander gebundene amorphe und kristalline Bereiche. Duroplaste mit amorphen Strukturen weisen etwa 1 Vernetzung pro 20 Atome auf, amorphe und teilkristalline Elastomere etwa 1 Vernetzung pro 1000 Atome auf.

Speichermodul (E-Modul oder Schubmodul) = Maß für die Steifigkeit [beinhaltet den elastischen Anteil der Verformung].

Verlustmodul = Maß für den Verlust an mechanischer Energie infolge der Relaxationsvorgänge – Umwandlung in Wärme.

Verlustfaktor = Verlustmodul/Speichermodul = tan δ

Im **festen Zustand** sind bei allen Kunststoffen allenfalls unter Einwirkung äußerer Kräfte kleine Auslenkungen um die Gleichgewichtslagen der eingefrorenen Gestalt der Makromoleküle in Form von Änderungen der Abstände und Winkel der Makromoleküle möglich, besonders der amorphen Bereiche und evtl. Seitengruppen. Die sog. mikrobrownschen Bewegungen treten nicht auf. Die E-Modul- und Festigkeitswerte sind vergleichsweise hoch, die Bruchdehnung und die Dämpfung niedrig.

Der Übergang vom festen in den gummielastischen Bereich wird als **Erweichungsbereich** oder **Glasübergangsbereich** bezeichnet bzw. umgekehrt beim Abkühlen als **Einfrierbereich**. Ein Erweichungsbereich tritt nur in den **amorphen Bereichen** der Kunststoffe auf. Bei den amorphen Thermoplasten und bei den Duroplasten bzw. Elastomeren betrifft das den ganzen Kunststoff, bei teilkristallinen Kunststoffen, besonders den Thermoplasten nur deren amorphe Bereiche. Je nach Anteil der amorphen Bereiche erstreckt sich dieser Erweichungsbereich über wenige °C bis über 30 bis 60 °C.

Die Glasübergangstemperatur bzw. der von ihr umfasste **Glasübergangs-Bereich** ist bei teilkristallinen Thermoplasten deutlich breiter als bei amorphen. Andererseits ist der Abfall auf den gummielastischen Bereich meistens deutlich geringer. Das Ende des Glasübergangsbereichs kann auf ähnliche Weise ermittelt werden wie dessen Beginn.

In diesem Erweichungsbereich werden die mikrobrownschen Bewegungen langsam aufgetaut. Unter **mikrobrownscher Bewegung** versteht man die Gestalts-(Konformations)-Änderung eines Makromoleküls, die durch Drehungen der C-C-Bindungen der Hauptkette hervorgerufen wird. Die Entropieelastizität bringt das Bestreben der Makromoleküle zum Ausdruck, nach einer Verformung in den entropisch günstigsten Zustand, den Knäuelzustand, zurückzukehren.

Hervorgerufen durch Wärmestöße aus der Umgebung durchläuft ein Makromolekül alle möglichen Konformationen und Platzwechsel von Molekülsegmenten, wenn genügend freies Volumen vorhanden ist. Im Glaszustand ist dafür nicht genügend freies Volumen gegeben. Verschlaufungen wirken noch wie Vernetzungspunkte.

Für die **praktischen thermischen Einsatzgrenzen** ergibt sich der Beginn des Erweichungsbereichs. Während die für konstruktive Einsätze weitgehend belanglose Glasübergangstemperatur vielfältig im Hinblick auf die Ermittlungsverfahren und deren Bedingungen untersucht sind, gibt es für die Ermittlung dieser thermischen Einsatzgrenze kaum systematische Untersuchungen und schon gar keine Kennwerte der Rohstoffhersteller. Ebenso dürftig ist es mit den definierenden Prüfnormen.

Bei **teilkristallinen Thermoplasten** wird die Beweglichkeit der amorphen Bereiche von deren eigener Glasübergangstemperatur bestimmt. Bei Einfrieren unterhalb der Glasübergangstemperatur wird die Beweglichkeit der amorphen Bereiche stark eingeschränkt. Da sich die kristallinen Bereiche praktisch nicht verformen können, wird der Kunststoff spröde. Je höher der Kristallisationsgrad ist, umso stärker ist die Wirkung. Bei Raumtemperatur noch duktile Thermoplaste wie PP können bei 10 °C plötzlich sehr spröde werden.

Die Bestimmung des Erweichungsbereichs erfolgt normalerweise entweder rein mechanisch mit Hilfe der DMA (Dynamisch-Mechanische-Analyse) oder thermodynamisch mit Hilfe der DSC (Differential-Scanning-Calorimetry).

Der Erweichungsbereich bei einer DMA-Messung wird durch die Höhe der Last (Verschiebung des Erweichungsbereichs zu niedrigeren Temperaturen), die Frequenz und die Heizrate (Verschiebung zu höheren Temperaturen) beeinflusst. Bei der DSC-Messung von Duroplasten erfolgt eine deutliche Verschiebung zu höheren Temperaturen bei zunehmendem Aushärtegrad und steigender Aufheizrate, eine geringe Verschiebung bei zunehmender Probenmenge (verzögerte Wärmeleitung in die ganze Probe).

Der Wendepunkt im Erweichungsbereich wird als **Glasübergangstemperatur** bezeichnet. Die Glasübergangstemperatur wird häufig mit Hilfe der DMS ermittelt. Diese Temperatur wird gerne zur Kennzeichnung des thermischen Verhaltens der Kunststoffe benutzt. Es ist darauf zu achten, dass die Erweichung sehr viel früher beginnt. Vorsicht ist auch bei halblogarithmischer Darstellung geboten, wenn die Glasübergangstemperatur fälschlicherweise als halbe Höhe definiert wird.

Im Glasübergang sinkt die Steifigkeit (E-Modul) grob um 3 bis 4 Zehnerpotenzen, die Festigkeit und die Bruchdehnung um eine Zehnerpotenz. Die mechanische Dämpfung und die Bruchdehnung durchlaufen beide ein Maximum [siehe auch Bild 1.2, Bild 1.4 und Bild 1.13]. Der Kompressionsmodul als Kennzeichen der Kompressibilität ändert sich dagegen weniger um 30 bis 50 %.

Im nachfolgenden gummielastischen Bereich bewegen sich Molekülabschnitte zwischen den Verschlaufungen, können verstreckt und aufgerollt werden, ohne dass die Verschlaufungen gelöst werden. Bei Entlastung erfolgt eine Rückknäuelung. Kommt es zu einer Verschiebung der Schwerpunkte der Ketten, kennzeichnet dieses das Fließen oder die **Viskoelastizität**.

Der Übergang vom gummi- oder entropie-elastischen in den schmelzeförmigen Zustand, den **Fließbereich**, ist bei **amorphen Thermoplasten** bisher nicht definiert, obwohl die große Mehrheit dieser Kunststoffe in der Schmelzephase verarbeitet werden. Bei der Fließtemperatur wird die Wärmebewegung so groß, dass auch Verschlaufungen periodisch gelöst und wieder neu gebildet werden. Die Schwerpunkte der Moleküle werden gegeneinander verschoben. So können Knäuel orientiert und auseinander gezogen werden.

Diese Modellvorstellung bringt sehr viele der heute vorherrschenden Missverständnisse mit sich. Das Ende des entropieelastischen Bereichs kann eben gar nicht thermodynamisch gemessen werden, weil der Übergang maßgeblich von einer mechanischen Deformation (kinetisch) abhängig ist. D. h. wenn das Material nicht in Bewegung ist, gibt es den Übergang auch nicht. Das wird gut in dem pvT-Diagrammen deutlich. Bei isobaren Messungen mit Druck (p_2) zeigt sich bei PC nur der Glasübergang. Bei isothermen Messungen, bei denen die gleichen Zustände von Druck (p_2) und Temperatur erreicht werden, stellt sich aufgrund der Zeitabhängigkeit der Deformation ein anderes spezifisches Volumen ein.

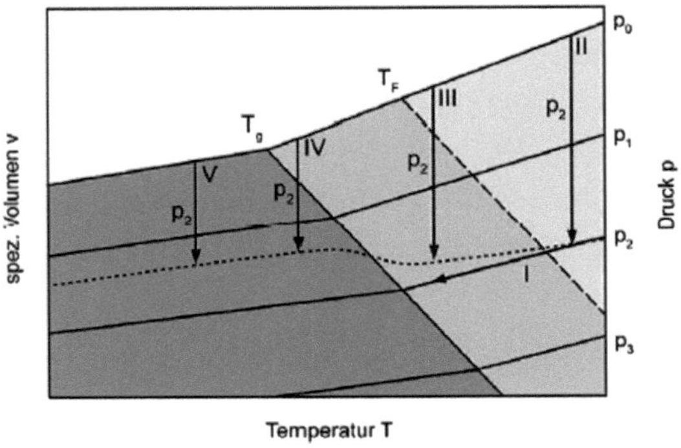

Bild 1.2 Resultierendes Volumen bei der Kompression mit gleichem Druck P_2 in Abhängigkeit vom Ausgangszustand des Kunststoffs
I: isobare Abkühlung
II: Schmelzekompression
III: Schmelze- und Gummikompression
IV: Gummi- und Festkörperkompression
V: Festkörperkompression

Es existieren verschiedene Arten, wie Kunststoffe im schmelzflüssigen Zustand auf Deformationen reagieren. Bei **idealviskoser** Verformung führt jede Belastung zu einer inelastischen Verformung und ist nach der Verformung nicht mehr verfügbar, wie Wasser, Mineralöl und besonders niedermolekulare Flüssigkeiten. Dagegen ist die die **idealelastische** Verformung vollkommen reversibel. Sie steigt beim Aufbringen einer Last auf einen konstanten Wert und sinkt bei Entlastung sofort wieder auf null. Die Kombination beiden Verhaltens wird als **viskoelastisch** bezeichnet. Dabei wird der Anstieg einer Verformung gedämpft und bei Entlastung relaxiert das Material zuerst schnell, dann zusehend langsamer und nimmt nie die ursprüngliche Form an.

Dadurch entsteht eine irreversible Deformation, das Fließen. Die Moleküle werden unter Einwirkung dieser Kräfte orientiert und aufgerollt. Bei Entlastung versuchen sie sich zurück zu formen, soweit es je nach Formgebung, Temperatur und Verformungsgrad möglich ist. Diese bleibenden Verformungen sind **eingefrorene Orientierungen**, die beim Abkühlen unterhalb der Fließtemperatur fixiert werden.

Bei der **Schmelztemperatur** schmelzen die kristallinen Bereiche relativ schnell und gehen in den schmelzflüssigen Bereich über, in dem sich die amorphen Bereiche dieses Polymeren schon befinden. Je nach Molekulargewicht kann die Fließtemperatur der amorphen Bereiche oberhalb und unterhalb dieser Schmelztemperatur sein. Bei den meisten technischen Kunststoffen – besonders für den Spritzguss – ist die Schmelztemperatur der kristallinen Anteile höher als die Fließtemperatur der amorphen Phase. Der Thermoplast geht sofort in den schmelzflüssigen Zustand über. Bei sehr hohen Molekulargewichten ergeben sich noch gummielastische Effekte nach der Schmelztemperatur, die die Spritzgussverarbeitung durchaus behindern können.

Bei Duroplasten beginnen die Vernetzungen das Fließverhalten einzuschränken. Man kennzeichnet diesen Punkt als Gelpunkt oder Geltemperatur, siehe Kapitel Duroplaste im Buch „Werkstoffe" der Reihe „Erlanger Kunststoff-Schadensanalyse".

Einzelne Makromoleküle können amorph und kristallin angeordnet sein. Vollständig kristalline Strukturen gibt es bei Kunststoffen nicht.

Die drei **Zustandsbereiche** der Kunststoffe, der energieelastische (Glaszustand), der gummi- oder entropie-elastische und der schmelzeflüssige Zustand, sind je nach Konformation der Makromoleküle unterschiedlich groß und zeigen über einen durchaus mehrere zig °C einigermaßen stabil verlaufenden Bereich zumindest sehr ähnliche Eigenschaften, Bild 1.3.

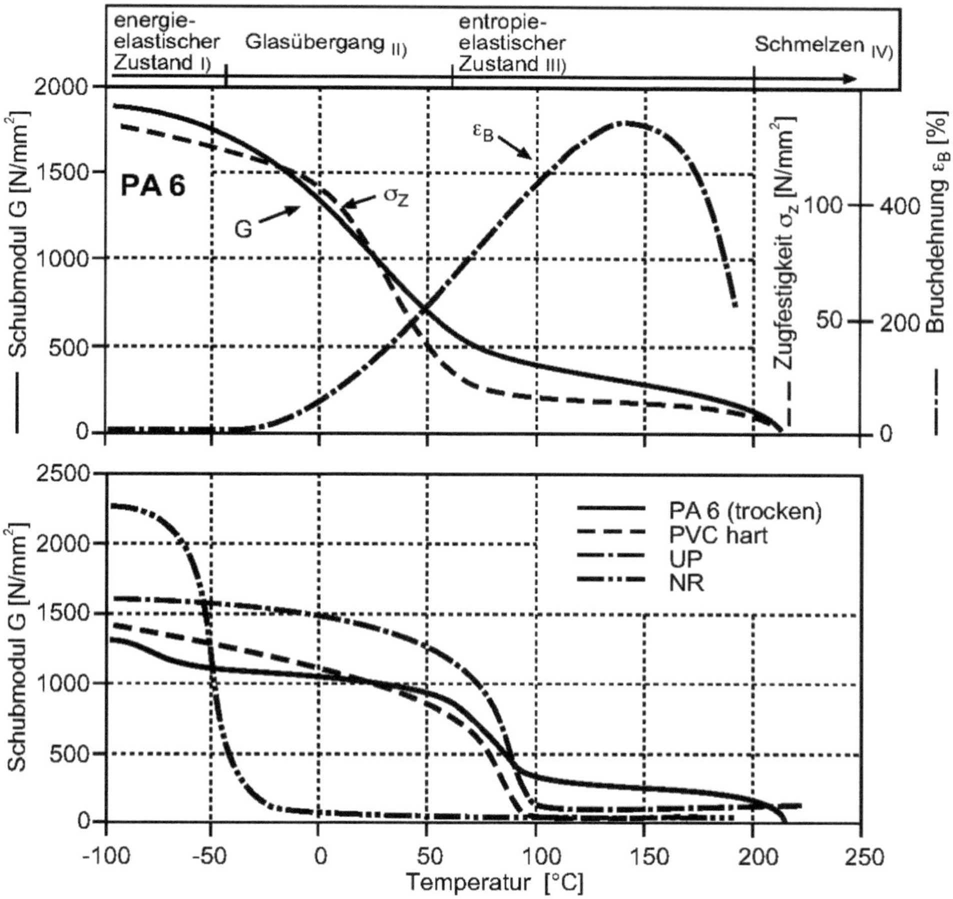

Bild 1.3 Zustands- und Übergangsbereiche von Kunststoffen
oben: PA 6 luftfeucht
unten: PA 6 (trocken); PVC hart; UP; NR

Die Übergänge vom energieelastischen Glaszustand in den gummielastischen Zustand und vom gummielastischen Zustand in den schmelzeförmigen Zustand erstrecken sich meistens über etwas geringere Temperaturbereiche, in denen sich die Eigenschaften aber erheblich ändern können. Überraschend ist, dass die Übergangsbereiche – obwohl technisch von enormer Bedeutung – kaum definiert sind. Übergänge und damit die erheblichen Eigenschaftsänderungen vom festen (energieelastischen) in den gummielastischen (entropieelastischen) Zustand, auch als Erweichungsbereich gekennzeichnet, zeigt Bild 1.3. Auffallend ist, dass gewaltige Eigenschaftsänderungen im normalen Temperatur-Nutzungsbereich zu berücksichtigen sind. Kennwerte des Schmelzezustands fehlen leider mangels geeigneter anschließender Messverfahren.

Glasübergang (auf Basis J. Rieger)

Die relativ stabilen und besonders über gewisse Temperaturbereiche näherungsweise konstanten Eigenschaften kennzeichnen diese Zustandsbereiche als Bereiche, in denen Anwendungen, Fertigung und Bearbeitung sinnvoll sind. Zwischen diesen Bereichen, im Übergang von einem Zustandsbereich zu den benachbarten, befinden sich die Übergangsbereiche. Während der Übergangsbereich vom energieelastischen in den entropie/gummielastischen Bereich, auch als Glasübergang bezeichnet, meistens durch die Glasübergangstemperatur gekennzeichnet, häufig auch wissenschaftlich und anwendungstechnisch diskutiert wird, gibt es zum Übergang vom entropie/gummielastischen Bereich, gekennzeichnet durch den Schmelz/Fließbereich, nur wenig qualifizierte und nützliche Unterlagen, ja nicht einmal ausreichende Definitionen und qualifizierende Prüfverfahren.

Während der Beginn des Glasübergangs als thermische Grenze für den praktischen anwendungstechnischen Einsatz von Bauteilen aus den betreffenden Kunststoff kennzeichnend ist, ist die Schmelz/Fließtemperatur mindestens ebenso bedeutend besonders für die maschinelle Verarbeitungstechnik (ein typisches Ergebnis der akademischen Schreibtischforschung).

Unterhalb des Glasübergangsbereichs sind amorphe Polymere steif und spröde, oberhalb dieses Bereichs gummielastisch und leicht verformbar. Bei teilkristallinen Thermoplasten liegt der Glasübergangstemperaturbereich weit unterhalb der Schmelztemperatur der kristallinen Lamellen und markiert den Temperaturbereich, in dem bei Abkühlung Steifigkeit und Festigkeit des Materials deutlich zunehmen.

Der Glasübergang der amorphen Bereiche ist bei Thermoplasten im Gegensatz zu Schmelz- und Kristallisationsphänomenen kein Phasenübergang im thermodynamischen Sinne, sondern ein kinetischer Effekt: bei der Annäherung an die Glastemperatur, bei Abkühlung von hohen Temperaturen behindern sich die Moleküle bzw. Molekülsegmente zunehmend in ihrer Bewegung bis das Material schließlich erstarrt.

Im Gegensatz zu Thermoplasten, die oberhalb des Glasübergangsbereichs bzw. der Schmelz/Fließtemperatur beliebig geformt werden können, sind die Makromoleküle in Elastomeren und Duroplasten durch chemische Bindungen vernetzt, sodass diese Systeme ohne Aufbrechen der Bindungen nur noch in bestimmten Rahmen verformbar sind. Elastomere und Duroplaste unterscheiden sich bzgl. der Dichte (~50fach) der Vernetzungspunkte, sodass das Material bei mechanischer Beanspruchung durch Verstrecken größerer Kettensegmente nachgeben kann und bei Entlastung die gestreckten Kettenelemente entropiegetrieben bestrebt sind, einen Knäuelzustand einzunehmen.

Die Glasübergangstemperatur liegt bei vernetzten Elastomeren nur geringfügig oberhalb der Glasübergangstemperatur eines unvernetzten Materials. Bei den viel enger vernetzten Duroplasten kann der Glasübergangsbereich bis zur thermischen Zersetzung reichen.

1.2.2 Strukturen (amorphe Thermoplaste)

Bei amorphen Thermoplasten existieren drei Aggregatzustände (der energieelastische und der entropie-/gummielastische Bereich und der Fließbereich) mit zwei Übergangsbereichen (Erweichungs-/Einfrierbereich und Übergang zum Schmelzezustand). Den Übergang in den Fließbereich, in dem das Material als Flüssigkeit/Schmelze vorliegt, beginnt mit der Fließtemperatur (amorph) oder Schmelztemperatur (teilkristallin). Die Begriffe sind nicht eindeutig und klar definiert, was auch daran liegt, dass bei den amorphen Thermoplasten keine Fließtemperatur definiert ist. Zudem sind die anderen Zustandsbereiche durch das Verhalten der mechanischen Kenngrößen gut gekennzeichnet, im Fließbereich dagegen ist die Viskosität kennzeichnend.

Im energieelastischen Zustand befindet sich das amorphe Polymer im Glaszustand. Dort findet keine mikrobrownsche Bewegung = Gestaltsänderung der Makromoleküle statt. Bei erhöhter Temperatur im Glaszustand können Dispersionsprozesse auftreten, kurze Teile der Hauptkette und thermisch unterschiedlich wirkende Seitengruppen werden beweglich. Es treten sog. Konformationsänderungen (räumliche Änderungen drehbarer Bindungen) auf, was sich in einer Stufe des Speichermoduls zeigen kann, in der dieser auf 50 bis 75 % seines Ausgangswertes abfällt und der Kunststoff einen Teil seines spröden Verhaltens verliert.

Der Übergang vom energieelastischen Glaszustand in den gummielastischen Zustand, der sog. Erweichungs- oder Einfrierbereich erstreckt sich über 30 bis 60 °C. In ihm müssen zunehmend Drehbarkeiten der C-C-Hauptkette und genügend freies Volumen vorhanden sein. Die mechanischen Eigenschaften sind sehr stark von der Belastungszeit und der Temperatur abhängig, sodass ein stabiles mechanisches Materialverhalten problematisch ist.

Dem schließt sich der gummi- oder entropielastische Bereich an, in dem Kettenabschnitte orientiert und gerollt werden können. Eine Entknäuelung der Makromoleküle führt zu einer Erniedrigung der Entropie = einer rücktreibenden Kraft. Eine einwirkende Erwärmung führt zu sog. Wärmebewegungen, die Verschlaufungen lösen und Schwerpunkte der Makromoleküle verlagern.

Orientierte und aufgerollte Makromoleküle bilden sich bei einer Entlastung wie beim energieelastischen Verhalten wieder zurück. Ein Teil der Energie bewirkt elastische Verformungen, ein weiterer Teil wird in Wärme umgesetzt. Man nennt das **viskoelastisch**. Die zusätzliche Wirkung eines äußerlichen Drucks ist leicht vorstellbar.

Amorphe Polymere weisen keine mikroskopisch erkennbaren Strukturen auf. Die Abmessungen der einzelnen Makromoleküle betragen 0,1 bis 0,2 nm Durchmesser und 2 µm Länge. Sie agglomerieren zu Knäulen mit 10 bis 30 nm Durchmesser, die sich in großer Zahl wechselseitig durchdringen, aber auch domainenartige und globuläre Struktur bilden, die aber wegen der geringen Unterschiede hinsichtlich Dichte und Molekülpackung selbst mit Elektronenmikroskopen nicht darstellbar sind.

Neben der Abhängigkeit von der Temperatur, ist auch der nicht unerhebliche Einfluss der Prozessparameter Druck, Feuchte, Geschwindigkeit und Strömungsform zu berücksichtigen, die allerdings so gut wie nicht genau erforscht sind. Inwieweit Knäuelverformungen Strukturbildungen beeinflussen ist ebenfalls kaum bekannt.

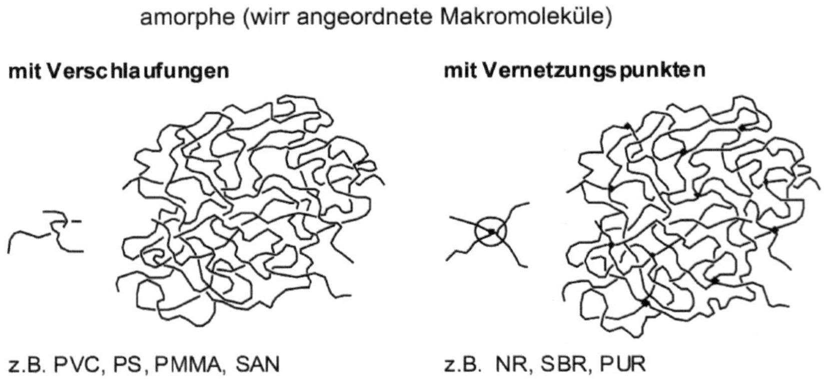

Bild 1.4 Einander durchdringende Knäuel-Strukturen [Schwarzl]
links: amorphe, unvernetzte Thermoplaste mit Verschlaufungen
rechts: leichte vernetzte Elastomere mit Vernetzungspunkten

Der Übergang vom energieelastischen Glaszustand in den gummielastischen Zustand wird auch als **Erweichungs-, Glasübergangs- oder Einfrier-Bereich** bezeichnet. Die Temperatur, die die größte Eigenschaftsänderung kennzeichnet, wird im Übergang vom Glaszustand zum gummielastischen Bereich meistens als Glasübergangstemperatur bezeichnet, ist also keine Einsatzgrenze mehr.

Eine Definition des Übergangs vom gummielastischen in den schmelzeförmigen Zustand hat Schwarzl noch als **Fließ-Temperatur** bezeichnet; eine prüftechnisch nachvollziehbare Definition gibt auch er nicht an. Die häufige Begründung, dass in diesem Bereich keine thermodynamisch erfassbaren Strukturänderungen stattfinden, mag zwar naturwissenschaftlich stimmen, aus ingenieurtechnischer Seite interessiert aber die Temperatur, ab der mit einem fließförmigen Zustand gerechnet werden muss, denn nahezu alle Thermoplaste werden über die schmelzflüssige Phase verarbeitet. Dennoch werden fast alle Kunststoffe in den Verarbeitungsmaschinen über diese Temperatur erwärmt und in ein Werkzeug eingebracht, dessen Temperatur niedriger ist.

Nach Schwarzl finden im **energieelastischen Zustand** keine mikrobrownsche Bewegung und damit keine Gestaltänderung der Makromoleküle statt. Die Form ist fixiert und unter Einfluss äußerer Kräfte werden Abstände und Winkel verzerrt. Bei höheren Temperaturen in diesem Zustand werden allenfalls Seitengruppen oder kurze Teile der Hauptkette beweglich. Im **gummi- oder entropieelastischen Zustand** muss die mikro-brownsche Bewegung voll entwickelt sein, d. h. die innere Drehbarkeit der Hauptkette wird möglich und es muss genügend freies Volumen vorhanden sein, damit Segmente Platzwechsel vornehmen können; Verschlaufungen werden jedoch nicht gelöst. Im **Fließzustand** können Verschlaufungen gelöst und die Schwerpunkte der Makromoleküle gegeneinander verschoben werden. Dafür ist eine irreversible Deformation, das Fließen, zuständig.

Kunststoffe werden im festen Zustand in die Maschine eingegeben, auf eine Temperatur über der Fließtemperatur erwärmt, ins Werkzeug transferiert und dort abgekühlt.

- Es werden drei Zustände durchlaufen: fest, gummielastisch, flüssig.
- Es fehlen Definitionen und Messverfahren, die die drei Zustandsbereiche erfassen und besonders die jeweiligen Übergänge kennzeichnen.
- Ein starker Einfluss des Drucks der Temperatur in der Maschine ist nicht messbar.

Kein Rohstoffhersteller gibt hier einen praktischen Wert an. Dementsprechend gibt es weltweit keine messtechnische Definition. Messverfahren, die z. B. durch Messung eines E-Modulwertes diese Zustandsbereiche und Übergänge in Abhängigkeit von der Temperatur kennzeichnen, sind zudem noch häufig logarithmisch aufgetragen, was zu einer scheinbaren Verschiebung dieser Übergänge um mehr als 10 °C zu höheren Temperaturen führt.

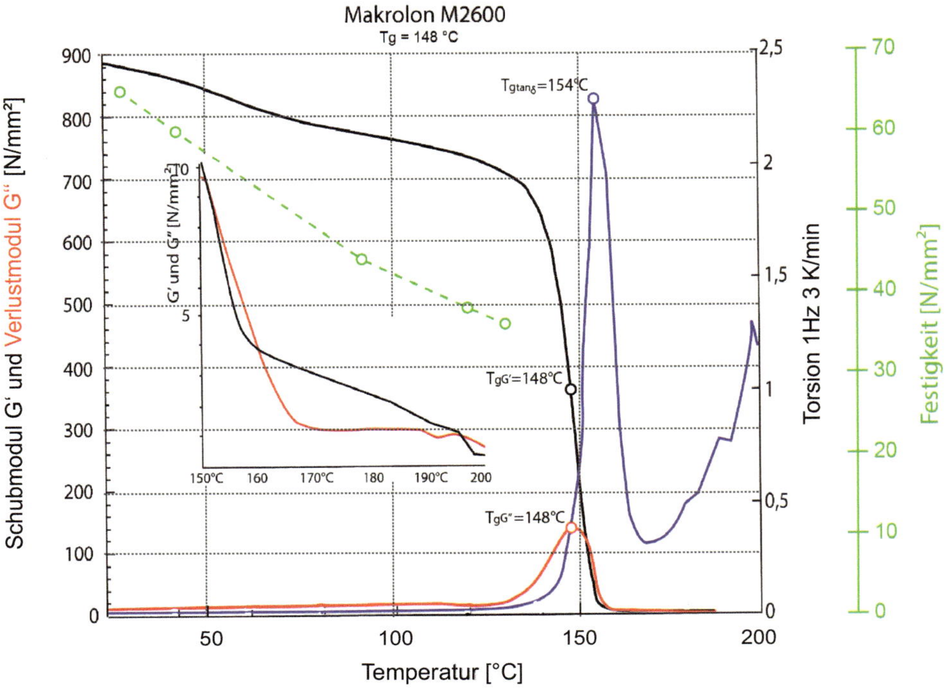

Bild 1.5 Zustandsbereiche amorphen Polycarbonats mit Schubmodul, Verlustmodul, Festigkeit und Dämpfung

T_{gG}' = Glasübergangstemperatur des Schubmoduls – 148 °C
T_{gG}'' = Glasübergangstemperatur des Verlustmoduls – 148 °C
$T_{gtan\delta}$ = Glasübergangstemperatur Maximum tanδ – 154 °C

1.2.2.1 Schmelztemperatur teilkristalliner Thermoplaste

Bei Teilkristallinen ist die **Schmelz- bzw. Erstarrungstemperatur** eindeutig durch die Auflösung der kristallinen Strukturanteilen bzw. deren Bildung gekennzeichnet ist, was z. B. mittels einer DSC-Messung gezeigt werden kann, Bild 1.18 und Bild 1.21. Die Unterschiede können bis zu 30 °C betragen.

Für die Abschätzung des temperaturabhängigen Viskositätsverhalten von PA 12 mittels Rotationsviskositätsmessungen bei minimal und maximal einstellbaren Dehnraten ergeben sich für 1 % Dehnung bei ca. 0,08 s^{-1} und für 100 % Dehnung bei ca. 7 s^{-1} die in Bild 1.6 dargestellten Kurvenverläufe. Erkennbar ist ein Anstieg der Viskosität η bei Temperaturen im Bereich der bei vergleichbaren Abkühlgeschwindigkeiten liegenden Kristallisationstemperaturen der Rohstoffhersteller.

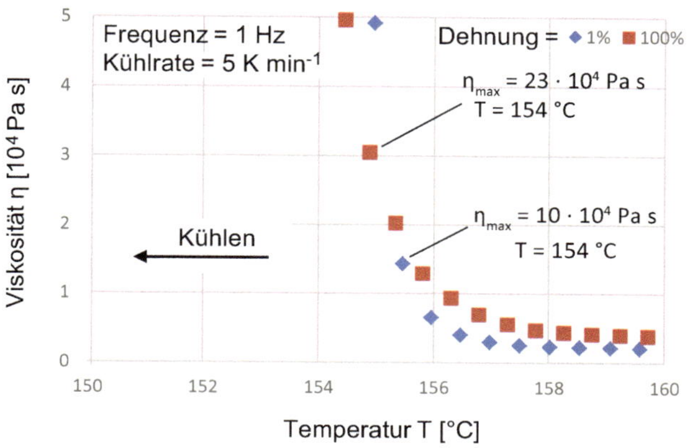

Bild 1.6 Scher-Viskosität im Übergang vom schmelzflüssigen zum gummielastischen Bereich während der Abkühlung, PA 12-L20G – verbesserte Hitzebeständigkeit und UV-Stabilität [C. Fischer].

Bei den durchgeführten Messungen resultiert für die niedrigere Schergeschwindigkeiten (1 % Dehnung) eine höhere maximal gemessene Viskosität ($23 \cdot 10^4$ Pa s) im Bereich der beginnenden Kristallisation im Vergleich zur höheren Schergeschwindigkeit (100 % Dehnung), welche lediglich $10 \cdot 10^4$ Pa s erreicht hatte. Die niedrigere Viskosität Schergeschwindigkeit ist auf das strukturviskose Verhalten des untersuchten PA12 zu erklären. Eine weitere wichtige Einflussgröße ist das Molekulargewicht.

1.2.2.2 Fließtemperatur amorpher Thermoplaste als *G'/G"*

Der **Fließzustand** ist durch die Fließtemperatur gekennzeichnet – dadurch dass Verschlaufungen gelöst und die Schwerpunkte der Makromoleküle verlagert werden. Es handelt sich nicht um einen thermodynamischen, sondern um einen kinetischen Prozess. Nur für Letzteren stehen aussagefähige Prüfverfahren zur Verfügung. Für das PC ergibt sich als Fließtemperatur der Schnittpunkt von Schub- und Verlustmodul mit einem Wert von ca. 186 und ca. 196 °C an. In älteren Unterlagen von Bayer steht: ab 220 °C flüssig, bei 240 °C gut fließend, Verarbeitung bei 280 °C, was als Kennzeichnung des Materials unzureichend ist.

Vergleichbar der Schmelztemperatur bei teilkristallinen Thermoplasten kann man eine Fließtemperatur bei amorphen Thermoplasten dadurch bestimmen, dass man den Schnittpunkt des Speichermoduls mit dem Verlustmodul bei zunehmender Temperatur bestimmt, Bild 1.7, Bild 1.8 und Bild 1.9. Ab diesem Punkt übertreffen die viskosen Verformungsanteile die elastischen und damit das Fließ- und Deformationsverhalten des Kunststoffs.

Da bei teilkristallinen Thermoplasten die kristallinen Bereiche schmelzen, also eine strukturelle Umwandlung erfolgt, wird von einer **Schmelztemperatur** gesprochen. Bei amorphen Thermoplasten wird wegen des Freiwerdens der makrobrownschen Bewegungen, irreversible Molekülverlagerungen und Knäuelauflösungen die Konsistenz flüssig. Es wird von einer **Fließtemperatur** gesprochen.

Die Messungen werden an einem Rotationsviskosimeter mit Platte-/Platte-Messsystem durchgeführt. Dabei wird das Material zwischen die beheizten Platten gegeben, über den schmelzeflüssigen Zustand zu einem egalen Probekörper geformt und ein definierter Spalt eingestellt. Dieser sollte möglichst klein gewählt werden, um den Temperaturgradienten gering zu halten. Allerdings muss der Spalt auch groß genug sein, damit er nicht auf Null fährt.

Als feste Vorgaben müssen der Auslenkwinkel und die Deformation vorgegeben werden. Als Ergebnis erhält man das Drehmoment, die Schubspannung und den Phasenwinkel. Alle anderen Werte werden hieraus berechnet. So auch der Verlust- und Speichermodul. Die Bestimmung der Schmelz-/Fließtemperatur ist ein neuer Vorschlag von N. Rudolph (das *Rudolph-Phänomen*).

Die im Folgenden beschriebenen Messungen werden an einem Rotationsviskosimeter in Oszillation mit Platte-/Platte- Messsystem durchgeführt. Mittels *strain-sweep-Messungen* werden die geeigneten Messparameter im *linear-viskoelastischen Bereich* ermittelt.

Messergebnisse von Aufheiz- und Abkühlversuchen

Die Voruntersuchungen wurden mit einem Polycarbonat (Lexan 123R) durchgeführt. Die eingestellten Parameter wurden durch Vorversuche ermittelt und für alle Versuche beibehalten, Tabelle 1.2. Dabei wird das Material zwischen die beheizten Platten gegeben, über den schmelzeflüssigen Zustand zu einem egalen Probekörper geformt und ein definierter Spalt eingestellt.

Tabelle 1.2 Ermittelte Prüfparameter bei Messungen von Schmelz- bzw. Erstarrungsprozessen amorpher Thermoplaste wie z. B. Polycarbonat

Parameter Aufheizen	Wert		Parameter Abkühlen	Wert
Platte	∅ 25 mm		Platte	∅ 25 mm
Starttemperatur	160 °C		Starttemperatur	230 °C
Heizrate	3 °C/min		Heizrate	3 °C/min
Endtemperatur	260 °C		Endtemperatur	130 °C
Spalthöhe	600 µm		Spalthöhe	600 µm
Dehnung	0,5 %		Dehnung	0,2 %
initial oscillation stress	3,259 Pa		initial oscillation stress	3,259 Pa
Frequenz	1 Hz		Frequenz	1 Hz

Mit diesen Prüfeinstellungen wurden mehrere Messungen gefahren, die alle das gleiche Ergebnis erbrachten. Die aufgenommenen Schubmodul-Kurven von *G'* und *G''* schneiden sich immer im selben Temperatur- und Modulbereich. Der Schnittpunkt liegt im Bereich von 183 °C bis 187 °C und einem Modulbereich von 20 bis 30 MPa.

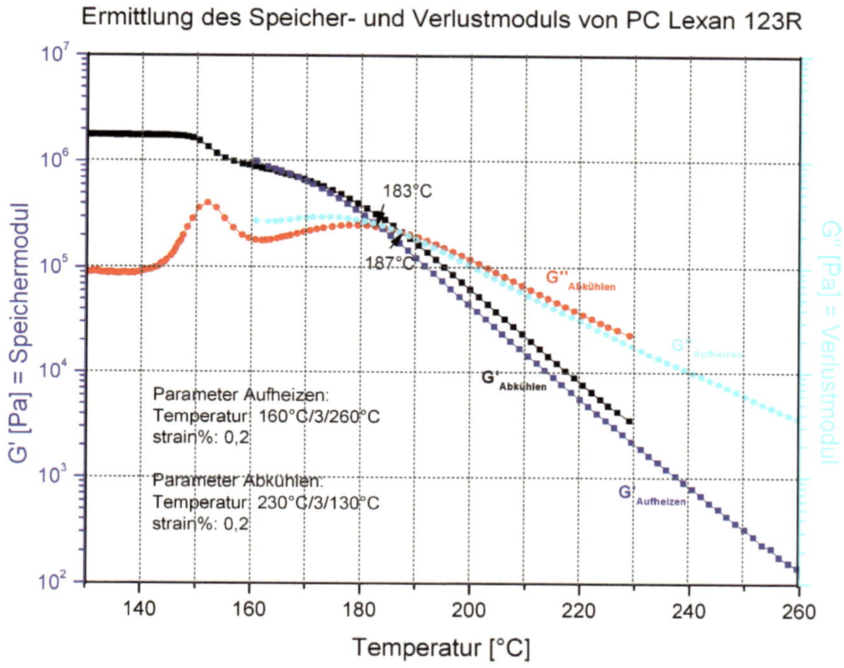

Bild 1.7 Speicher- und Verlustmodul von PC [Lexan 123R] (logarithmische Auftragung)

Der deutlich höhere Speichermodul fällt steil ab und kreuzt die Kurve des Verlustmoduls, der ab diesem Punkt dominiert. Im Schnittpunkt sind beide Anteile im Gleichgewicht, bei weiter steigender Temperatur überwiegt das viskose Verhalten.

In der Literatur wird dieser Schnittpunkt gelegentlich als Glas- oder Glasübergangstemperatur bezeichnet [Metzger]. Allerdings widerspricht dies den hier gemessenen Ergebnissen, denn der Glaspunkt liegt bei allen Materialien sehr viel tiefer als dieser Schnittpunkt und kennzeichnet keinen Fließzustand.

Da sich sowohl der Aufheiz- als auch der Abkühlprozess deckungsgleich überlagern, wird für weitere Versuche die Bestimmung des Schmelzpunktes mittels der Abkühlung durchgeführt, da hier neben dem Schmelzpunkt auch der Glasübergang sichtbar wird.

Die logarithmische sowie die lineare Auftragung der Ordinate führen zu keiner Abweichung des Schnittpunktes, vgl. Bild 1.7 und 1.8.

Zur weiteren Überprüfung der Festlegung des Schmelzpunktes als Schnittpunkt der beiden Modulkurven dienen Messungen an einem teilkristallinen Thermoplasten, bei dem man den Schmelzpunkt auch mit einer anderen Methode ermitteln kann.

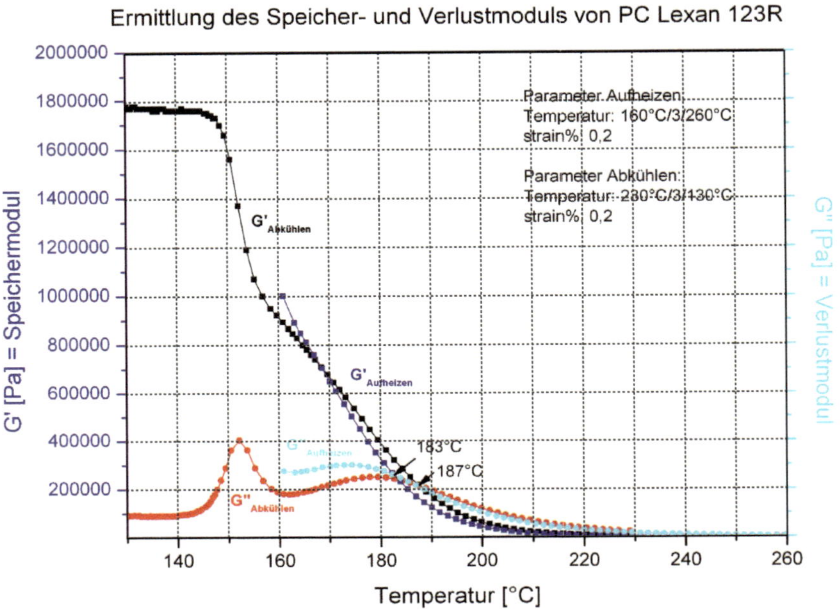

Bild 1.8 Speicher- und Verlustmodul von PC Lexan 123R (lineare Auftragung)

Hierzu wird ein Polypropylen (P9000) untersucht, dessen Kristallisations- und Schmelzbereich mittels DSC bestimmt wird. Die Abkühlung ergibt eine Kristallisation bei 118 bis 120 °C, das zweite Aufheizen einen Schmelzbereich von 127 bis 135 °C.

Die Temperatur *G' = G''* lässt sich formal sauber bestimmen, Bild 1.9.

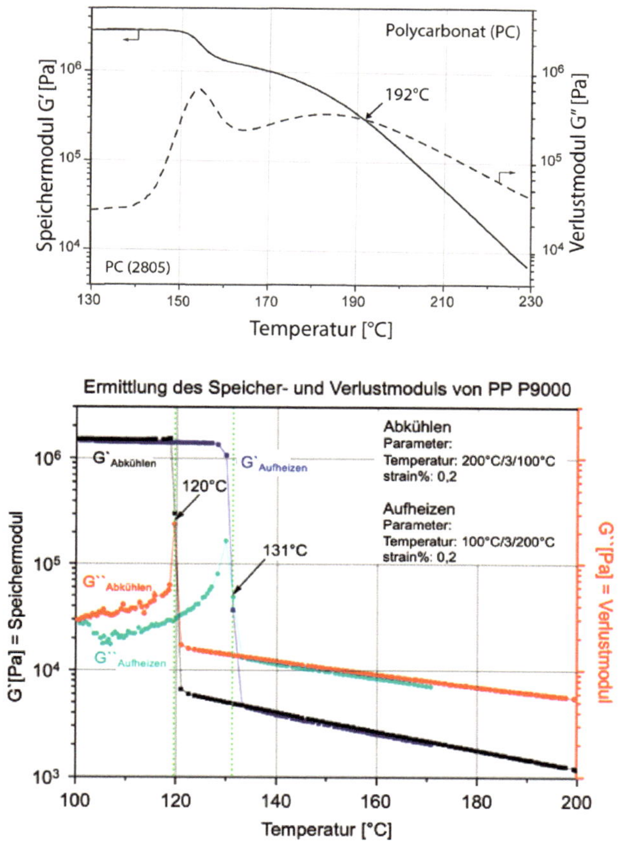

Bild 1.9 Das Rudolph-Phänomen
oben: *Schnittpunkt Speichermodul G' und Verlustmodul G'' von PC Makrolon -2805 bei der Abkühlung (0,2 % Dehnung, 1 Hz; 1 bar; Kühlrate 3 °C/min)*
unten: *Speichermodul G' und Verlustmodul G'' von PP 9000 bei der Abkühlung/Kristallisation und beim Aufheizen/Schmelzen (0,2 % Dehnung, 1 Hz, Heiz- und Kühlrate 3 °C/min)*

Wie sehr die Belastungsfrequenz die gemessenen Kennwerte Speicher- und Verlustmodul beeinflussen kann, zeigen die frequenzabhängigen Vergleiche von Th. Schröder in linearer und logarithmischer Auftragung von Lupolen 4261 bei 220 °C, Bild 1.10. Während bei der logarithmischen Auftragung scheinbar geringfügige Unterschiede zu vermerken sind, sind sie bei linearer Auftragung deutlich zu erkennen, und dieses besonders bei hohen Frequenzen.

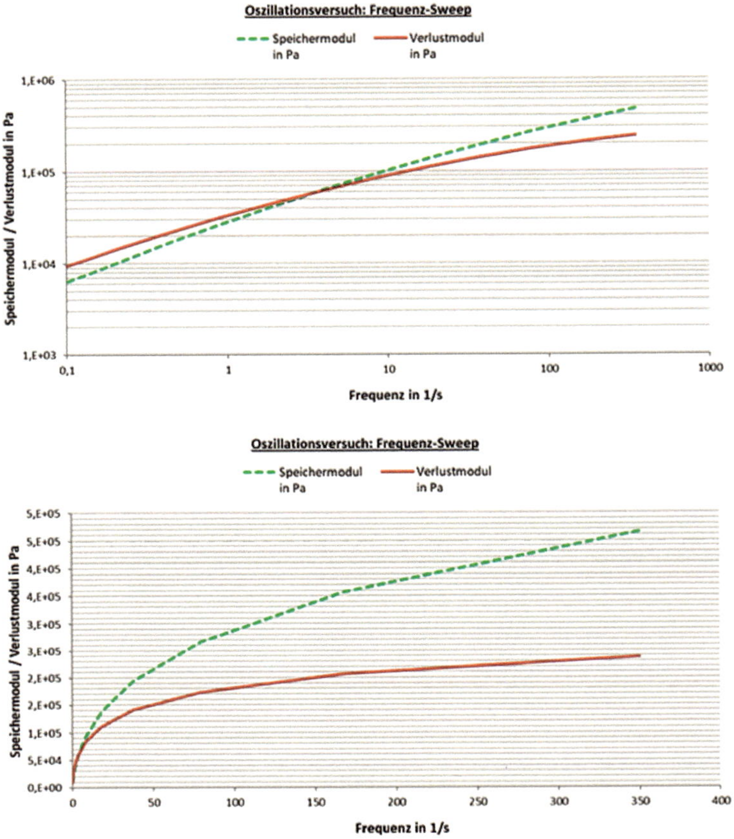

Bild 1.10 Speicher- und Verlustmodul gemessen mit dem Frequenz-Sweep einmal doppelt logarithmisch und einmal doppelt linear aufgetragen, Lupolen 4261 bei T = 220 °C

Entscheidend für die Eigenschaften der Kunststoffe speziell im flüssigen Zustand sind die Kettenlänge der Makromoleküle und die Breite deren Verteilung. Der Herstellprozess der Kunststoffe bedingt, dass die Molmassen der Makromoleküle keinen einheitlichen Wert annehmen, sondern eine mehr oder weniger breite Verteilung. Dabei spielen die mittlere Länge der Makromoleküle, welche der mittleren Molmasse, bzw. dem Polymerisationsgrad entspricht, die Art der Verteilung und die Eigenschaften in Bezug auf Verzweigungen eine entscheidende Rolle für die rheologischen Eigenschaften des Kunststoffs. Diese Daten sind also für die weiteren Versuche von großer Bedeutung und waren daher die Auswahlkriterien für die Versuchsmaterialien.

Tabelle 1.3 gibt eine Übersicht der ausgewählten Kunststoffe. In der jeweiligen Kunststoffklasse, PC und PMMA, unterscheiden sie sich im Molekulargewicht und der Molekulargewichtsverteilung.

Tabelle 1.3 Thermische und konstitutionelle Kennwerte amorpher Thermoplaste im Vergleich
Der Volumenfließindex auch MVR (Melt Volume Rate) ist ein Maß für die Fließfähigkeit thermoplastischer Kunststoffe. Er gibt an, wieviel Milliliter Schmelze in 10 Minuten von einem Stempel, auf dem ein Körper vorgegebener Masse liegt, durch eine Kapillare mit einem Radius von 1,05 mm und einer Länge von 8 mm gepresst wird. Die Messtemperatur richtet sich nach der Fließtemperatur des Kunststoffs.

			PC Makrolon				PMMA Plexiglas		
Eigenschaften	Prüfbedingungen	Einheiten	CD 2005	2205	2405	2805	7N	8N	7H
Schmelze-Volumenfließrate MVR	300 °C 1,2 kg	cm^3/ (10min)	31	36	19	9,5			
Schmelze-Volumenfließrate MVR	230 °C 3,8kg	cm^3/ (10min)	11,98	5,77	3,16	1,72	6	3	1,4
Glasübergangstemperatur T_g	10 °C/min	°C	114	114	114	114	110	117	112
linearer Wärmeausdehnungskoeffizient, parallel	23 - 55 °C	10^{-4}/ K	0,65	0,65	0,65	0,8	0,8	0,8	0,8
Dichte	n/a	g/cm^3	1,19	1,19	1,2	1,2	1,19	1,19	1,19
Viskositätszahl	n/a	cm^3/g	40	45	51	59	53	53	72
Spritzgießen-Massetemperatur	n/a	°C	280	280	280	300	243	248	252
Spritzgieß-Werkzeugtemperatur	n/a	°C	80	80	80	80	63	68	62
Spritzgieß-Einfüllgeschwindigkeit	n/a	mm/s	200	200	200	200	195	195	195
Zahlenmittelwert des Molekulargewichts M_n	n/a	g/mol	9000	9300	11000	4800	50400	69700	
Massenmittel-wert des Molekulargewichts M_w	n/a	g/mol	17000	20000	24200	30500	98600	102000	150000
Molekulargewichtsverteilung M_w/M_n	n/a	n/a	1,89	2,15	2,20	2,24	2,05	2,01	2,15

Mit ansteigendem Molekulargewicht steigt bei den Kunststoffen innerhalb einer Klasse auch die Breite der Verteilung an. Erkennbar ist dies an den in Tabelle 1.3 dargestellten Quotienten aus M_w und M_n. Während PC CD2005 und PMMA 7N über eine relativ enge Verteilung innerhalb ihrer Klasse verfügen, verbreitert sich die Verteilung mit ansteigendem Molekulargewicht.

Die Kunststoffe sind also bezüglich ihres Fließverhaltens ausreichend unterschiedlich, um angesichts der durchzuführenden Messungen charakteristische Werte für die Fließtemperatur zu erhalten.

In der Hauptuntersuchung wurden die Glasübergangstemperatur T_g und die als Schnittpunkt von G' und G'' gemessenen Fließtemperaturen T_m als Funktion der Messfrequenz bestimmt, Tabelle 1.4.

Tabelle 1.4 Einfluss des Molekulargewichts auf die Fließ- [G'=G''] und Glasübergangs-temperatur T_g von PC und PMMA [Bayer, Evonik]; Rudolph-Phänomen

	PC Makrolon 2005 1Hz	PC Makrolon 2205 1Hz	PC Makrolon 2405 1Hz	PC Makrolon 2805 1Hz
Schnittpunkt G' mit G'' = Fließtemperatur °C	181	184,6	191,4	194,2
Wendepunkt G' = Glasübergangstemperatur °C	156	156,1	156	154
Differenz T_g/T_f	25	28,5	35	40
Massenmittelwert M_w g/mol	17 000	20 000	24 200	30 500
Verarbeitungstemperatur °C	280	280	300	300

	PMMA 7N 1Hz	PMMA 8N 1Hz	PMMA 7H 1Hz
Schnittpunkt G' mit G'' Fließtemperatur °C	194,1	201,8	201,4
Wendepunkt G' Glasübergangstemperatur °C	126,1	128	126,1
Differenz T_g/T_f. °C	68	74	75
Massenmittelwert M_w g/mol	17 000	20 000	24 200
Verarbeitungstemperatur °C	220 - 260	220 - 260	220 - 260

Aufgrund der größeren Zahl zwischenmolekularer Bindungen und Verschlaufungen führt ein höheres Molekulargewicht (M_n = 9300 g/mol beim PC 2205 und 13 600 g/mol beim PC 2805) zu einer höheren Fließtemperatur, während die Glasübergangstemperatur keinen Einfluss zeigt. Zwischen Glasübergangs- und Fließtemperatur besteht kein fester Zusammenhang, die Differenz zwischen beiden Übergängen ist unterschiedlich groß. Die Differenz zwischen Fließtemperatur und Glasübergangstemperatur nimmt mit zunehmendem Molekulargewicht ebenfalls zu.

Mit zunehmender Frequenz steigt die Belastungsgeschwindigkeit und damit die Wirkung der elastischen Verformung, während die nichtelastische Verformung abnimmt bzw. diese erst durch eine höhere Temperatur wieder stärker wird. Dadurch verschiebt sich der Schnittpunkt von *G'* und *G''* als Kennzeichen einer Fließtemperatur zu höheren Werten, Bild 1.11.

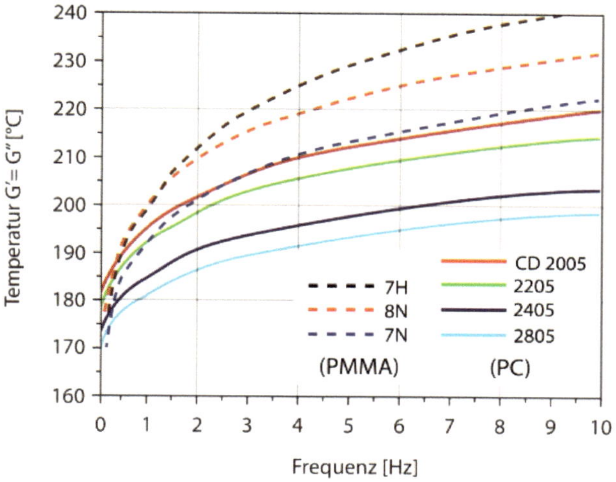

Bild 1.11 Einfluss der Belastungsfrequenz auf die Fließtemperatur, gekennzeichnet durch *G'* = *G''* als Schnittpunkt von Speicher- und Verlustmodul bei PMMA- und PC-Typen, Rudolph-Phänomen

Bei Messungen in einem weiteren Frequenzbereich von 0,1 – 1000 Hz zeigt sich beim PC 2805 kaum ein Einfluss auf die Glasübergangstemperatur, dagegen der deutliche Einfluss auf die Fließtemperatur. Während die Fließtemperatur bei 0,1 Hz 178 °C beträgt steigert eine Frequenz von 1000 Hz die Fließtemperatur auf über 280 °C. Dies ist eine Änderung um gut 100 °C und nähert sich stark der unteren Grenze des vom Hersteller empfohlenen Verarbeitungsbereichs.

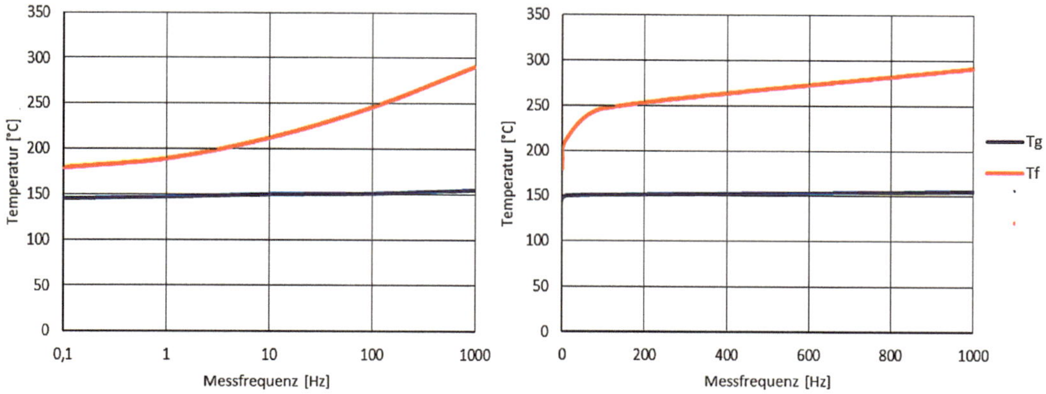

Bild 1.12 Einfluss der Belastungsfrequenz auf die Fließtemperatur T_f und Glasüber-gangstemperatur T_g bei PC 2805

Es besteht kein direkter Zusammenhang zwischen Spritzgieß-Verarbeitungstemperaturempfehlung (280 °C bei PC 2205 bis 300 °C bei PC 2805) und den gemessenen Glasübergangs- und Fließtemperaturen.

Dies bedeutet, dass bei hohem Molekulargewicht und hohen Deformationsgeschwindigkeiten die Fließtemperatur zu immer höheren Temperaturen verschoben wird. Da wie oben erwähnt der Abstand bisher pauschal festgelegt wird, kann festgehalten werden, dass diese Vereinfachung unter gewissen Umständen dem Sachverhalt nicht gerecht wird. Der wichtige Punkt G‘ = G“, an dem sich das Verhalten des Polymers noch einmal entscheidend ändert, bleibt dabei im Allgemeinen unbeachtet und wird mit einer Pauschalisierung nur unzureichend bestimmt, Bild 1.10.

Überträgt man die Werte *G' = G''* für PMMA und PC auf Scherviskositätskurven, so:

1. erkennt man, dass die Viskositätsverläufe mit abnehmender Temperatur steiler verlaufen. Ob es sich hierbei um eine messtechnische Schwäche handelt, ist nicht geklärt, Bild 1.13.
2. ergibt sich, dass die so ermittelten Kennwerte relativ am Ende des durch die Viskosität gekennzeichneten Bereichs liegen, somit zumindest auf der sog. sicheren Seite.

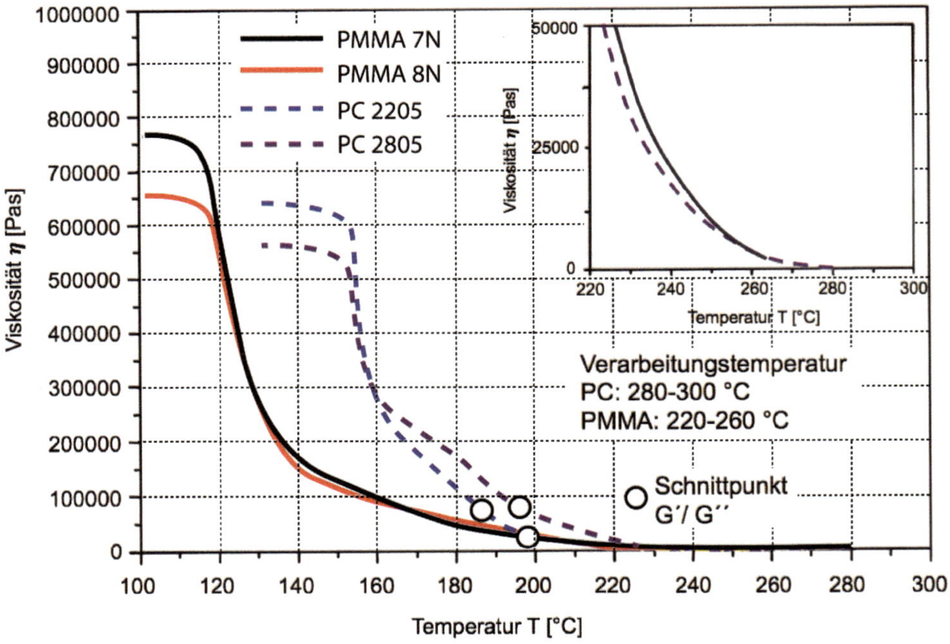

Bild 1.13 Viskosität im Verarbeitungsbereich zwischen Fließ- und gummielastischen Bereich mit *G'/G''*-Schnittpunkt-Temperaturen [*Rudolph-Phänomen*]

1.2.2.3 Thermische Kennwerte amorpher Thermoplaste

Eine Übersicht der Glasübergänge der einzelnen Materialien ist mit unterschiedlichen Methoden ermittelt worden, Tabelle 1.5. Die gemessenen Werte für T_g unterscheiden sich nach Methode stark. Am besten stimmen die Messungen mit dem *pvT*-Gerät und dem Rotationsviskosimeter überein. Nur bei PMMA sind die Ergebnisse von MDSC und *pvT*-Gerät gleich. Die Ergebnisse stimmen nur ungefähr mit den Literaturwerten überein. Allerdings ist auch hier die beste Übereinstimmung zwischen Rotationsviskosimeter-, *pvT*- und Literaturwerten.

Tabelle 1.5 Glasübergangstemperaturen verschiedener amorpher Thermoplaste nach verschiedenen Verfahren gemessen

amorpher Kunststoff	Literatur	MDSC	*pvT*	Rotationsviskosimeter		
				Bereich	Peak *G''*	Abfall *G'*
PC-Makrolon 2205 (niedermolekular)	149 °C	146 °C	154 °C	149 bis 161 °C	154 °C	149 °C
PC-Makrolon 2805 (hochmolekular)	149 °C		150 °C	149 bis 160 °C	155 °C	149 °C
PC-Lexan 123R	149 °C	142 °C	150 °C	148 bis 158 °C	152 °C	148 °C
PMMA-Plexiglas 8N	100 °C	113 °C	114 °C	122 bis 138 °C	131 °C	122 °C

Die für die praktische Anwendung häufig überschätzte Aussage der Glasübergangstemperatur T_g hat zudem das Problem ihrer genauen Bestimmung. Dass sie nicht von der Höhe des Molekulargewichts beeinflusst wird, bedeutet, dass ein Abbau des Molekulargewichts durch welchen Einfluss auch immer als Kennzeichen einer Schädigung nicht brauchbar ist. Der Einfluss des Molekulargewichts auf die Fließ- und Glasübergangstemperatur differiert deutlich.

Die Bestimmung einer Fließtemperatur aus Schnittpunkten von Schub- und Verlustmodul lässt sich häufig wegen deren unterschiedlicher Größenordnungen schwer bestimmen.

Die Ausgangsform der Makromoleküle ist das Knäuel, s. Bild 1.4, das seine runde Form sicherlich auch unter Einwirkung der Oberflächenspannung einnimmt. Die Dichte eines einzelnen Molekülknäuels beträgt etwa 1/100 der Dichte eines Kunststoffs in kompakter Form. Daraus ist zu schließen, dass sich die einzelnen **Knäuel** durchdringen, wenn sie nicht in kristalliner Form strukturiert sind. Man nennt dieses den amorphen Zustand. Amorphe Knäuel können chemische Vernetzungen zwischen den Makromolekülen haben oder unvernetzt in Verschlaufungen (und somit wieder chemisch) untereinander gebunden sein. Verschlaufungen können unter Einwirkung von Wärme und Chemikalien leichter verformt werden als feste chemische Bindungen.

Tabelle 1.6 Strukturelle Merkmale amorpher Thermoplaste

Aggregatzustand	molekulare Beweglichkeit	Verschlaufungen	Deformation unter Last
Glaszustand	▪ Schwingungen ▪ keine Konformationsänderungen	stabil etwa wie Vernetzungen	Änderung von Valenz-Abständen und -Winkeln
Gummielastischer Zustand	▪ Drehbarkeit der Hauptkette ▪ Platzwechsel von Segmenten (mikrobrownsche Bewegung)	Ketten zwischen Verschlaufungen beweglich	Molekül-Orientierungen und Verschlaufungsverschiebung
Fließzustand	Schwerpunkte der Makromoleküle gegeneinander verschiebbar (makrobrownsche Bewegung)	Verschlaufungen sind lösbar	irreversible Molekülverlagerung und Knäuelauflösung

1.2.3 Kristalline Strukturen (Lamellen)

Teilkristalline Thermoplaste haben wie alle Kunststoffe drei Zustandsbereiche: energieelastisch (Glaszustand), gummi- oder entropie-elastisch und schmelzflüssig. Im energieelastischen Zustand der kristallinen Phase ist zu berücksichtigen, dass die amorphe Phase selbst im energieelastischen oder bei höheren Temperaturen im gummielastischen Zustand sein kann, dabei ändert sich vor allem die Verformbarkeit des Materials. Es ist der Erweichungsbereich bzw. Glasübergangsbereich des gesamten Werkstoffs. Die Zustandsbereiche sind in Tabelle 1.7 gekennzeichnet.

Tabelle 1.7 Strukturelle Merkmale teilkristalliner Thermoplaste

Aggregatzustand	molekulare Beweglichkeit	Struktur
Zwei quasi energieelastische Zustände (unterschiedliches Verhalten von Bindungsgruppen)	▪ keine Beweglichkeit der kristallinen Bereiche ▪ Erweichung der amorphen Bereiche (3 bis 4 Größenordnungen weicher)	zweiphasig: kristallin und amorph
Gummielastischer Zustand	▪ amorphe Bereiche erweichen ▪ kristalline Bereiche sind verschiebbar ▪ häufig kein klarer Erweichungsbereich ▪ ca. 1/10 der Gesamt-Steifigkeit	kristalline und erweichte amorphe Phasen
Schmelzezustand	▪ kristalline Bereiche aufgelöst ▪ Schwerpunkte der Moleküle verschiebbar	einphasig amorph

Vergleichsweise zu amorphen Thermoplasten, ergeben sich für einen teilkristallinen Thermoplasten Polyamid 66 größere Variationen in den Zustandsbereichen, Bild 1.14. Besonders der gummielastische Bereich weist eine deutlich höhere Steifigkeit auf, da die kristallinen Lamellen den Verbund zusammenhalten. Eine Schmelztemperatur ist zumindest definiert. Die Glasübergangstemperaturen sind wegen komplexer Strukturmerkmale nicht immer einfach zu bestimmen. Teilkristalline Thermoplaste sind im gummielastischen Bereich durchaus wegen der verbleibenden Steifigkeit noch gebrauchstauglich belastbar. Auffallend ist der steile Anstieg des Verlustmoduls, der bei dynamischer Belastung leicht zu einer Eigenerwärmung führt.

Sind die Makromolekülketten schlank und stapelförmig können sie sich unter Einwirkung der Nebenvalenzkräfte über bestimmte Längen parallel lagern und eine Art kristalliner Anordnung bilden. Völlig gestreckte Anordnungen gibt es nicht. Teilkristalline Kunststoffe bestehen immer aus sehr kleinen amorphen und kristallinen Bereichen. Die unterschiedlichen Strukturen verhalten sich durchaus sehr abweichend voneinander, wobei die Übergänge kaum in ihrer Wirkung erfassbar sind.

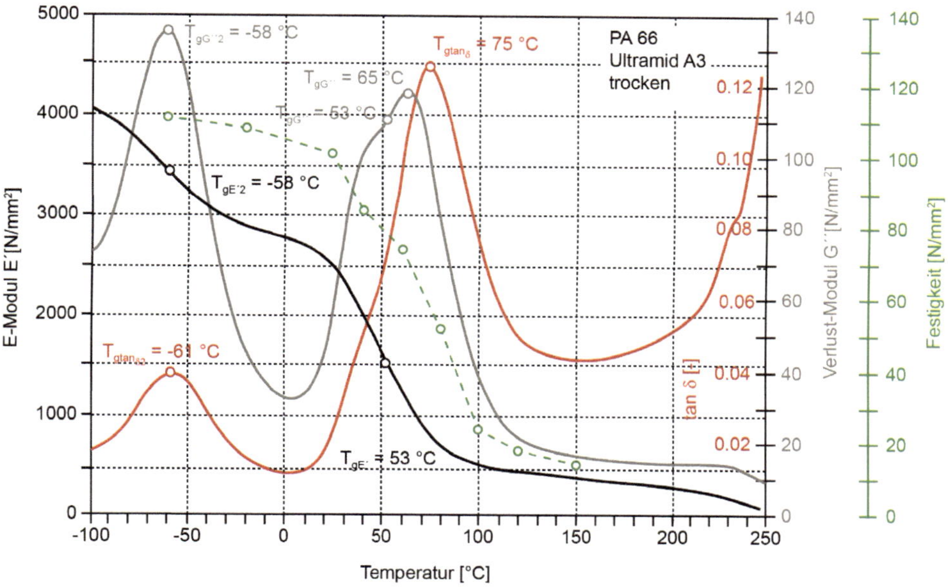

Bild 1.14 Zustandsbereiche von teilkristallinen Polyamid 66 (während der Prüfung leichter Feuchtigkeitszugang)

T_{gE}' = *Glasübergang E-Modul = 53 °C;*

$T_{gE'2}$ = *Glasübergang E-Modul sekundär = –58 °C;*

T_{gG}'' = *Glasübergang Verlustmodul* $T_{gG''}$ *= 65 °C; = 53 °C;*

$T_{gtan\,\delta}$ = *Maximum tan* δ *= 75 °C;*

$T_{gtan\,\delta 2}$ = *Maximum tan* δ_2 *= –61 °C*

Die Grundstruktur der kristallinen Anordnung sind die Faltungen oder Lamellen. Dabei sind einzelne Ketten in mehrere Lamellen eingebettet, Bild 1.15.

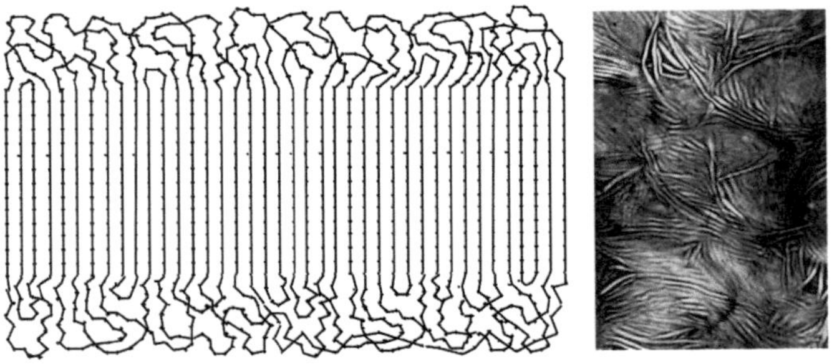

Bild 1.15 Struktur von Faltungslamellen in teilkristallinem Kunststoff
links: Modell für nicht geordnete Grenzschichten eines Einkristalls
rechts: Anordnung der Lamellen von gepressten PE-HD-Proben (kontrastierter Ultradünnschnitt in Chlorsulfonsäure und Uranylacetat).
Die weißen Linien zeigen die kristallinen Lamellen, die eine recht einheitliche Dicke aufweisen, die grob zwischen 5 und 30 nm liegen, wobei die Dickenschwankungen meistens relativ gering erscheinen.
In Kettenrichtung chemische Bindung ~ 500x fester; atomarer Abstand ~ 0,075 bis 0,3 nm
zwischen Ketten physikalische Bindung; Abstand ~ 0,3 bis 1 nm

Ein anschauliches Model liefert die Bildung einer Lamelle in Bild 1.16.

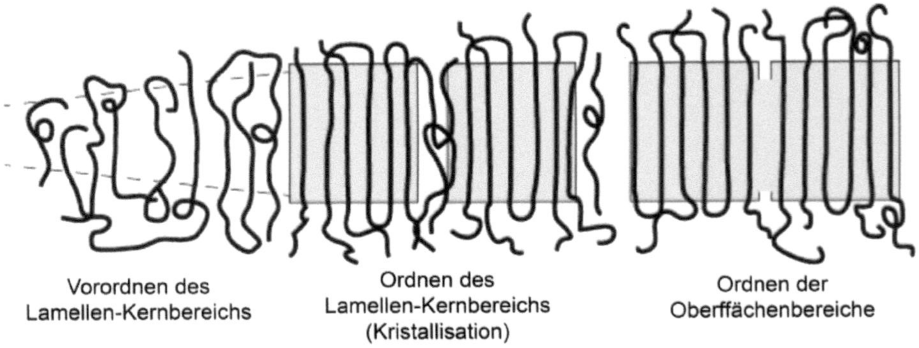

Bild 1.16 Entstehen von teilkristallinen Lamellen und daraus Spärolithen [nach Strobl]

Die Kristallisation beginnt bei einer Abkühlung der Schmelze. Die vielfältigen Kristallisationskeime haben jedoch nur eine kurze Lebensdauer, da die Differenz der Enthalpie zwischen Schmelze und Keim wegen der geringen Temperaturdifferenz noch sehr gering ist.

Die Keimbildung erfolgt mit einer Vorstufe den sog. Embryonen, die sich durch Fluktuationen bilden und wieder zerfallen. Mit zunehmender Unterkühlung können sie eine kritische Größe erreichen und dann weiterwachsen. Ausgangspunkt des Lamellenwachstums können aber auch heterogene Keime sein, die in kommerziellen Polymeren häufig vorkommen.

Die meisten Keime zerfallen durch die Temperaturstöße, bevor sie wachsen können (Schwarzl). Dieses ist erst bei tieferen Temperaturen möglich bei reduzierter Molekülbeweglichkeit. Die Kristallisationsgeschwindigkeit ist bei verschiedenen Kunststoffen beim Abkühlen um 30 °C unter die Fließtemperatur sehr unterschiedlich:

- PE ~5000 µm/min
- POM ~400 µm/min
- PA 6 ~150 µm/min
- PET ~10 µm/min
- PS ~ 0,25 µm/min

Verglichen mit der Kristallisation bei Metallen dauert die Kristallisation bei makromolekularen Werkstoffen schon deshalb viel länger, weil sich keine punktweise singulären Elemente sondern Kettenelemente anlagern, die zudem irgendwo verankert sind und andere Elemente verdrängen müssen, Bild 1.17.

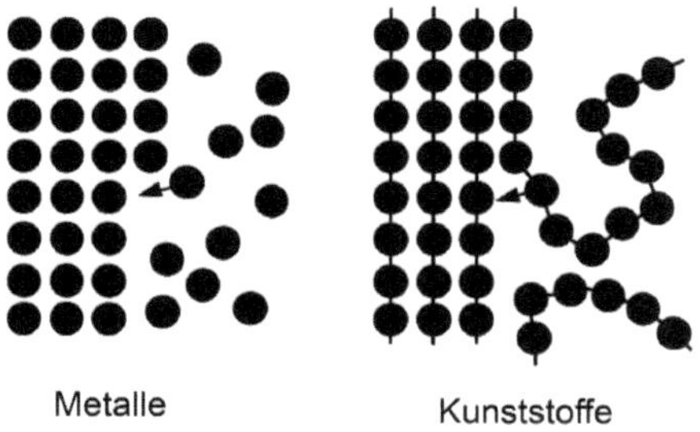

Bild 1.17
Schematisches Kristallwachstum bei Metallen und Kunststoffen

Die Lamellenbildung wird durch einige Effekte beeinflusst. Die Lamellenstruktur bringt die Problematik mit sich, dass die Lamellenhöhe unter Einwirkung von günstigen Kristallisationsbedingungen höher sein kann. Zum einen nimmt mit abnehmender Temperatur die Kettenbeweglichkeit ab, sodass kristallisierende Polymere nicht das thermodynamische Gleichgewicht erreichen, sie kristallisieren nicht vollständig. Werden die Kunststoffe bei Temperaturen unterhalb der Schmelztemperatur gelagert und wird ihnen Zeit gegeben, der Lagerungstemperatur entsprechend, kristalline Strukturen aufzubauen, bilden sich sekundäre Schmelzpeaks, sog. Temperpeaks, deren Maximum etwa 15 bis 20 °C höher liegt als die Tempertemperatur, deren Beginn aber der Lagertemperatur entspricht, Bild 1.18.

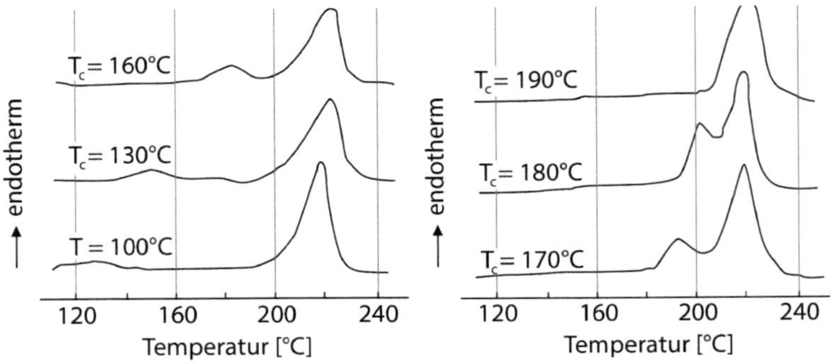

Bild 1.18 Temperpeak bei PA 6 nach Lagerung von acht Stunden bei unterschiedlichen Temperaturen [Illers]

Die kristallisierenden Bereiche versuchen, störende Elemente wie Kettenenden, Kettenschlaufen und Tie-Moleküle, in die amorphen Bereiche zu verdrängen. Kettenenden treten bei niedermolekularen Makromolekülen häufiger auf und führen zu Störungen. Sehr hochmolekulare Makromoleküle führen zu einer höheren Schmelzeviskosität, die die Kristallisation erschwert und zu niederen Kristallisationsgraden führt.

Da die Länge der Makromoleküle sehr viel größer ist als die Höhe der Kristalllamellen, durchlaufen sie mehrere Lamellen und verbinden sie als sog. Tie-Moleküle.

Bild 1.19 zeigt, wie sich ein einzelnes Makromolekül, das im geschmolzenen Zustand einmal ein Knäuel war, in mehreren Lamellen und amorphen Bereichen anordnen kann. Der Zusammenhalt der amorphen Grenzschichten verschiedener Faltungsblöcke wird durch die Anzahl der durchlaufenden Ketten und die wechselseitigen Kettenverschlaufungen bestimmt. Trotzdem sind diese amorphen Grenzschichten häufig als Schwachstelle anzusehen.

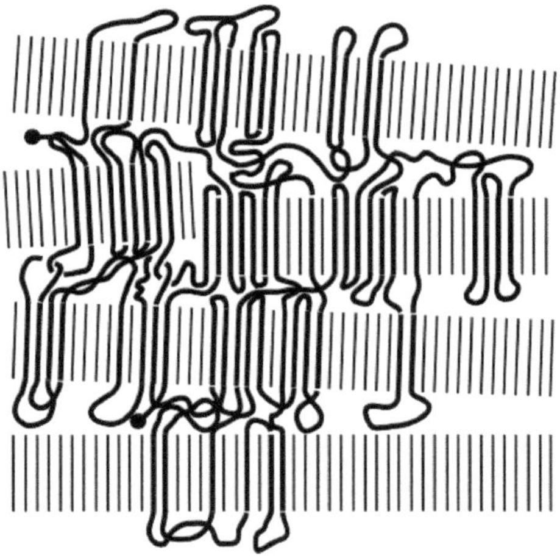

Bild 1.19
Anordnung eines einzelnen PE-Makromoleküls in mehreren kristallinen Lamellen und amorphen Zwischenbereichen [BASF]

Bild 1.19 und Bild 1.20 geben die aktuellen Vorstellungen der Lamellenanordnung in kristallinen Strukturen wieder.

Die Darstellungen auf Bild 1.19 und Bild 1.20 decken sich mit den kristallinen Strukturen der geätzten Beispiele auf den Bildern 1.22 bis 1.27.

Die Schmelztemperatur der teilkristallinen Thermoplaste wird einerseits durch die **Lamellenhöhe** zum anderen durch die Störungen im **kristallinen Aufbau** bestimmt. Diese Phänomene sind messtechnisch und darstellungsmäßig oft nur schwer zu erfassen. Inwieweit sie für die anwendungstechnischen Eigenschaften direkt relevant sind, ist bisher noch wenig erforscht.

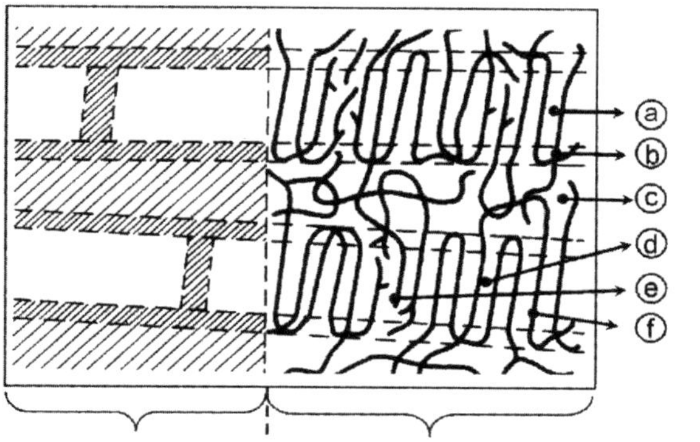

Bild 1.20 Vorstellung der Lamellenstruktur eines teilkristallinen Thermoplasten von Michler
links: Kontrastverteilung der drei Phasen im elektronenmikroskopischen Bild;
rechts: a = kristallines Lamelleninneres
b = amorphe Lamellengrenzschicht
c = zwischenlamellare amorphe Region
d = Abgrenzung kleinerer Kristallitblöckchen zwischen den Defektschichten
e = interlamellare Defektstellen [Kettenende]
f = um 5 - 20° geneigte Kette in der Lamelle

Über die Lamellenhöhe und ihre Schmelztemperatur gibt es einige Vorstellungen. So wird angenommen, dass die Lamellendicken erheblich schwanken können, bei PE-HD von 3 bis 50 nm. Bild 1.21 zeigt den Zusammenhang zwischen Lamellendicke und Schmelztemperatur z. B. mit der DSC gemessen. Bei einer Schmelztemperatur von 135 °C sind die Lamellen des Polyethylens ca. 50 nm dick, bei 120 °C jedoch nur noch ca. 5 nm. Dieses Beispiel kennzeichnet die deutlich vor dem Schmelzpunkt auftretenden Auflösungserscheinungen an handelsüblichen Polymeren.

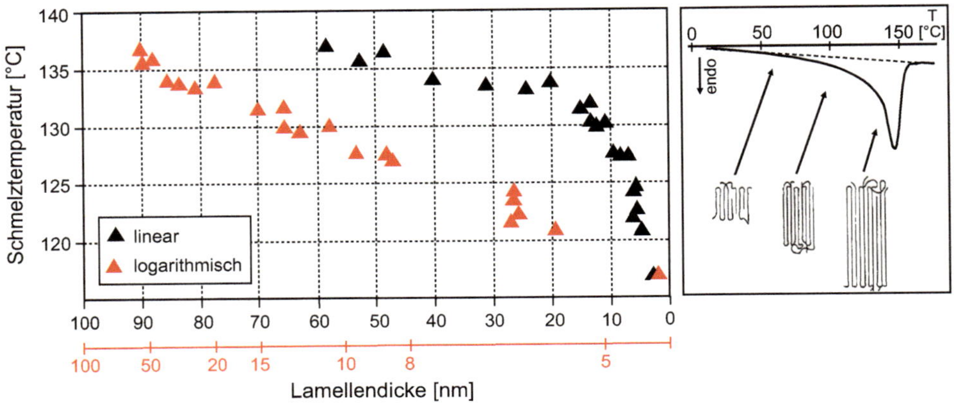

Bild 1.21 Lamellendicke nach Kanig und Rieger
links: Zusammenhang zwischen Schmelztemperatur und Lamellenhöhe von PE-HD [Kanig]
rechts: Zusammenhang zwischen Lamellenhöhe und Schmelztemperatur von PP [Rieger]

Der Umstand, dass teilkristalline Thermoplaste einen weiten Schmelzbereich aufweisen, führt dazu, dass das Material unterhalb des sog. DSC-Schmelzpeaks anschmilzt. Dieser Effekt ist auf die Lamellendickenverteilung zurückzuführen und bei Abkühlen durch die Wirkung der Schmelze überlebender parallelisierter Kettensegmente. [Rieger]

Die Lamellenhöhe in Bild 1.21 rechts wird von der Umgebungstemperatur bestimmt. Wenn eine etwa gleichbleibende Temperatur auf den Werkstoff bei der Fertigung oder im Gebrauch einwirkt, bilden sich mit der Zeit die dieser Temperatur entsprechenden Lamellenhöhen. Diese Ausbildung ist umso deutlicher, je näher die Einwirkungstemperatur zur Schmelztemperatur liegt.

Die starken Unterschiede in den Lamellenhöhen in Bild 1.21 spiegeln sich in den Darstellungen von Michler und selbst von Kanig auf Bild 1.22 und Bild 1.27 sowie den Ätzungen auf Bild 1.26 und 1.27 nicht wieder. Die Kanig-Proben sind vermutlich bei definierten Temperaturen hergestellt.

Die meisten Bilder zeigen eine recht einheitliche Lamellenhöhe, die nicht auf große Schwankungen in der Lamellenhöhe hindeutet. Bei den angeschliffenen Lamellen ist zumindest unbekannt, ob die Präparationsebene senkrecht zur Bildebene liegt. Bei jeder Neigung ergibt sich eine größere Lamellenhöhe.

Kanig hat ca. 1975 Lamellenbilder von PE-HD veröffentlicht, nachdem es ihm gelungen war, die amorphen Bereiche zwischen den Lamellen zu markieren, sodass die nicht markierten kristallinen Bereiche als Lamellen erkennbar waren, Bild 1.22.

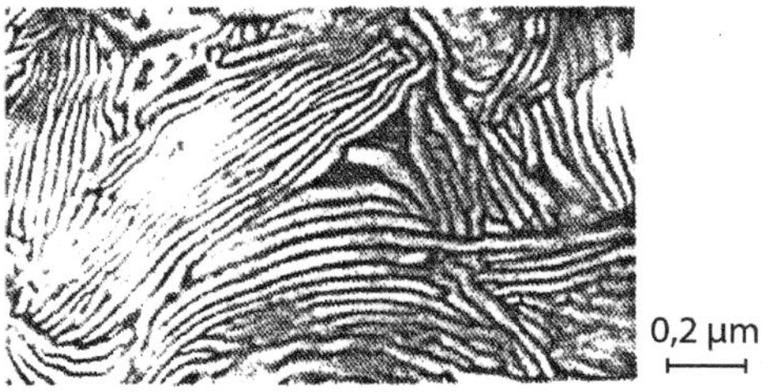

Isotherme Kristallisation aus der Schmelze, 4 Wochen bei 127°C

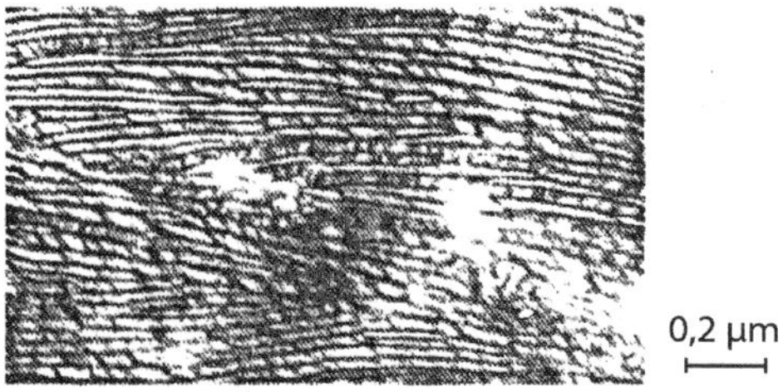

Wie Bild links oben, jedoch vor Kontrastierung mit 259 Mrad bestrahlt

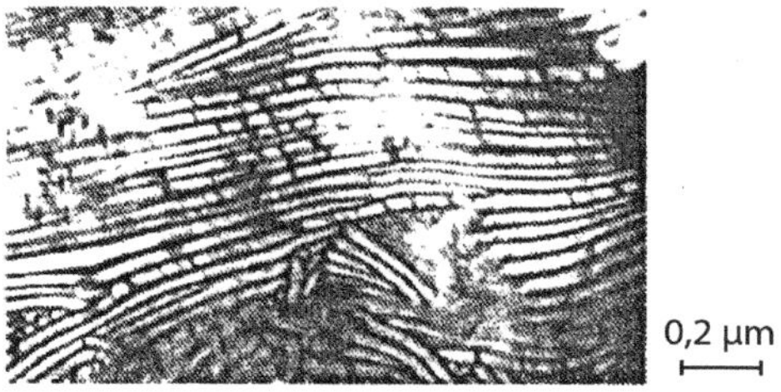

Wie Bild links oben, jedoch vor der Konrastierung mit 100 Mrad bestrahlt

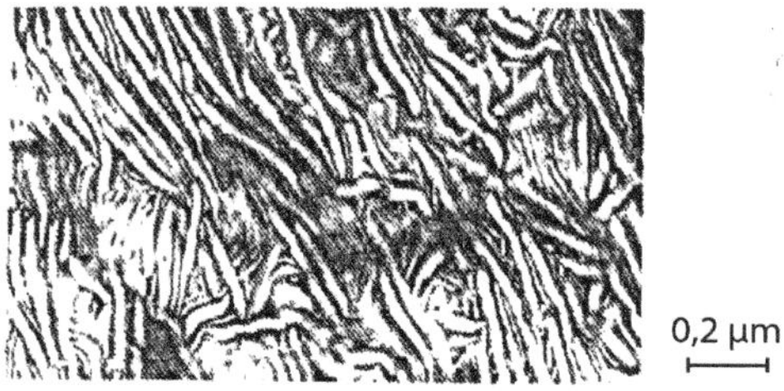

64h bei 130°C getemperte Probe, in Eiswasser abgekühlt

Bild 1.22 Lamellen in PEHD mit Mw ~100 000 in der Schmelze, beobachtet durch Kanig, Knäueldurchmesser von ca. 40 nm, etwa dreimal der späteren Lamellenhöhe

Die in Bild 1.16 und Bild 1.19 angedeuteten Störungen im kristallinen Aufbau führen ebenfalls zu Auflösungserscheinungen bei niedrigeren Temperaturen. Dass solche Störungen in den Lamellen auftreten zeigt Bild 1.23 stirnseitig.

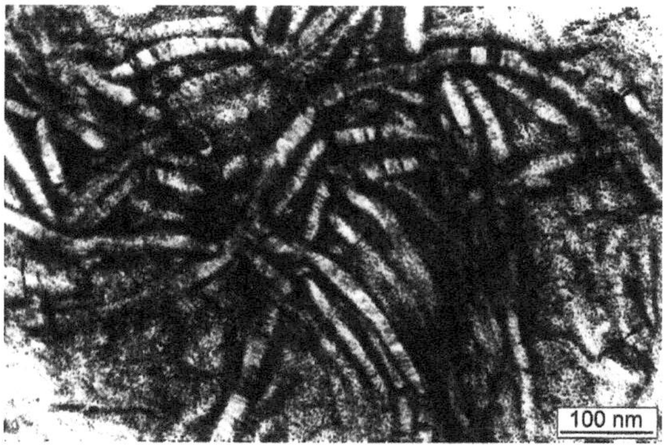

Bild 1.23 Lamellen mit interlamellaren Defekten eines UHMW-PE [Michler] *mit Gammastrahlen 800 Mrad bei 100 °C fixiert, mit* $ClSO_3H/OsO_4$*, UDS, TEM*

Senkrecht auf die Lamellenebene ergeben sich verschiedene Störungsrichtungen, die eine vorzeitige Auflösung unter Wärmeeinwirkung zeigt, Bild 1.24.

Bild 1.24 Störungen in der Lamellenebene eines UHMW-PE [Michler] *fixiert mit Gammastrahlen 287 Mrad bei 130 °C, geätzt, UDS, TEM*

Die Lamellen werden in ihrer Anordnung deutlich von der Bewegung der Schmelze während der Kristallisation beeinflusst. Beim Längsverstrecken lagern sie sich senkrecht zur Verstreckungsrichtung (d.h. die Makromoleküle in Verstreckungsrichtung) an, Bild 1.25. In einer Schweißnaht mit komplexer Bewegung sind keine direkten Vorzugsrichtungen erkennbar, Bild 1.27.

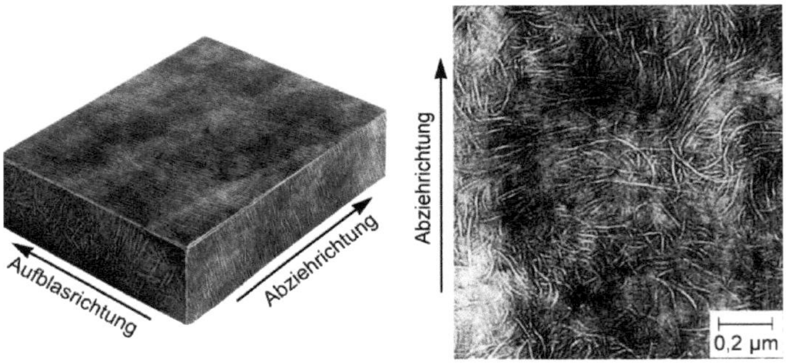

Bild 1.25 Lamellenausrichtung in einer Tragetaschen-Blasfolie aus PE-LD [Kanig]
links: Element mit Aufblasverhältnis 1:2
rechts: Aufsicht; Aufblasverhältnis 1:5 in Abziehrichtung (kontrastierter Ultradünnschnitt)

Bild 1.26 stammt aus einem *pvT*-Versuch mit PE-HD. Ein Zylinder aus PE-HD wurden mit einem Druck von 200 bar beaufschlagt, dann mit 5 °C/min auf 200 °C aufgeheizt. Der Druck und Temperatur wurden 0,5 Stunden konstant (200 bar, 200 °C) gehalten, wobei das Material nicht aufgeschmolzen wurde, dann auf 40 °C mit 5 °C/min abgekühlt, anschließend erfolgte eine Dekompression.

Bild 1.26 Im *pvT*-Gerät aufgeheizte und abgekühlte PE-HD-Proben, Proben danach plasmageätzt 30 min, 500 W, 1,8 mbar [Körbel]

Auf die Lamellenhöhe kann deren Neigung der Lamellenebene einen deutlichen Einfluss haben, der auf einem ebenen Bild nicht erkennbar ist, da die **Neigung** unbekannt bleibt. Zum anderen werden geneigte Lamellen unklar abgebildet, wie im unteren Bereich links und rechts auf Bild 1.23 deutlich erkennbar ist.

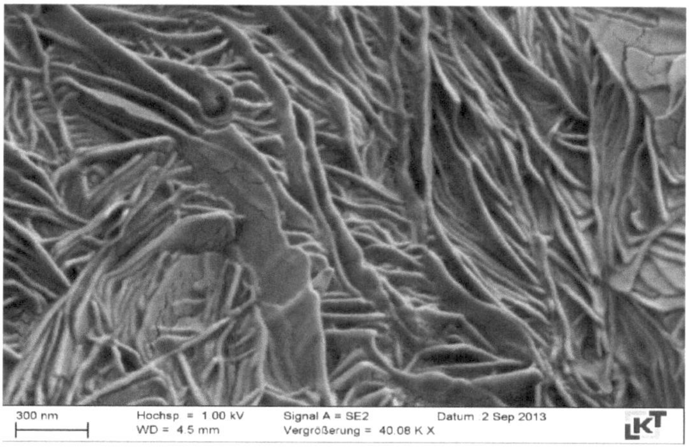

Bild 1.27 PE-Lamellen in einer Schweißnaht nach einer Ätzung mit $KMnO_4$+H_3PO_4+H_2SO_4

Einen weiteren Effekt bewirkt die **Abkühlgeschwindigkeit**. Bei langsamer Abkühlung haben die Makromoleküle mehr Zeit für eine kristalline Anordnung, es ergeben sich gleichmäßigere Lamellen mit weniger Störungen, was besonders bei einer schnellen Abkühlgeschwindigkeit eine quasi perlförmige Lamellenstruktur bewirkt, Bild 1.28.

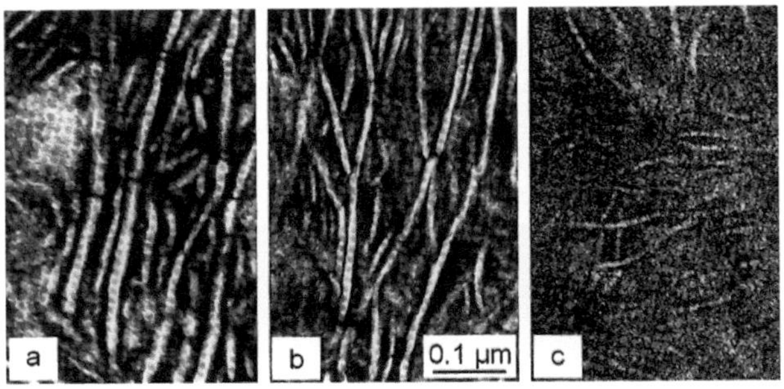

Bild 1.28 Einfluss der Abkühlgeschwindigkeit auf Lamellen von PE-HD [Michler]
a = langsam; b = mittel; c = schnell

Ein weiterer Effekt ergibt sich aus dem **Molekulargewicht**, je länger die Ketten und je sperriger die Seitengruppen, umso mühsamer ordnen sich die Lamellen an bzw. die Lamellen dicke nimmt nur wenig zu, dafür aber die amorphen Bereiche, Bild 1.29. Da die amorphen Bereiche leichter verformbar sind als die kristallinen Lamellen, wird der Gesamtverband duktiler.

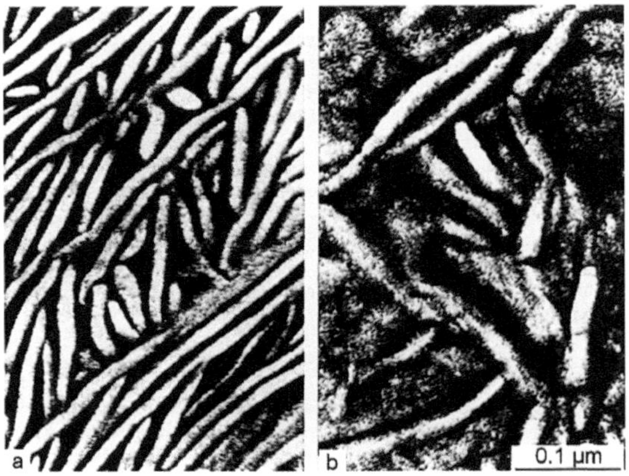

Bild 1.29 Einfluss der Molekulargewichts von PE-HD auf die Lamellenstruktur und den Anteil an amorpher und kristalliner Phase [Michler]
links: $M_w = 2 \cdot 10^5$
rechts: $M_w = 1{,}6 \cdot 10^6$

1.2.4 Übergeordnete kristalline Strukturen

Erstarrt die Schmelze ohne größere Bewegung, z. B. im Werkzeug, bilden sich unter Einwirkung der Oberflächenspannungen runde Sphärolithe. Bei der Beurteilung der Eigenschaften von sphärolithischen Strukturen hat die Größe der Sphärolithe keinen definierten Einfluss; auch hier dominiert die schwer erfassbare Verbindung zwischen den Lamellen der Sphärolithe, Bild 1.30.

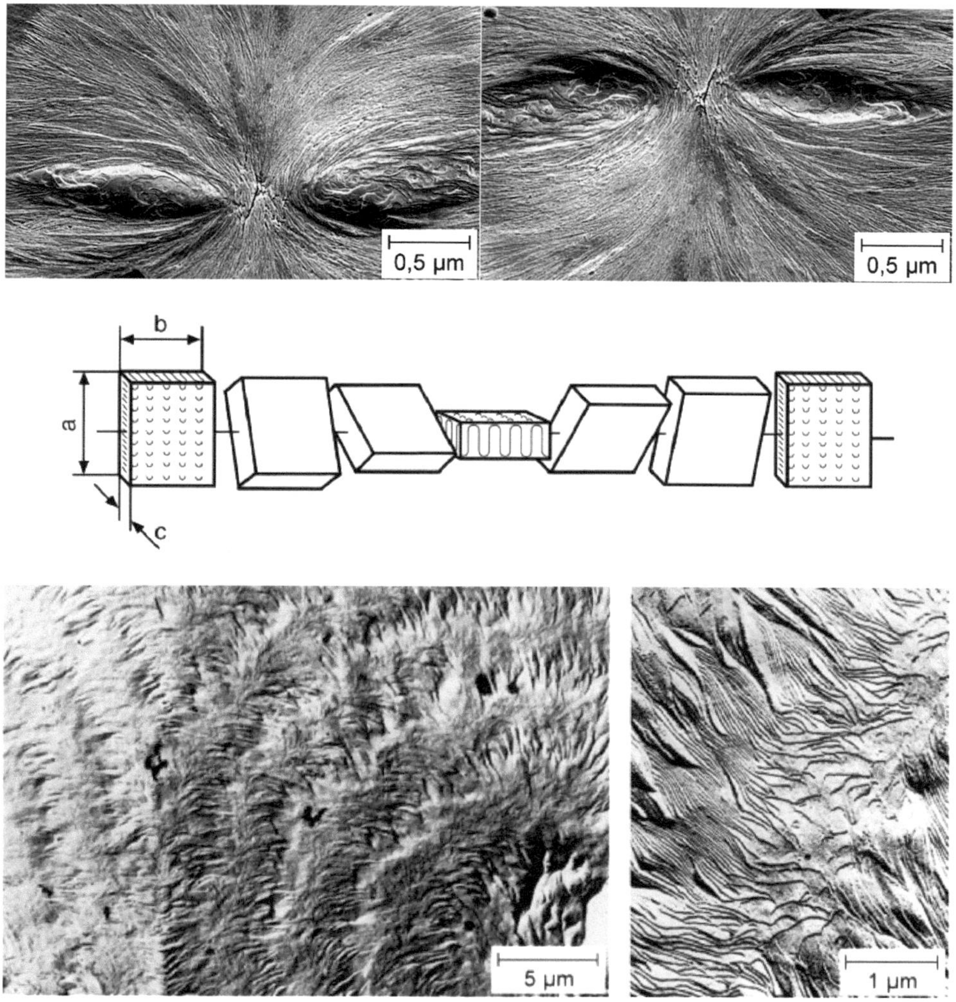

Bild 1.30 Garben- und schraubenförmige Anordnung der Lamellen im Sphärolith
oben: *garbenförmiger Sphärolith aus Beta-Polypropylen (optische Täuschung im REM) [nach Varga]*
unten: *schraubenförmige Anordnung der Lamellen im Sphärolith eines PE-HD [nach E. W. Fischer]*
schraubenförmige Anordnung der Lamellen z. B. bei PE, PP, PVDF

Beim **Varga-Täuschungsphänomen** in Bild 1.30 oben rechts geht man davon aus, dass das Licht von oben und vorne links kommt, sodass das Objekt bei natürlicher Betrachtung nicht vom Schatten des Betrachters verdeckt wird. Wenn das Licht dann anscheinend zunächst beim Auftreffen auf einen Bereich diesen hell erscheinen lässt und im weiteren Verlauf korrespondierende, gegenüberliegende Bereiche nicht bestrahlt und diese dunkel bleiben, erscheint dieses als eine Erhöhung. Tritt bei gleicher angenommener Beleuchtungsrichtung zunächst ein dunkler Bereich bei einer Struktur auf, der also nicht angestrahlt wäre, und erscheint der korrespondierende, weiter von der Lichtquelle entfernte Bereich dagegen hell wirkt diese Konstellation automatisch als überstrahlte Senke. In beiden Fällen gehen wir intuitiv von einem gradlinigen Lichtverlauf aus (nach Mattner). In Realität sind die Aufnahmen nur um 180 ° gegeneinander verdreht.

Kristalline Strukturen werden bevorzugt im polarisierten Licht optisch dargestellt. Zu beachten ist bei den Bildern, dass das Fehlen von irgendwie angezeigten kristallinen Strukturen keineswegs bedeutet, dass keine vorhanden sind. Eine schnelle Unterkühlung, z. B. bei niedriger Werkzeugtemperatur, lässt zwar viele Keime entstehen, die jedoch wegen der schnellen zunehmenden Viskosität der Schmelze kaum wachsen. Bei einer höheren Werkzeugtemperatur entstehen weniger Keime, die wegen der langsameren Abkühlung aber stärker wachsen, Bild 1.31.

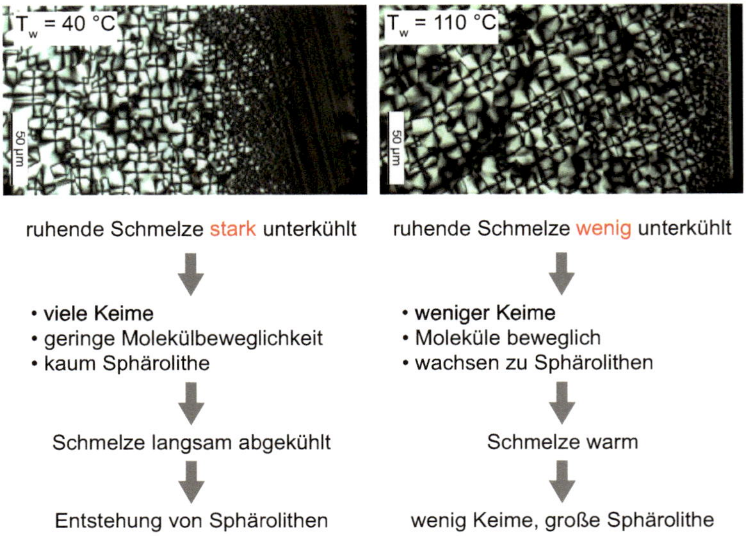

Bild 1.31 Morphologie von PA66 bei verschiedenen Werkzeugtemperaturen

Wegen der Schnittdicke sind Strukturen kleiner als 1 bis 5 µm kaum zu erkennen. Das scheinbare Fehlen kristalliner Strukturen bedeutet deswegen keineswegs, dass keine vorhanden sind. So ist die Keimdichte z. B. an der Werkzeugwand meistens sehr hoch und dichtgepackte Sphärolithsektoren wachsen ins Innere (Transkristallisation).

Außer von der einwirkenden Temperatur kann die Entwicklung der Kristallisation auch von Farbpigmenten beeinflusst werden. Diese können als Keime wirken, sodass bei ungleichmäßiger Farbpigmentverteilung sich auch unterschiedliche Sphärolithgrößen entwickeln können. Dabei ist darauf zu achten, dass Mikrotomschnitte jeweils eine Ebene darstellen, schon wenige zehntel Millimeter tiefer können diese Verteilungen ganz anders liegen, Bild 1.32.

Es gibt eine Reihe von Messverfahren zur Bestimmung des Kristallisationsgrades. Das besondere Problem der verschiedenen Verfahren ist, dass die Ergebnisse praktisch nie übereinstimmen, weswegen empfohlen wird bei einem Verfahren zu bleiben und an bestimmten Stellen Vergleichsmessungen mit einem anderen Verfahren zu machen.

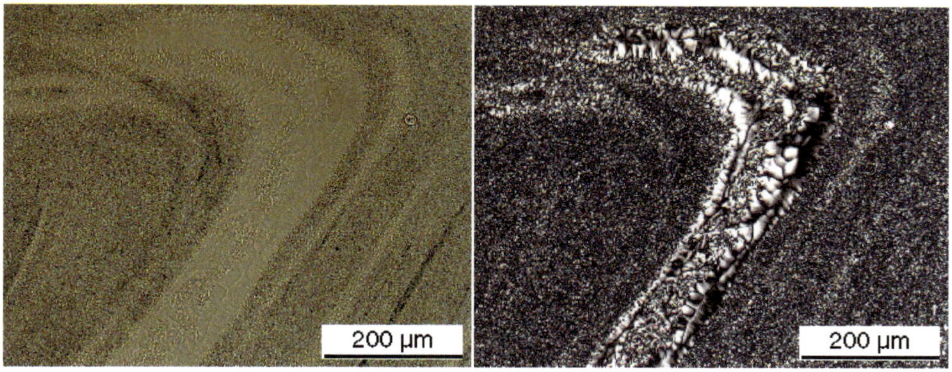

Bild 1.32 Partielle Sphärolithbildung aufgrund ungleichmäßig verteilter Farbpigmente in PA 66
links: Hellfeld
rechts: Polarisation

Ein besonderes Problem liegt darin, dass die Strahlungsverfahren FTIR und WAXS Orientierungen häufig nicht von kristallinen Strukturen unterscheiden können und bei der Auswertung Basislinien angelegt werden müssen, deren Lage häufig recht willkürlich ist. Bei häufig verwendeten DSC-Verfahren erfolgen langsame Temperaturänderungen und die gewünschten Effekte werden bei Temperaturen gemessen, bei denen sich die Strukturen während des Aufheizens oder Abkühlens schon erheblich geändert haben können. Bei der schnellen Flash-DSC wird bei der Präparation der kleinen Probenmessungen evtl. schon die Struktur beeinflusst. Bei der schnellen Aufheizung und Abkühlung verhindert die schlechte Wärmeleitung der Kunststoffproben eine gleichmäßige Probentemperatur.

Zur Bestimmung der kristallinen Strukturen gibt es vor allem vier Verfahren:

	Verfahren	Probleme
1	**Dichte-Messung**	Blasen, Einschlüsse
2	**DSC-Messung**	Strukturveränderung während der Messung
3	**FTIR**	Unterscheidung kristallin orientiert, Auswertung-Basislinien
4	**WAXS, Röntgenbeugung**	Oberflächennah, Auswertung-Basislinien

So sehr die kristallinen Strukturen auf unterschiedliche Arten dargestellt werden können, so dürftig sind die Möglichkeiten, daraus Eigenschaften abzuleiten, sodass die Bezeichnung „**bunte Bilder**“ das Unvermögen kennzeichnet, aus Sphärolith-Strukturaufnahmen auf mechanisches Verhalten zu schließen. Die strukturellen Versagensvorgänge besonders der dargestellten kristallinen Strukturen unter mechanischer Belastung sind weitgehend unbekannt und werden kaum analysiert.

1.2.5 Kristallisation teilkristalliner Thermoplaste

Zur Bestimmung der kristallinen Strukturen gibt es die vier, im vorherigen Abschnitt bereits erwähnten Verfahren. Die Ergebnisse nach verschiedenen Verfahren stimmen fast nie überein. Die Empfehlung lautet daher: bei einem Bestimmungs-Verfahren z. B. DSC- und Flash-DSC zu bleiben.

Tabelle 1.8 Kristallisationsgrad nach DSC und Flash-DSC

Klassische DSC:	(Schätzwerte –20 – + 400 °C) ▪ Einwaage ~ 2 mg ▪ Heizraten: < 500 °C/min ▪ Kühlrate: > 200 °C/min ▪ Signal/Zeit-Konstante: 0,5 s	
	Vorteil:	▪ zeigt Phänomene deutlich an ▪ Probenpräparation zuverlässig ▪ Erwärmung im Tiegel
	Nachteil:	Strukturen können geändert werden, Nachreaktion
Chipkalorimeter (Flash-DSC):	(teilweise hoher Messaufwand) ▪ Einwaage ~ 10 µg ▪ Heizrate max.: 1 Mio. °C/min ▪ Kühlrate min: 0,5 Mio °C/min ▪ Signal/Zeit-Konstante: 1 ms	
	Vorteil:	▪ Aufheiz- und Abkühlgeschwindigkeit entspricht Werkzeug; ▪ kaum Nachreaktionen;
	Nachteil:	▪ Probenpräparation kann Struktur beeinflussen; ▪ große Probleme mit Wärmekontakt;
Nachteil beider:		keine Fließtemperatur amorpher Thermoplaste

Bei keiner Kunststoffart ist die Strukturbildung bei dem Übergang vom flüssigen in den nutzungsfähigen Festzustand so genau untersucht worden wie bei den teilkristallinen Thermoplasten. Welche Eigenschaften damit verbunden sind und welche Differenzierungen sich ergeben, ist wenig analysiert.

Die Kristallisationsgeschwindigkeit von teilkristallinen Kunststoffen beim Abkühlen aus dem Schmelzezustand unterhalb der Schmelztemperatur wird nach Elias durch zwei übergeordnete Faktoren bestimmt, die Konstitution und die Konfiguration, wobei die einzelnen Komponenten und vor allem ihre Wechselwirkung selten bekannt sind.

Konstitution:

- Typ und Anordnung der Kettenatome
- Art der Substituenten und Endgruppen
- Art und Länge der Verzweigungen
- Größe des Molekulargewichts
- Breite der Molekulargewichtsverteilung

Konfiguration:

- Räumliche Anordnung der Substituenten

Symmetrisch aufgebaute Polymere kristallisieren meistens schnell, sperrige Substituenten und Kettenglieder langsam.

- die Geschwindigkeit der Abkühlung der Schmelze im Spritzgießteil im Inneren grob um die 100 °C/min bis zu 100 000 °C/min und mehr an der Werkzeugwand, je nach deren Temperatur;
- den Verarbeitungsdruck, der die Viskosität/Beweglichkeit der Makromoleküle und damit die Schmelztemperatur anhebt, die Kristallisationstemperatur aber absenkt;
- die Strukturprinzipien der Makromoleküle, das Molekulargewicht, den Verzweigungsgrad, Zusätze;
- die Strömungsform der Schmelze;

dadurch wird wiederum die Morphologie des erstarrten Kunststoffs bestimmt:

- der Kristallisationsgrad;
- die Art und Größe der kristallinen Struktur (Lamellen, Sphärolithe);

Letztere wiederum bestimmen besonders die mechanischen und technologischen Eigenschaften des hergestellten Fertigteils; obwohl über diese Beziehungen noch wenig bekannt ist.

Die Korrelation der strukturell unterschiedlichen amorphen und unterschiedlichen kristallinen Anteile in teilkristallinen Thermoplasten ist ein wesentliches physikalisches Kennzeichen und beeinflusst die technischen Eigenschaften. Inwieweit diese strukturellen Merkmale auf das reale, besonders mechanische Verhalten der Thermoplaste übertragen werden können, ist kaum ausreichend analysiert. Vermutlich liegt das daran, dass die anwendenden Ingenieure ihre Fragestellungen den naturwissenschaftlich arbeitenden Analytikern nicht ausreichend vermitteln konnten.

1.2.5.1 Keimbildung und Kristallisation

Zwei Faktoren bestimmen maßgeblich die Kristallisationsgeschwindigkeit von kristallisationsfähigen Kunststoffen, die Keimbildung und die Kettenbeweglichkeit. Um eine stabile Keimbildung zu initiieren, muss die Schmelze unter die Schmelztemperatur T_m abgekühlt werden. Je tiefer die Unterkühlung ist, umso günstiger sind die thermodynamischen und umso ungünstiger die kinetischen Bedingungen (Beweglichkeit der Makromoleküle). Die Keimbildung bedarf geringerer Molekülbewegungen als die Kristallisation (erste Parallellagerungen von Kettenabschnitten, die Embryonen, und hat ihr Maximum nahe an der Schmelztemperatur minus 10 °C).

In der zunächst noch vollständigen amorphen und damit viskoseren Schmelze bilden und lösen sich bei geringfügiger Unterkühlung zunächst die Keime. Mit zunehmender Unterkühlung wird die Keimbildung begünstigt und zahlreicher, weil die thermische Energie zur Auflösung der ersten systematische Orientierung mit der Abkühlung abnimmt. Mit der Keimbildung steigt die Viskosität an, sodass die Kettenbeweglichkeit zudem abnimmt.

Die Grundform der kristallinen Strukturen sind die Faltungen. Die ordnungsgemäßen und gleichmäßigen Anlagerungen werden durch eine leichtere Beweglichkeit z.B. eine erhöhte Temperatur gefördert, Bild 1.16, Bild 1.19 und Bild 1.20.

Die maximale **Kristallitwachstums-Geschwindigkeit** liegt zwischen den Grenzen der Glasübergangstemperatur T_g + 30 °C und der Schmelztemperatur T_m - 10 °C. Die maximale **Keimbildungstemperatur** liegt etwa bei 0,8 ÷ 0,87 T_m °C (van Krevelen). Keimbildung und Kristallisation erfolgen beim Abkühlen im Bereich zwischen der Schmelztemperatur T_m (Erwärmen) und der Kristallisationstemperatur T_c (Abkühlen). Das Maximum der Kristallisation liegt also bei deutlich höheren Temperaturen als die Keimbildung, Bild 1.33.

Die Kristallisationsbildung erfolgt zunächst vereinzelt, dann an vielen Stellen gleichzeitig und relativ gleichmäßig innerhalb der Schmelze. Unter Einwirkung der Oberflächenspannung bilden sich runde sphärolithförmige Kügelchen, Bild 1.34.

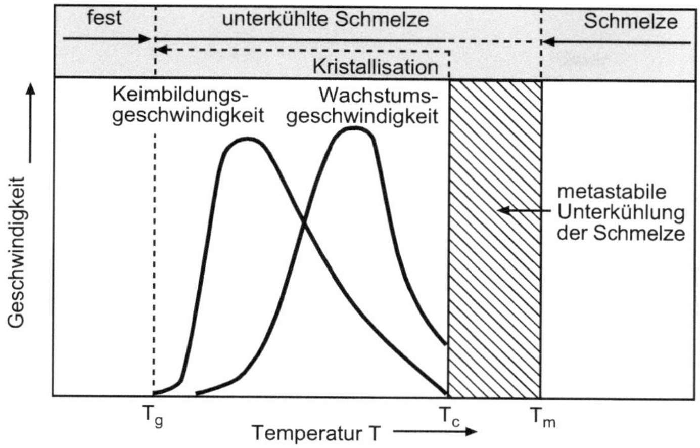

Bild 1.33 Temperaturabhängigkeit der Keimbildungs- und der Kristallitwachstums-Geschwindigkeit beim Abkühlen aus der Schmelze
T_g = Glasübergangstemperatur
T_c = Kristallisationstemperatur
T_m = Schmelztemperatur

Bild 1.34 Sphärolithbildung in PP-Schmelze bei 120 °C (links) und 113 °C (rechts); Abkühlung 100 °C/min, Dünnschnitt auf dem Heiztisch [Medina Hernandez]

Ebenso beeinflusst die Art der Strömung, Scherung oder Dehnung, die Bildung der kristallinen Struktur, Bild 1.35. Im linken werkzeugoberflächennahen Rand tritt erhebliche Scherung auf.

In der unteren Bildhälfte tritt dagegen schon eine Dehnströmung auf, die die auftretenden Lamellen senkrecht zur Strömungsrichtig orientiert. Strukturen werden auch gerne als Shish-Kebab-Strukturen bezeichnet. Die entstehende scheibenartigen Kebabs sind deutlich vorhanden, die Shish bilden sich nur ausreichend stabil bei starker Dehnströmung und niedriger Temperatur (vgl. Dynema-Faser).

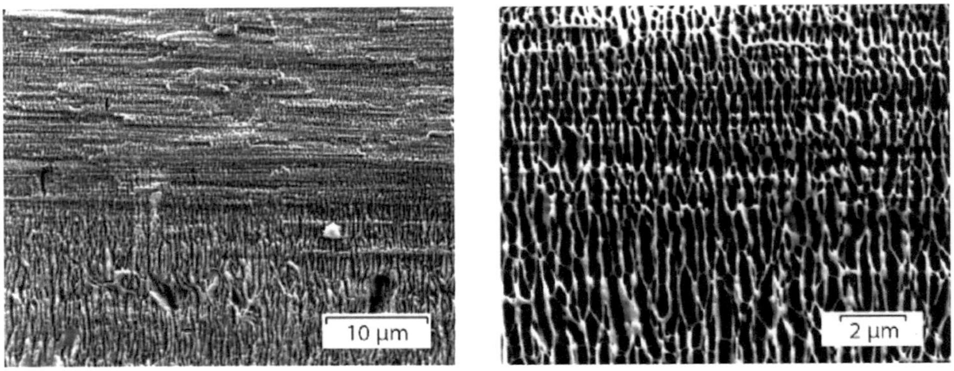

Bild 1.35 POM-Kleinzugstab mit Längsscherorientierung der Lamellen im oberen linken Bild und überwiegend durch Dehnströmung ausgerichtete Lamellen links unten und rechts vergrößert [Mörl]

Die Auswirkungen auf die reine Molekülorientierung sind wesentlich geringer als z.B. bei kurzglasfaserverstärkten Thermoplasten wegen der viel höheren Festigkeit und Steifigkeit der Fasern, Bild 1.36. Die Scherbereiche an der Werkzeugwand hängen in ihrer Stärke von der Art der Strukturviskosität der Schmelze ab. Stark strukturviskose Schmelzen ergeben dünnere Scherbereiche als gering strukturviskose.

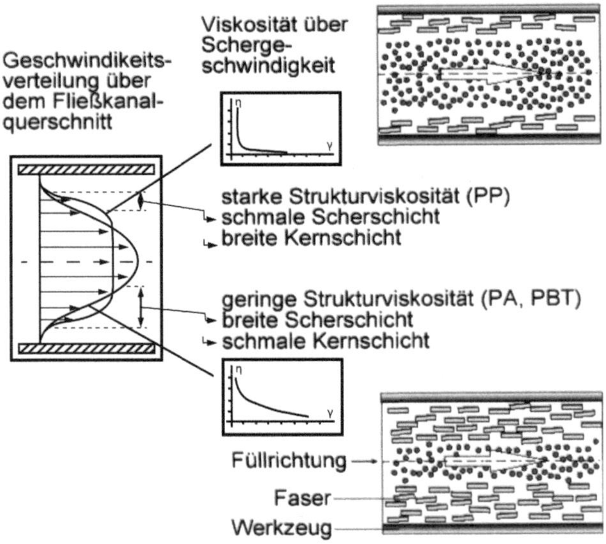

Bild 1.36 Faserorientierung von PP-GF im Vergleich zu PA-GF und PBT-GF

Die Strukturen sind etwas positiv dargestellt, zumal die Faserlängen in der Praxis variieren, wodurch Störungen im gleichmäßigen Fluss auftreten.

1.2.5.2 Schmelz- und Kristallisationstemperatur

Die einfache Thermodynamik besagt, dass beim Überschreiten der Gleichgewichtsschmelztemperatur eine homogene Flüssigkeit von geschmolzenen Polymerketten vorliegt. In der Realität hängt allerdings einerseits der Schmelzpunkt von der Vorgeschichte (Verarbeitungshistorie) des Werkstoffes ab.

Andererseits benötigt das Material Zeit, um beim Schmelzen in den Gleichgewichtszustand zu gelangen. Die kristalline Ordnung benötigt Zeit um sich aufzulösen. Wenn man diesen Punkt nicht beachtet, sieht man sich unter Umständen mit scheinbar unerklärlichen Selbstnukleierungseffekten konfrontiert (Memory-Effekt).

Beim Abkühlen gelingt es den Polymerketten nicht, sich zu entschlaufen und Einkristalle zu bilden. So bilden sich lokal geordnete Bereiche (Kristalle aus Kettensegmenten) in einer Matrix aus ungeordneten (amorphen) Kettensegmenten mit oft verblüffend komplizierten (und eigenschaftsrelevanten) Überstrukturen wie z. B. Sphärolithen.

Rieger sagt dazu ganz deutlich, er sei in seiner Berufspraxis immer wieder verblüfft gewesen, wie wenig Beachtung diese morphologischen Aspekte bei vielen Kollegen in der Industrie aber auch in der Akademia finden. Diese multiskaligen Strukturen sind entscheidend für viele Eigenschaften der teilkristallinen Materialien (Transparenz, Mechanik, Rissbeständigkeit etc.).

Bei teilkristallinen Thermoplasten ergeben sich unter Umgebungsdruck bei relativ langsamer, allerdings in der DSC-Prüfung üblicher Abkühlgeschwindigkeit von 10 °C, die in Bild 1.37 dargestellten Kurven für die Schmelz- und Kristallisations-Peaks für verschiedene Kunststoffe.

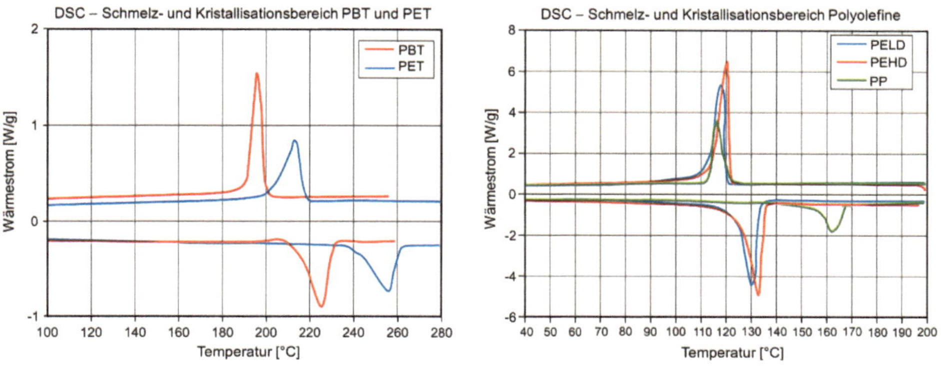

Bild 1.37 *(Fortsetzung auf Seite 46)*

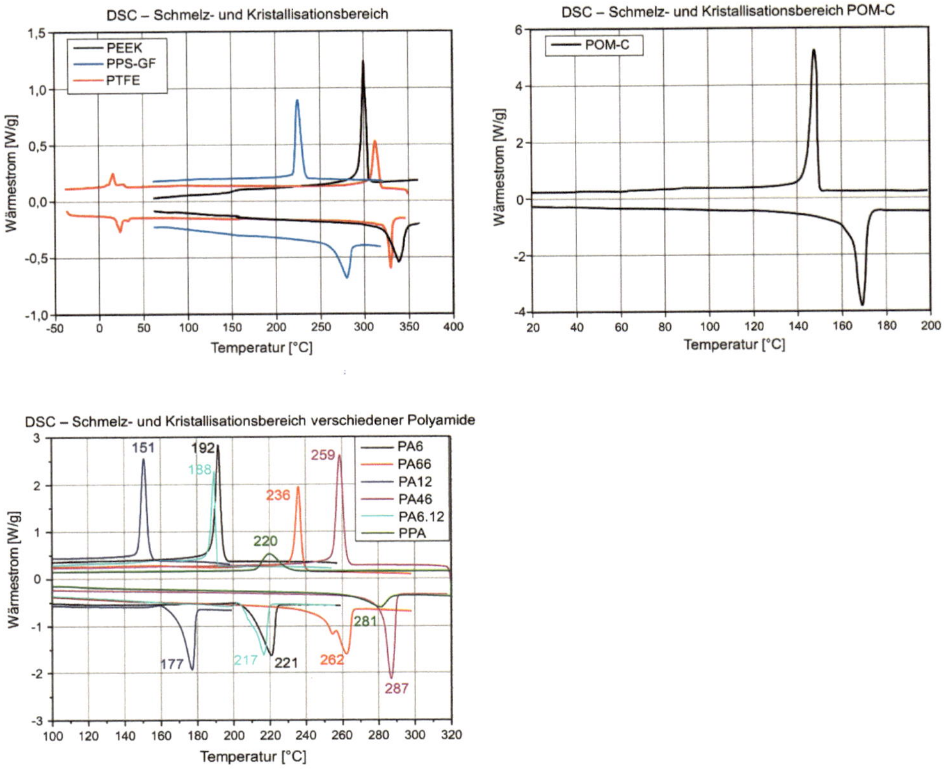

Bild 1.37 Schmelz- (oberer Temperaturwert) und Kristallisationstemperatur (unterer Temperaturwert) verschiedener Thermoplaste, 10 °C/min

Die Versuche in der DSC werden weitgehend unter Normaldruck durchgeführt. Die meisten Verarbeitungsverfahren arbeiten jedoch mit erhöhten Drücken, durchaus bis 3000 bar. Da sich der aufgebrachte Druck schnell ausbreitet, viel schneller als Temperaturen, wirkt er auf die kristallisierende Schmelze und erhöht sowohl die Kristallisationsschmelztemperatur, soweit erstarrte Bereiche bereits vorliegen, als auch noch deutlicher die Kristallisationstemperatur, die die Kristallisation einleitet, Bild 1.38.

Eine freie Kristallisation quasi ohne Scherung oder Dehnung und ohne Druck ergibt sich beim Lasersintern, Bild 1.39. Die Lamellen wachsen ausgehend von einem Pulverpartikel. Die Lamellendicke selbst ist hier jedoch schwer zu erkennen. Zu sehen ist eine Laser-Scanning Aufnahme (Intensitätsaufnahme, deshalb sieht die Aufnahme wie ein schwarz-weiß Bild aus) einer Oberfläche eines Bauteils.

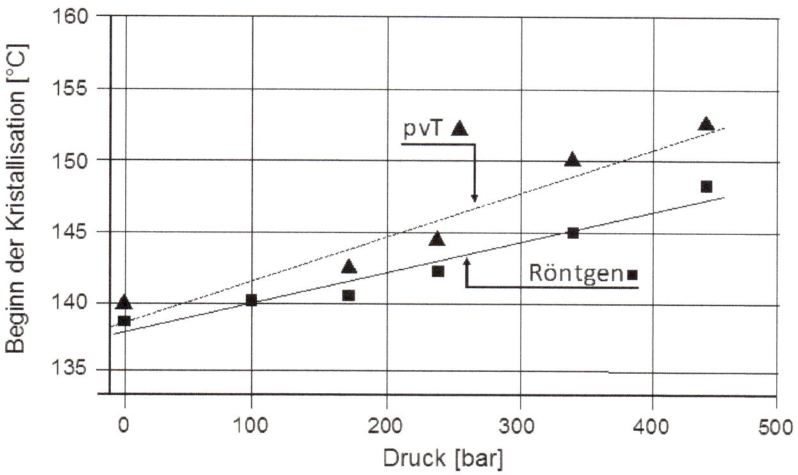

Bild 1.38 Beginn der Kristallisation von PP bei langsamer Kühlung röntgenographisch gemessen und aus dem *pvT*-Diagramm [Moneke, Grabski]

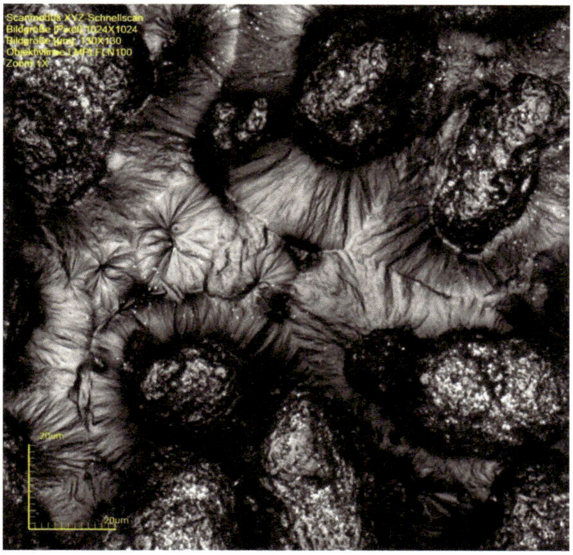

Bild 1.39 Lamellenbildung beim Lasersintern von PA 12 ohne Scherung/Dehnung und Druck [Wudy]
Schnellscan; Bildgröße: 130 x 130 mm und 1024 x 1024 Pixel

Die Kristallisation ist ein interessanter Fall von Phasenübergang besonders bei teilkristallinen Systemen. Bei teilkristallinen Systemen handelt es sich um einen Flüssig-Fest-Übergang; die Dimensionen der entstehenden Strukturen liegen im Bereich von 1 bis 1000 nm, durchaus im Bereich der sog. Mikroplastiks.

Rieger stellt es so dar: man beginnt mit einem System, das aus einer oder mehreren Komponenten besteht, die zunächst als eine Phase existieren. Durch Änderung z. B. von Temperatur oder Druck ändert sich die freie Energie so, dass ein phasengetrennter Zustand energetisch günstig ist. Im Falle von Polymeren schließt die hier betrachtete Phasentrennung die Kristallisation entweder aus einer Polymerlösung oder aus der Polymerschmelze ein.

Üblicherweise wird angenommen, dass die Phasentrennung über Keimbildung und Wachstum aus einem metastabilen Zustand heraus erfolgt Kerne der neuen (kristallinen) Phase erscheinen und lösen sich aufgrund statistischer Fluktuationen wieder auf; die Massenenthalpie der Kerne begünstigt das Wachstum, während der Oberflächenenergie-Term mit entgegengesetztem Vorzeichen eine Wiederauflösung begünstigt. Es wachsen nur Kerne oberhalb einer kritischen Größe.

Dazu gibt es einige kritische Gedanken:

Es ist fraglich, ob es gerechtfertigt ist, die freie Massenenergie der kristallinen Phase für die Kerne zu verwenden, da sich die Struktur von der von gezüchteten Kristallen unterscheiden könnte.

Zweitens und nochmals bezogen auf die Kleinheit der Kerne ist es keineswegs offensichtlich, dass die Oberflächenstruktur so gut definiert ist wie bei größeren Kristallen. Daher muss gefragt werden, was der geeignete Wert für die Oberflächenspannung ist.

Zudem ist zu fragen, welche Struktur als Kern im thermodynamischen Sinne identifiziert wird.

Laut Rieger ist vergleichsweise wenig über die Bildung von Primärkernen für die Kristallisation auf dem Gebiet der hochmolekularen (polymeren) Systeme veröffentlicht worden z. B. im Zusammenhang mit der Additiven Fertigung.

Dabei wurde viel Mühe in das Verständnis des Kristallwachstums und der Entwicklung der Morphologie gesteckt und weniger in den ersten Schritt der Keimbildung, der notorisch schwierig zu überwachen ist. Dabei spielt die Keimbildung und das Keimwachstums eine zentrale Rolle als homogene Keimbildung als auch eine sekundäre oder pseudo-heterogene Keimbildung als Abscheidung von Clustern auf bestehenden kristallinen Oberflächen desselben Materials (s. a. Bild 1.44 und Bild 1.45 von Medina Hernandez).

1.2.5.3 Kristallisationsgeschwindigkeit

Für ein vergleichendes Ranking der Kristallisationsgeschwindigkeit sieht Khanna in den Temperatur-Bereichen $\Delta T = T_m - T_c$ einen Indikator. Je kleiner der Bereich für ΔT ist, umso höher ist die Kristallisationsgeschwindigkeit. Die Messungen wurden mit 10 °C/min Aufheizung und Abkühlung durchgeführt, Tabelle 1.9:

Tabelle 1.9 Differenz zwischen Kristallisations- und Schmelzpeak verschiedener Kunststoffe zur Kennzeichnung der Kristallisationsgeschwindigkeit [nach Khanna]

PE-HD	13 °C	PA 6.12, PA 6	29 °C
PBT	30 °C	PE-LD	14 °C
PPS-GF	40 °C	PTFE	17 °C
POM-C	20 °C	PEEK	54 °C
PET	43 °C	PA 12, PA 66, PPA	26 °C
PP	44 °C	PA 46	28 °C

Die Kristallisationsgeschwindigkeit von Kunststoffen variiert relativ stark innerhalb eines Kunststofftyps, stärker noch zwischen verschiedenen Kunststoffen einer Gruppe. Bei PE ist sie etwa 12 mal so schnell wie bei PA 6 und 500 mal so schnell wie bei PET.

Die Kristallisationsgeschwindigkeit kann unter isothermen Bedingungen gemessen werden. Dabei werden generell Temperaturen von T_c + 5 ÷ 25 °C vorgeschlagen, manchmal aber auch nur T_c + 10 ÷ 20 °C, d.h. in einem begrenzten Bereich oberhalb der Kristallisationstemperatur T_c.

Die Kristallisationstemperatur T_c hängt dabei von Kristallisationshilfsmitteln ab, Tabelle 1.10. Sie steigt z.B. bei PA 6 mit Nukleierungsmitteln um 7 °C, mit Zunahme des **Molekulargewichts** Mw je 10 000 Einheiten um jeweils 1 °C. Während das Molekulargewicht bei PTFE und PE kaum einen Einfluss hat, ist dieser bei PA6 durchaus vorhanden, bei PA66 noch größer.

Tabelle 1.10 Erhöhung der Kristallisationstemperatur T_C durch Nukleierungsmittel

PTFE	$\Delta T \sim 17 \pm 2$ °C	kein Einfluss vom M_w
PE	$\Delta T = 20 \pm 2$ °C	kein Einfluss vom M_w
PA 66	$\Delta T = 32$ °C	Einfluss vom M_w
PA6	$\Delta T \sim 29$ °C	Einfluss vom M_w
PET	$\Delta T = 75 \pm 20$ °C	starker Einfluss vom M_w

Innerhalb dieses Bereichs gibt es ein ausgeprägtes Maximum der Kristallisationsgeschwindigkeit, das aber von verschiedenen Faktoren abhängt.

An PA wurde festgestellt, dass sich bei normalen DSC-Messgeräten die Größe der Proben wegen der zögerlichen Wärmeleitung der Kunststoffe bei Abkühlgeschwindigkeiten über 80 °C/min keine zuverlässigen Werte mehr ergeben.

Die Kristallisation erfolgt mit zunehmender Abkühlgeschwindigkeit bei niedrigeren Temperaturen. Bei den Messungen fällt auf, dass die Schmelzenthalpie als Maß für den Kristallinitätsgrad sich zunächst kaum mit zunehmender Abkühlgeschwindigkeit ändert bis bei einer materialbezogenen Abkühlgeschwindigkeit keine vollständige Kristallisation mehr möglich ist bzw. die Kristallisation nicht mehr messbar wird. Die Kristallisationstemperatur nimmt dagegen stetig ab, Bild 1.40.

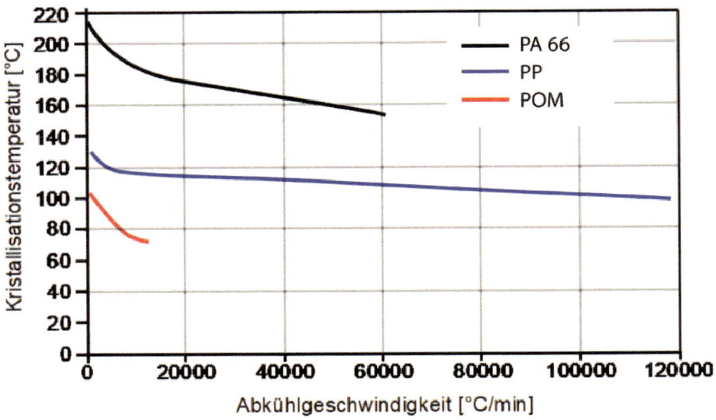

Bild 1.40 Einfluss der Abkühlgeschwindigkeit auf die Kristallisationstemperatur nach vorherigem Aufheizen auf 300 °C mit 6000 °C/min

Dazu wird von Khanna die Kristallisationsgeschwindigkeit als das Verhältnis von der Abkühlgeschwindigkeit während der Messung zur Abnahme der Kristallisationstemperatur als Maß für die Kristallisationsgeschwindigkeit vorgeschlagen. Je geringer die Neigung der Diagramme ist, umso höher ist die Kristallisationsgeschwindigkeit.

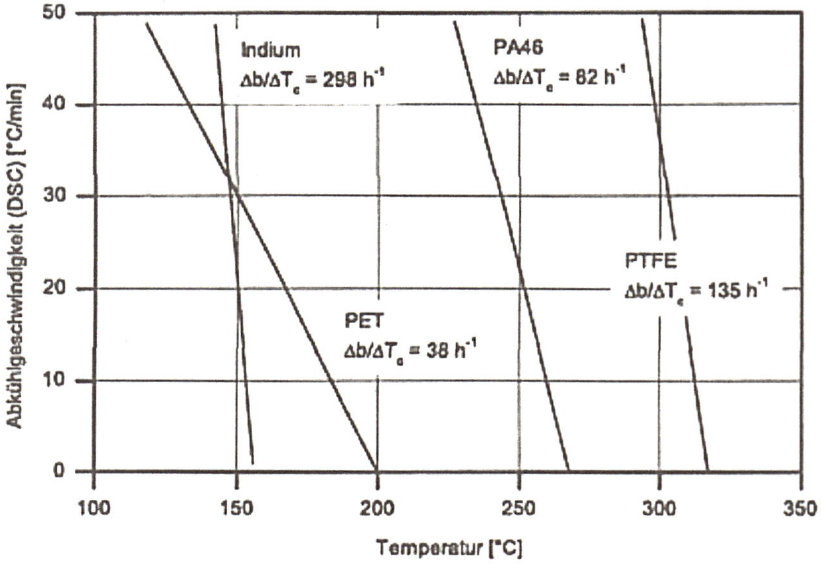

Bild 1.41 Abhängigkeit der Kristallisationstemperatur T_C von der Abkühlrate b. Je größer die Neigung, umso schneller die Kristallisations-Geschwindigkeit [nach Khanna]

1.2.5.4 Nukleierungsmittel

Zu Nukleierung von Polyamiden schreibt das „Kunststoff-Handbuch 3/4, Polyamide“ (erschienen bei Carl Hanser Verlag):

Durch Zusatz von Fremdkeimen zur Polymerschmelze kann die Kristallisation bei höheren Temperaturen induziert werden. Durch die heterogene Keimbildung wird die Zahl der wachsenden Sphärolithe, nicht deren Wachstumsgeschwindigkeit, erhöht und damit das Ende der Kristallisation früher erreicht. Dies ergibt eine Verkürzung von Zykluszeiten beim Spritzgießen. Außerdem wird die Bildung von großen Sphärolithen verhindert, die die mechanischen Eigenschaften ungünstig beeinflussen.

Zur Nukleierung von Polyamiden wird vor allem Talkum eingesetzt. Andere Stoffe wie z. B. Quarz, Graphit, Titanoxid, Ruß und Alkalilogenide spielen eine nur untergeordnete Rolle. Oligomere und Polymere können als Nukleierungsmittel, auch für andere Polymere, dienen. So wirken Dimere von Caprolactam auf PA 6 nukleieren. PA 6 selbst nukleiert isotaktisches Polypropylen.

Die Wirkung der teilchenförmigen Keimbildner beruht vermutlich einerseits auf ihrer guten Benetzbarkeit durch die Polyamidschmelze und andererseits auf ihrer besonderen Oberflächenstruktur. Die absorbierten Moleküle werden dadurch gezwungen, eine gestreckte Konformation einzunehmen. Dies stellt eine Vorstufe für die Kristallisation unter Kettenfaltung dar. Strukturuntersuchungen von talkumgefüllten Folien aus PA 6 zeigen, dass die in der Modifikation vorliegenden PA 6-Kristalle mit ihren (002)-Flächen und den Wasserstoffbrückenbindungen parallel zur (002)-Spaltfläche der Talkumkristalle liegen.

Die Auswahl der Nukleierungsmittel erfolgt in der Regel empirisch, wobei die Beschreibung der Nukleierungsmittel, wenn überhaupt, meistens sehr dürftig ist.

Der Kristallisationsgrad und die Schmelztemperatur ändern sich üblicherweise nicht, die Erstarrung erfolgt bei höheren Temperaturen, was sich vorteilhaft auf Prozesszeiten auswirkt.

Typische Konzentrationen von Nukleierungsmitteln liegen bei 0,1 bis 0,5 %. Als Nukleierungsmittel werden häufig unlösliche anorganische Füllstoffe wie Metalloxide, Metallsalze, Silikate oder Bornitrid mit Teilchengrößen von ca. 3 µm dem Polymer beigemischt.

Auch Füll- und Verstärkungsmittel und Farbmittel können keimbildend wirken. Daneben gibt es auch als sogenannte „**Clarifier**“ bezeichnete Nukleierungsmittel, die in der Schmelze gelöst sind. Clarifier sind Nukleierungsmittel, die anders als die herkömmlichen wirken. Clarifier lösen sich in der Polymerschmelze. In der Abkühlphase bildet der Clarifier ein dreidimensionales „Fasernetz“, wodurch die Nukleierungsdichte um Größenordnungen erhöht wird. Der Clarifier selbst bricht das Licht nicht.

Clarifier werden dem PP nach der Polymerisation kurz vor der Granulierung zugefügt. So nukleiertes PP kann problemlos bei Schmelzetemperaturen von bis zu

275 °C verarbeitet werden. Die Nukleierungsdichte ist hier um Größenordnungen höher als bei nicht gelösten Additiven, sodass optisch wesentlich transparentere Materialien entstehen. Nukleierungsmittel werden meist empirisch gefunden und sind auf ein bestimmtes Polymer optimiert, d. h. ein Nukleierungsmittel für zum Beispiel Polypropylen funktioniert nicht unbedingt für Polyethylen.

Einen weiteren entscheidenden Einfluss auf die Kristallisation/Sphärolithbildung haben Fremdsubstanzen und Verunreinigungen.

Komplexität ergibt sich bei verschiedenen teilkristallinen Thermoplasten durch eine Polymorphologie, d. h. unterschiedliche Art der Kristallisation. Beim PP unterscheidet man leicht opakes, isotaktisches und stark opakes syndiotaktisches PP mit einer Schmelztemperatur von 169 °C und 151 °C. Durch eine β-Nukleierung ergeben sich feinere Strukturen und günstigeres Verformungsverhalten, wie Untersuchungen von Mörl zeigen, Bild 1.42.

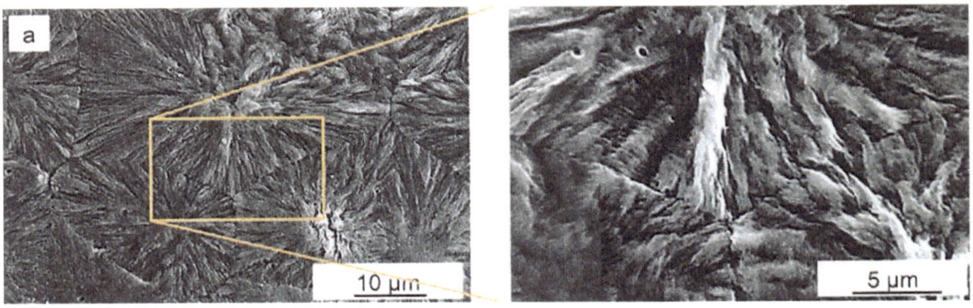

Reines PP 120 mit α-Kristalllamellen mit Verzweigungen, unklare Abgrenzung; 20 – 40 µm Sphärolithe [Mörl M., 2018]

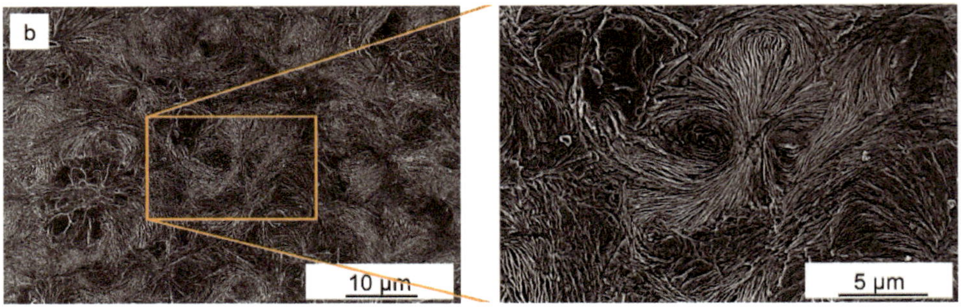

PP 120 + 0,03 Gew.-% β-Nukleierung; klare, feine Lamellen; ~10 µm Sphärolithe [Mörl M., 2018]

Bild 1.42 REM-Aufnahmen aus den mittleren Bereichen der abgeätzten Querschnitte der Proben des a) reinen PP120; b) PP120 + 0,03 Gew-% β Ref und c) PP120 + 0.4 Gew.-% β Ref.

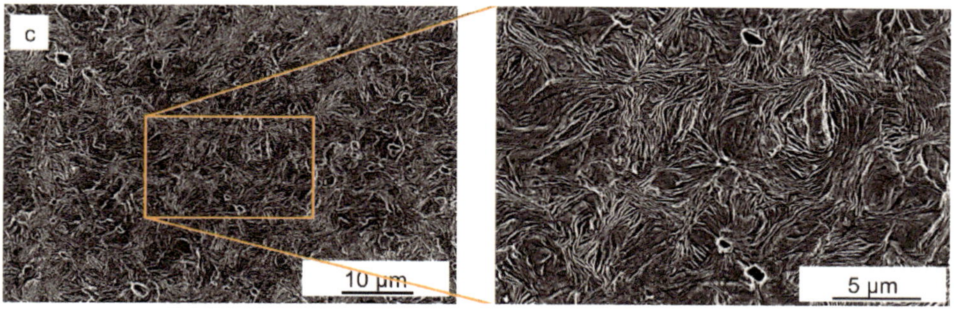

PP 120 + 0,4 Gew.-% β-Nukleierung; feine, unregelmäßigere Strukturen; ~ 5 - 7 µm Sphärolithe [Mörl M., 2018]

Bild 1.42 REM-Aufnahmen aus den mittleren Bereichen der abgeätzten Querschnitte der Proben des a) reinen PP120; b) PP120 + 0,03 Gew-% β Ref und c) PP120 + 0.4 Gew.-% β Ref. *(Fortsetzung)*

Die Spannungs-Dehnungs-Diagramme zeigen keine eindeutige Abhängigkeit des Spannungs-Dehnungs-Verhaltens von PP-Proben mit und ohne Nukleierungsmitteln, Bild 1.43.

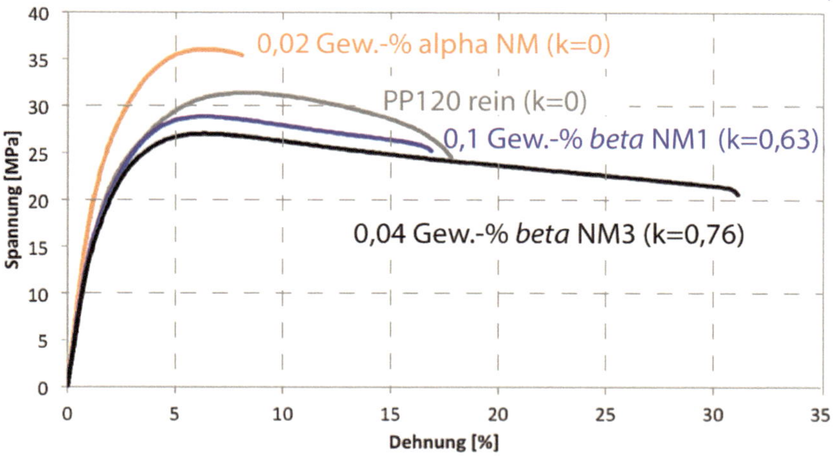

Bild 1.43 Charakteristische σ/ε-Diagramme von nukleiertem und reinem PP 120

Clarifier werden dem PP nach der Polymerisation kurz vor der Granulierung zugefügt. So nukleiertes PP kann problemlos bei Schmelzetemperaturen von bis zu 275 °C verarbeitet werden.

Der Einfluss der Oberflächenspannung auf die Kristallisation ergibt sich aus einer Mischung von PP und PEG. PP schmilzt bei ~164 °C, PEG bei ~61 °C. Die Erstarrung erfolgt bei PP bei ~116 °C, bei PEG bei ~43 °C. Die Mischung beider geschmolzenen Komponenten wurde mit ~100 °C/min auf 190 °C erwärmt und mit gleicher Geschwindigkeit abgekühlt. Bei ~140 °C waren beide Komponenten flüssig. Es bildete sich eine PEG-Blase innerhalb des noch flüssigen PPs aufgrund von Oberflächenspannungseffekten. Bei ~120 °C zeigen sich kristallisierte Bereiche des PPs vor allem auch in runder Form. Bei 38 °C wachsen erste PEG-Strukturen, die sich bei 30 °C deutlich ausgebreitet haben, ausgehend von den vorhandenen PP-Kristallstrukturen. Aufgrund von Adhäsionskräften lagern sich einzelne flüssige Makromoleküle an die kristallinen stabilen Strukturen an.

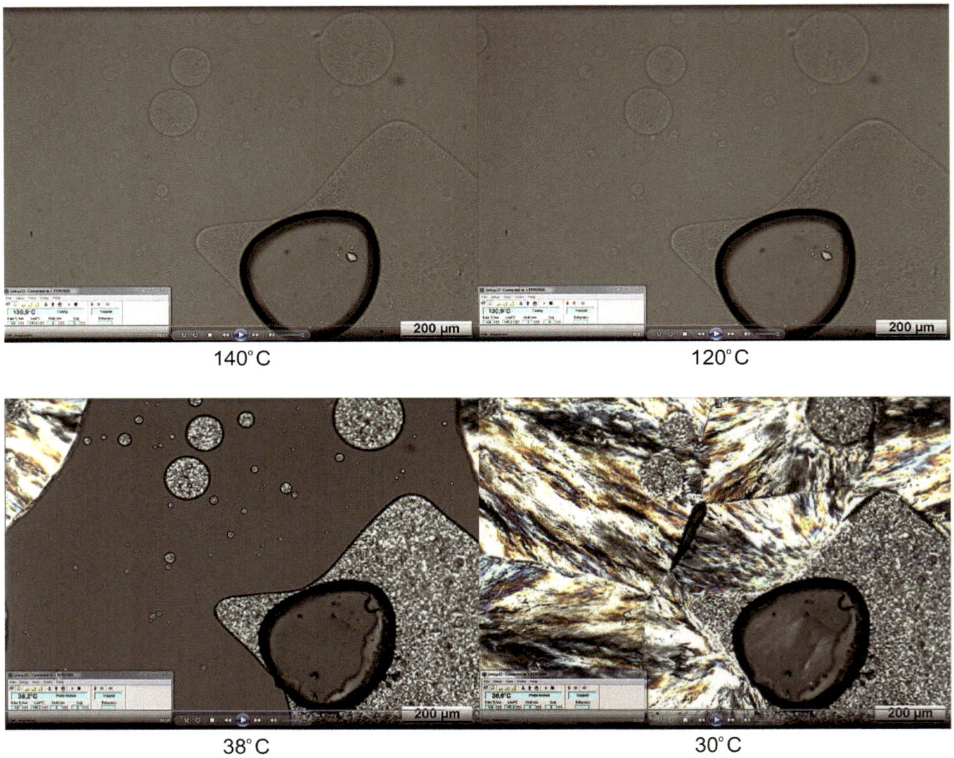

Bild 1.44 Kristallisation von einem PP-PEG-Gemisch [Medina Hernandez]

Ohne Berücksichtigung von Oberflächenspannungseffekten kann die Kristallisation von Schmelzen teilkristalliner Thermoplaste nicht analysiert werden. Ein besonderes Phänomen ergibt sich als Unterschied beim Schmelzen und beim Erstarren. Ein PA 12-PEG-Gemisch wird auf 195 °C erwärmt mit T_{mPA12} = 176 °C und T_{mPEG} = 61 °C und T_{CPA12} = 154 °C bzw. T_{CPEG} = 43 °C. Bei einer Erwärmung auf 195 °C schmelzen beide Komponenten. Beim anschließenden Abkühlen bilden sich unter Einwirkung der Oberflächenspannungen in der PEG-Schmelze zunächst runde kristalline PA-12 Elemente. Umgekehrt scheinen aber in der PEG-Schmelze die PA 12-Kristallite frei zu wachsen, Bild 1.44.

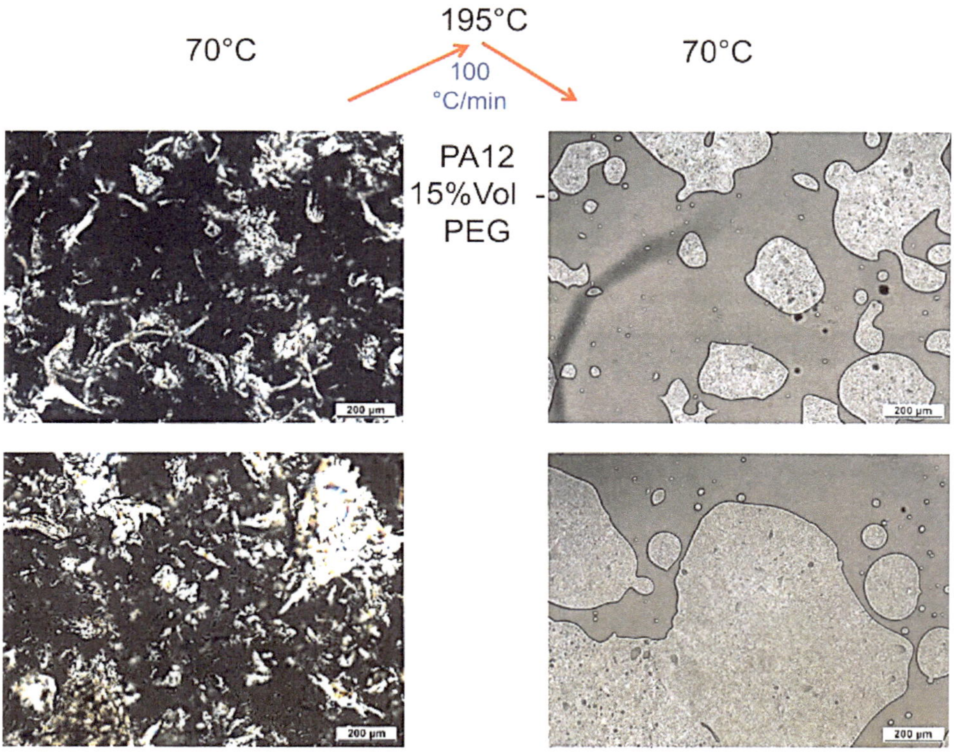

Bild 1.45 PA 12- und PEG-Strukturen nach Aufschmelzen und Abkühlen auf einer Heizplatte bei 70 °C [Medina Hernandez]

Eine freie Kristallisation quasi ohne Scherung oder Dehnung und ohne Druck ergibt sich beim Abkühlen, Bild 1.45 links. Die Lamellen wachsen ausgehend aus der Schmelze. Die Lamellendicke selbst ist hier jedoch deutlich zu erkennen.

Beim selektiven Lasersintern herrscht bei PP eine Verarbeitungstemperatur von 130 °C vor, Bild 1.46. Dabei wird keine Form oder Werkzeug verwendet, sodass eine freie Kristallisation stattfinden kann. In der Schmelze bilden sich beim Abkühlen Kristallisationskeime, woraus sich Sphärolite bilden, die sich in der lateralen Ausbreitung schließlich gegenseitig begrenzen. Für die Aufnahme wurde ein Anschliff an einem lasergesinterten Zugstab durchgeführt und plasmageätzt, wodurch die Lamellen ausgehend vom Kristallisationskeim gut sichtbar werden.

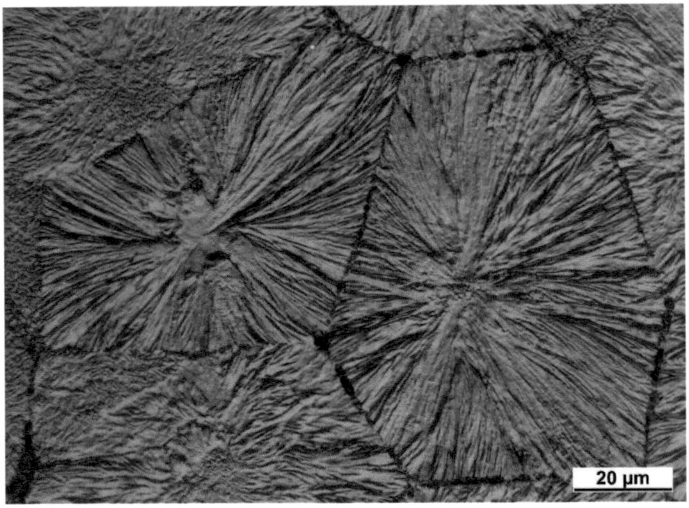

Bild 1.46 Lamellen- und Sphärolith-Bildung beim Lasersintern von PP bei 130 °C [Lanzl]

PP lasergesintert, nur mit Glasfasern gefüllt (PP-GF30, Trockenmischung, SLS, Querschnitt Zugstab, poliert und plasmageätzt). Man sieht, dass die Glasfasern die Lamellenbildung bzw. Kristallisation kaum beeinflussen.

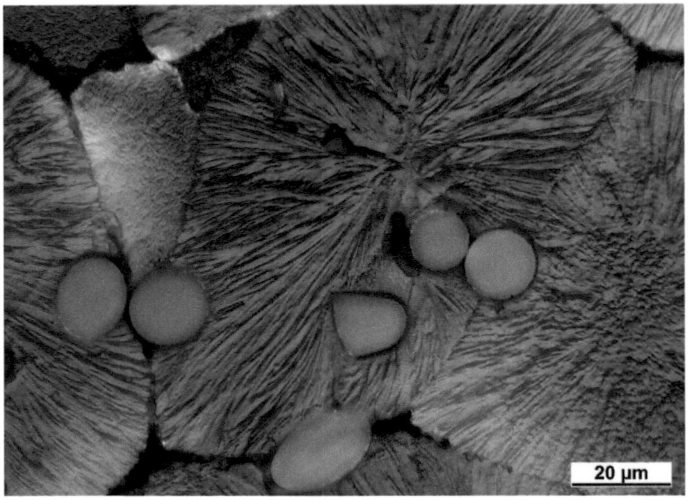

Bild 1.47 Lamellen- und Sphärolith-Bildung beim Lasersintern von PP-GF30 bei 130 °C [Lanzl]

1.3 Normen

DIN EN ISO 179-1 (11/2010)	Kunststoffe – Bestimmung der Charpy-Schlageigenschaften – Teil 1: Nicht instrumentierte Schlagzähigkeitsprüfung
DIN 65583 (04/1999)	Luft- und Raumfahrt – Faserverstärkte Kunststoffe – Bestimmung des Glasübergangs von Faserverbundwerkstoffen unter dynamischer Belastung
DIN EN ISO 75 (08/2013)	Kunststoffe – Bestimmung der Wärmeformbeständigkeitstemperatur – Teil 1: Allgemeines Prüfverfahren
DIN 53462 (01/1987)	[Zurückziehungsdatum: 2000-03-27] Prüfung von Kunststoffen; Bestimmung der Formbeständigkeit in der Wärme nach Martens
DIN 53446 (10/1982)	[Zurückziehungsdatum: 1987-08-00] Prüfung von Kunststoffen; Verhalten bei Temperatureinwirkung

Internationale Übereinstimmung mit:

ISO 2578 (08/1993)	Kunststoffe; Bestimmung der Zeit-Temperatur-Grenzen von Kunststoffen bei Langzeit-Temperatureinwirkung
EN ISO 306 (03/2014)	Kunststoffe – Thermoplaste – Bestimmung der Vicat-Erweichungstemperatur
ISO 6603-2 (04/2002)	Kunststoffe – Bestimmung des Durchstoßverhaltens von festen Kunststoffen – Teil 2: Instrumentierter Schlagversuch

1.4 Literatur

- Conrad, I., Anforderungen bei der Compoundentwicklung wärmeleitfähiger Werkstoffe, Fachtagung Wärmeleitende Kunststoffe, 2007 LKT
- Dallner, C., Thermomechanische Einsatzgrenzen von Kunststoffen, Dissertation Uni Erlangen, LKT, 2006, *www.kunststoffe.de/Dissertationen*
- Domininghaus, H., Die Kunststoffe und ihre Eigenschaften, Springer Verlag, Heidelberg, 2012
- Ehrenstein, G. W., Kunststoff-Schadensanalyse, Carl Hanser Verlag, München, 1992
- Ehrenstein, G. W., Polymerwerkstoffe, 3. Auflage, Carl Hanser Verlag, 2011
- Ehrenstein, G. W., Riedel, G., Trawiel, P., Praxis der Thermischen Analyse von Kunststoffen, 2. Aufl. Carl Hanser Verlag, München, 2003

- Hemminger, W. F., Methoden der thermischen Analyse, Springer Verlag Heidelberg, 1989
- Kämpf, G., Industrielle Methoden der Kunststoffcharakterisierung, Carl Hanser Verlag, München, 1996
- Menges, G., Haberstroh, Michaeli, E., Schmachtenberg, W., Werkstoffkunde Kunststoffe, 5. Auflage, München, Wien: Carl Hanser Verlag, 2002
- Mezger, T., Das Rheologie-Handbuch, 1. Auflage, Hannover, Vincentz Verlag 2000
- Michler, Georg H., Atlas of Polymer Structures, Hanser Publisher, München, 2013
- Oberbach, K., Zur Aussagekraft von Stoßversuchen an Probekörpern für das Zähigkeitsverhalten von Plastformteilen, Plaste und Kautschuk 29 (1982) 3, S. 178 - 182
- Oberbach, K., Müller, W., Prüfung von Kunststoffformteilen, Carl Hanser Verlag, München, 1986
- Oberbach, K., Konstruktionsgerechte Kennwerte - Voraussetzung für Schmachtenberg, E. Werkstoffgerechte Konstruktion von Präzisionsteilen aus Kunststoffen, Plaste und Kautschuk 38, Heft 4/1991
- Riedel, G., Trawiel, P., Thermische Analyse - Methodenübersicht, Hochschulseminar Praxis der Thermischen Analyse
- Rieger, J., The glass transition temperature Tg of polymers, Comparison of the values from differential thermal analysis (DTA, DSC) on dynamic mechanical measurement pendulum) Polymer Testing 20 (2001) 199 - 204
- Rieger, J., Bestimmung der Glastemperatur mittels DSC Z. Kunststoffe 85 (1995) 4 S. 528 - 530
- Rieger, J., Klassifizierung der Kunststoffe und ihrer Zustandsbereiche, in: Altstädt, V. [Hg.] Polymerphysik für die Praxis, Aufbereitung und Verarbeitung. VDI-Gesellschaft Kunststofftechnik, Düsseldorf, 1996
- Rieger, J., Polymer Crystallization viewed in the general Context of particle formation and crystallization. In: Polymer Crystallization - Oberservations, Concept and Interpretations; Lecture Notes in Physics 606, p.7-16, Springer, 2003
- Rudolph, N., mehrfache persönliche Mitteilungen
- Rudolph, N., Druckverfestigung amorpher Thermoplaste, Dissertation FAU Erlangen, Kunststofftechnik, 2009
- Saechtling, H., u. a., Kunststofftaschenbuch, 31. Auflage, Carl Hanser Verlag, München, 2013
- Turi, E., Thermal Characterization of Polymeric Materials, Second Edition, Academic Press inc., Orlando, 1997
- Widmann, G., Riesen, R., Thermoanalyse, Hüthig Verlag, Heidelberg, 1984

2 Eigenschaften der Kunststoffe

2.1 Zielsetzung

Voraussetzung für die Anwendung von Kunststoffen ist das Erreichen einer ausreichenden Gebrauchstauglichkeit, d. h. eine Funktionstauglichkeit über den vorgesehen Einsatzzeitraum. Dazu ist es notwendig, dass die Formmassenqualität und die Formstoffeigenschaften sowie die Prozessparameter bei den Herstellungs- und den Verarbeitungsprozessen ausreichend bekannt, optimiert sind und eingehalten werden. Daten für die Werkstoffbeurteilung auf allen Ebenen des Weges von der ersten Synthese eines Polymeren bis zur Formteilprüfung und Praxiserprobung.

Aus den **Rohstoffen** – Monomere, Zusatzstoffe der verschiedensten Art – entstehen durch chemische Prozesse [Polymerisation, Polyaddition und Polykondensation] und physikalische Prozesse (Conpoundierung) **Formmassen**. Dieses können Homopolymere, Copolymere oder Polymergemische sein. Sie liegen in der Regel in Form von Granulaten vor. Aus den Granulaten entsteht im Wesentlichen durch thermische Umformung (Spritzguss, Extrusion) der **Formstoff**. Der Formstoff kann in Form von Probekörpern, Halbzeugen oder den endgültigen Formteilen vorliegen.

Um dem Produktionsfluss zu genügen, erfolgen eine Reihe von Kontrollmaßnahmen. Der **Rohstoff** unterliegt einer Eingangskontrolle. Hierbei sind z. B. Zusammensetzung und Sauberkeit maßgebliche Kriterien. Eine Prozesskontrolle bei der Herstellung der **Formmasse** ist wichtig, um gleichbleibende Qualität zu erzeugen. In der Regel wird hier eine vollständige Erfassung der Prozessparameter angestrebt, die durch im Online-Verfahren gemessene Produkteigenschaften, wie z. B. Schmelze- oder Lösungsviskosität, ergänzt wird.

Die Formmasse ist der eigentliche Kunststoff [Hochpolymere]. Bei ihm setzt die **Werkstoffprüfung** an der Formmasse selbst ein (z. B. Granulat). Es können nur Prüfungen wie Gehalt an Restmonomeren, Wasser, Glasfasern, Füllstoffen, Extrakt oder Viskosität, Zusammensetzung, Sauberkeit durchgeführt werden. Für weitere Prüfungen muss die Formmasse in Formstoff z. B. über einen Spritzgießvorgang umgewandelt werden. Da die Eigenschaften des Formstoffs in starkem Maße von den Verfahrensparametern bei seiner Herstellung abhängen können, muss auch die **Prozesskontrolle** Bestandteil der Prüfung sein. Hierbei werden z. B. beim Spritzgießprozess Temperaturen, Drücke, Zeiten, Feuchtigkeit und deren Verläufe usw. registriert. An definiert hergestellten Probekörpern wird dann als dritte Komponente der Werkstoffprüfung – die Formstoffprüfung – durchgeführt. Es werden mechanische, thermische, elektrische Eigenschaften, Maßhaltigkeit, Sauberkeit, Farbe, Brandverhalten usw. untersucht.

Der Formgebungsprozess bei der Umwandlung der Formmasse zum Formstoff ist für die Herstellung von Probekörpern [genormtes Formteil] und Bauteilen durchaus vergleichbar. Die Qualitätssicherung im Produktionsprozess lässt sich also bis zur **Formteilprüfung** fortführen. Auch bei der Formteilprüfung ist eine reproduzierbare Prozessführung wichtige Voraussetzung zur Beurteilung der Qualitätskonstanz der Formteile. An den Formteilen selbst werden ähnlich wie an den Probekörpern die für die Gebrauchstauglichkeit relevanten Prüfungen durchgeführt. Diese Prüfungen können bis zur Praxiserprobung reichen.

2.2 Eignung der mechanischen Prüfung

Zu Beginn der Kunststoffentwicklung wurden zur Beurteilung klassische und vermeintlich bewährte Prüfverfahren aus der Metalltechnik herangezogen, die durch kunststoff-spezifische Verfahren ergänzt und z. T. ersetzt wurden, besonders im Hinblick auf deutlich abweichendes Materialverhalten, wie beispielsweise Prüfverfahren zum thermischen Verhalten. Eine besondere Problematik ergab sich dadurch, dass anwendende Ingenieure (Konstrukteure und Verarbeiter) nicht ausreichend eingebunden wurden.

Kennwerte aus mechanischen Versuchen müssen Formteil-Kennwerte sein.

Die mechanischen Eigenschaften von Kunststoffen hängen in stärkerem Maße von der Temperatur und der Belastungsgeschwindigkeit ab als die vieler anderer Werkstoffe. Die Belastungsgeschwindigkeiten üblicher Zerreißmaschinen liegen bei 0,033 m/s. Um das Spannungs-Verformungsverhalten auch bei schnelleren Beanspruchungen ermitteln zu können, wurde eine Schnellzerreißmaschine für Verformungsgeschwindigkeiten im Bereich von 1 bis 50 m/s entwickelt und somit ein Geschwindigkeitsbereich von 6,5 Zehnerpotenzen ermöglicht. Bei üblichen Probengeometrien sind so Dehngeschwindigkeit von ca.10 exp.-2 bis 10 exp. 5 %/s möglich. Es können Kräfte, Dehnungen und durch Integration der Spannungs-Dehnungs-Kurven Arbeitsaufnahmen ermittelt werden.

Generell nimmt die Zugfestigkeit mit der Dehngeschwindigkeit zu und die Bruchdehnung ab. Bei, von der Art des Kunststoffs abhängigen, hohen Dehngeschwindigkeiten kommt es zu sprödem Versagen. Erhöhte Geschwindigkeiten haben dieselbe Wirkung wie erniedrigte Temperaturen.

Zur Klärung, ob am Rand die Isochromaten eine Zug- oder Druck(eigen)spannung anzeigen, eignet sich die Nagelprobe. Mit einem spitzen Gegenstand drückt man auf den Rand und beobachtet die randnahen Isochromaten. Wandern sie dem Druckpunkt zu und wird ihre Zahl kleiner, liegt Druck vor, wird ihre Zahl größer und wandern sie von Druckpunkt weg, herrscht Zugspannung.

2.3 Festigkeit

Bei den mechanischen Prüfungen dominiert der **Zugversuch**, wobei es sinnvoll wäre, darauf hinzuweisen, dass besonders wegen der dominierenden Kettenstruktur der Kunststoffe und der Orientierung einer evtl. Kurzfaserverstärkung die Eigenschaften deutlich beeinflusst werden, sodass Zug- und Druckkennwerte oft nicht identisch sind und der spritzgegossene Probekörper eine mit zunehmender Entfernung vom Anspritzpunkt abnehmende Orientierung [Molekülverwirbelung] aufweist, die zu einem nicht konstanten Verlauf der mechanischen Eigenschaften über die Länge des Probekörpers und damit häufig zu einem strukturbedingten Probenbruch auf der angussfernen Seite führt.

Die **Druckfestigkeit** σ_{dB} wird wegen der Knickgefahr bevorzugt an kurzen Prüfkörpern oder gar nicht gemessen. Dabei führen die mangelnde Parallelität und Ebenheit der beanspruchten Oberfläche und in die Probekörper hineinwirkende mehrachsige Verformungsbehinderungen (Druckkegel, Auflagereibung) häufig zu Verfälschungen der Ergebnisse. Andererseits sind Kerben und kleine Risse im Gegensatz zur Zugbelastung unerheblich, weil sie sich unter Druck schließen. Die Druckfestigkeit ist daher immer höher als die Zugfestigkeit, Bild 2.1. Wobei E_{b0} nur deshalb größer als E_{z0} ist, weil die stärker orientierten Randzonen, die auch Druckeigenspannungen aufweisen, stärker an der Belastung teilnehmen. Real kann die Zugfestigkeit im Biegeversuch nicht überschritten werden.

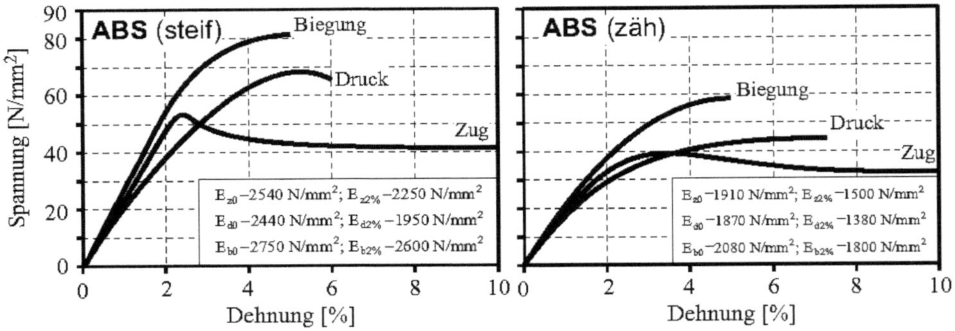

Bild 2.1 Spannungs-Dehnungs-Diagramm für ein steifes (links) und ein hochzähes (rechts) Acrylnitril-Butadien-Styrol-Copolymerisat (ABS) unter (z) Zug-, (d) Druck- und (b) Biegebelastung
E_0 = E-Modul als Anfangssteigung durch Null
$E_{S2\%}$ = Sekantenmodul zwischen 0 und 2 % Verformung

Während bei unverstärkten Kunststoffen die Druckfestigkeit höher als die Zugfestigkeit ist, ist es bei faserverstärkten Kunststoffen umgekehrt.

Neben den Kennwerten aus dem Zugversuch werden jedoch auch solche aus dem **Biegeversuch** gewünscht, da die Biegebeanspruchung die häufigste Belastungsart in der Praxis ist. Zudem ist der Biegeversuch sehr viel einfacher durchzuführen. Wie aus Bild 2.2 hervorgeht, ist der Spannungs-Dehnungs-Verlauf im Biegeversuch nur bei kleinen Dehnungen linear. Dies führt bei Biegebeanspruchung dazu, dass zwar eine lineare Dehnungsverteilung über die Höhe des Balkens vorliegt, die Spannungsverteilung jedoch s-förmig ist, Bild 2.3. Dieser nicht lineare Spannungsverlauf wird bei der Berechnung der Randfaserspannung nicht berücksichtigt. Somit ergibt sich für den genormten Biegeversuch eine deutlich höhere als wirklich auftretende Spannung, was sich besonders bei Langzeit- und Wechselbiegeversuche besonders kritisch auswirkt (scheinbar dauerfest im Wechselbiegeversuch).

E_{b0} ist nur größer als E_{z0}, weil die stärker orientierten Randzonen, die auch Druck-Eigenspannungen aufweisen, stärker an den Belastungen teilnehmen. Die theoretisch aus Biegeversuchsdaten berechnete Spannung bei 5 % Dehnung ist deutlich höher als die Spannungen im Zug- bzw. Druckversuch, die zu 5 % Verformung führen. Bei viskoelastischem Kunststoffen ist die nach Norm bestimmte Biegespannung unrealistisch hoch. Nur wenige biegebeanspruchte Bauteile weisen auch reine Biegespannung auf. Viel häufiger sind – wie bei Doppel-T-Träger-Zonen – nahezu konstante Zug- bzw. Druckspannung, sodass hier die Zug- oder die selten gemessene Druckfestigkeit als Bemessungskriterium gelten muss.

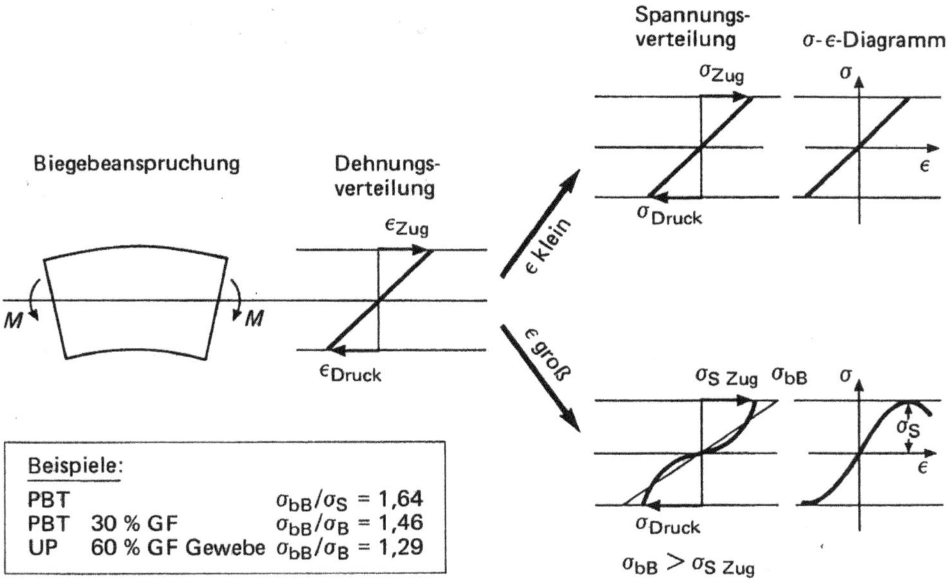

Bild 2.2 Dehnungs- und Spannungsverteilung bei Biegebeanspruchung für kleine Dehnung – σ und ε hängen linear zusammen – und für große Dehnung – Zusammenhang nichtlinear – [Oberbach]

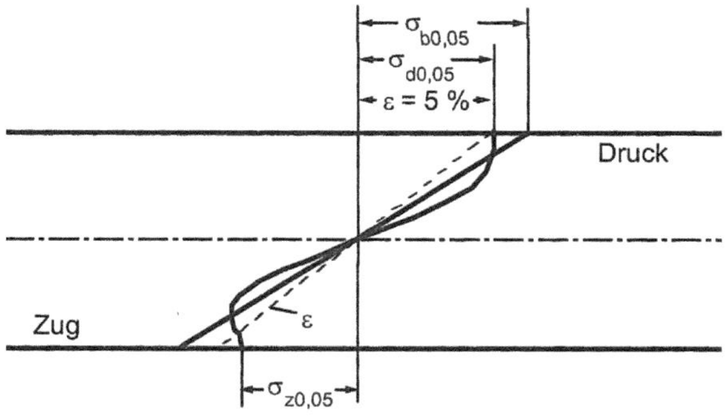

Bild 2.3 Spannungs- und Dehnungsverteilung beim Biegeversuch mit rechnerisch fiktiver gradliniger $\sigma_{b0,05}$-Linie
$E_{b0,05}$ = 1140 N/mm², Biege-E-Modul bei 5 %-Randfaserdehnung
$\sigma_{\beta 0,05}$ = 57,1 N/mm², aus Biege-E-Modul für 5 % Dehnung berechnet, theoretisch
$\sigma_{\delta 0,05}$ = 41,5 N/mm² Spannung bei 5 %-Verformung im Druckversuch, gemessen
$\sigma_{\zeta 0,05}$ = 35,0 N/mm² Spannung bei 5 %-Verformung im Zugversuch, gemessen

Die **Schubfestigkeit** τ_B kann definiert an zylindrischen Probekörpern unter Torsionsbeanspruchung gemessen werden. Die Probenherstellung ist aufwendig. Ein Beulen ist zudem bei normalen Thermoplasten wegen deren niedriger Steifigkeit praktisch nicht zu vermeiden. Der Konstrukteur entnimmt daher die Schubfestigkeit τ_B besser aus der Zugfestigkeit σ_{zB} nach der Schubspannungsversagenshypothese mit τ_B = 0,5 σ_{zB} bestimmt. Ist der Spannungszustand genau bekannt, kann auch nach der Gestaltänderungshypothese (Huber, von Mises-Henky) mit τ_B = 0,58 σ_{zB} gerechnet werden.

Generell gilt:
Schubfestigkeit < Zugfestigkeit < Druckfestigkeit < Biegefestigkeit

Eine weitere Tatsache muss bei der Angabe von Festigkeitskennwerten berücksichtigt werden. Unterschiedliche Geometrien und Herstellbedingungen von Probekörpern über die flüssige Phase können zu einer **Festigkeitsanisotropie** durch Molekülorientierungen und Eigenspannungen führen, die wesentlich größer ist als der Unterschied zwischen der Zug-, Druck- oder Biegefestigkeit am gleichen Probekörper. Viel wichtiger als ein zweiter Festigkeitskennwert wäre deshalb z. B. längs und quer zur Fließrichtung der Schmelze bei der Werkzeugfüllung gemessene Festigkeit.

Ähnliche Erwägungen gelten auch für die verschiedenen Arten von Härte- und noch mehr für **Zähigkeitskennwerte**. Diese Werte stellen in der Regel für den Konstrukteur kaum verwertbare Informationen dar.

Auch die Ergebnisse von Schlag- und Kerbschlag-Zähigkeitsversuchen sowie Durchstoßversuchen sind keine für die Konstruktionsrechnung direkt verwertbaren Werkstoff-Kennwerte. Es wird jeweils das Arbeitsaufnahmevermögen bis zum vollständigen Bruch ermittelt. Die Schädigung eines Bauteils setzt jedoch dann ein, wenn an einem Punkt die **Streckspannung** überschritten wird. Daraus folgt, dass für die Bemessung von stoßbeanspruchten Bauteilen die Kenntnis des spezifischen Arbeitsaufnahme-Vermögens des Werkstoffs bis zum Erreichen einer Versagensspannung nach Bild 2.4 wesentlich instruktiver ist als die Schlag- oder Kerbschlagzähigkeit. Letztere können lediglich einen qualitativen Hinweis darauf geben, ob beim Versagen von Bauteilen unter Stoßbeanspruchung mit einem mehr oder weniger spröden oder duktilen Verhalten zu rechnen ist. Ein Vergleich verschiedener Kunststoffe in dieser Hinsicht wird jedoch dadurch erschwert, dass es mehr als 30 verschiedene Methoden zur Bestimmung der Zähigkeit mit unterschiedlichen Geometrie- und Prüfparametern gibt.

Zwei unterschiedliche ABS-Typen in Bild 2.4 ergeben nach DIN EN ISO 179-1:2010 die Kerbschlagzähigkeits-Werte von 17 und 35 kJ/m^2. Daraus wird die Kennzeichnung hochtemperaturbeständig [a_k = 17 kJ/m^2] und hochschlagzäh [a_k = 35 kJ/m^2]. Trägt man für beide Typen die Spannungs-Dehnungs-Diagramme bis zur Streckgrenze auf, so sieht man ein gegenteiliges Ergebnis, eine Energieaufnahme ohne Bruch, das die Arbeitsaufnahme sicherlich besser kennzeichnet.

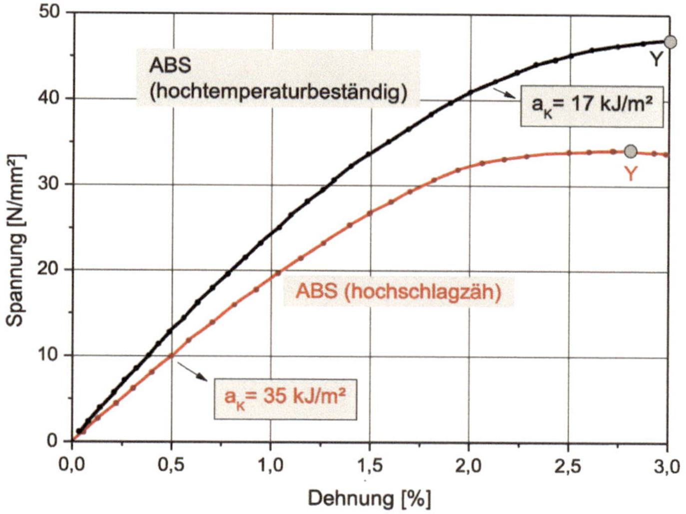

Bild 2.4 Spannungs-Dehnung-Diagramme bis zur Streckgrenze zweier ABS-Typen

Das Problem **einachsig – zweiachsig** ergibt sich beim Vergleich der Schlagzähigkeit – quasi ein schneller Biegeversuch – mit der Arbeitsaufnahme im Durchstoßversuch – quasi schnelle nahezu biaxiale Beanspruchung – mit einem gegenteiligen Ergebnis, Bild 2.5. Mit zunehmendem Fasergehalt steigt die Energieaufnahme beim Schlag-Biege-Versuch an. Bei zweidimensionaler Durchstoßbeanspruchung entsteht dagegen ein steiler Abfall. Die Ergebnisse deuten auf eine starke Faserorientierung [Anisotropie] bei der Prüfkörperherstellung im Spritzgießprozess.

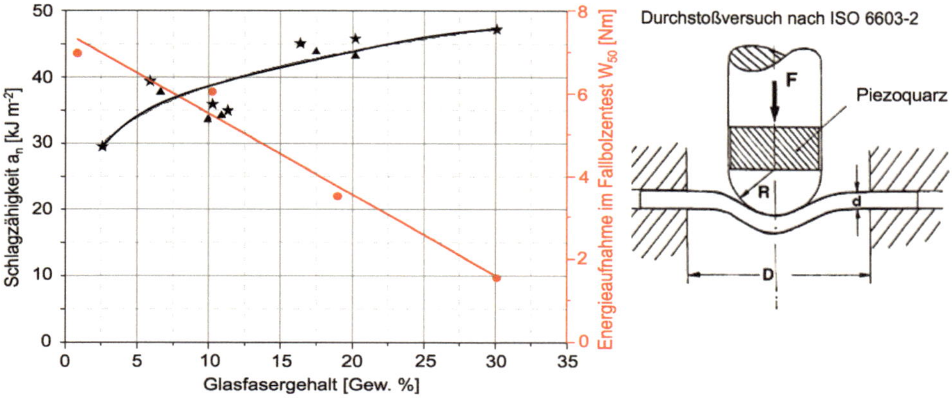

Bild 2.5 Schnelle Zähigkeitsversuche im eindimensionalen Schlagbiegeversuch und biaxialen Durchstoßversuch an PBT-GF

Die Belastungsgeschwindigkeit spielt bei der Kennwertermittlung durchaus eine Rolle, wobei sich die Zugfestigkeitskennwerte bei niedrigen Dehngeschwindigkeiten sehr unterschiedlich verhalten können. Während eine niedrige Dehngeschwindigkeiten in linearer Darstellung bis etwa 200 % Dehnung pro sec deutliche Änderungen hervorrufen kann, treten bei höheren Geschwindigkeiten nur geringere Änderung auf. Bei logarithmischer Auftragung ist man versucht die Änderungen in der Festigkeit als stetiger einzuschätzen, Bild 2.6.

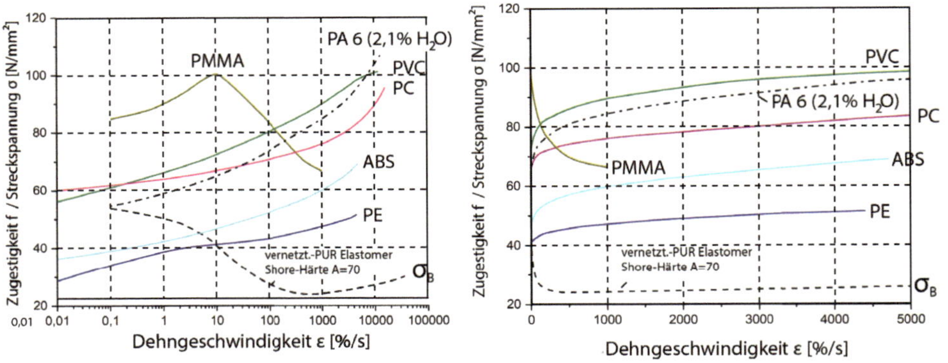

Bild 2.6 Einfluss der Dehngeschwindigkeit bei Zugbelastung auf die Festigkeit
links: logarithmisch; rechts: linear

2.3.1 Verformungskennwerte

Die Verformungen von Kunststoffen setzen sich aus elastischen und nichtelastischen Anteilen zusammen, deren Verhältnis sich ändert mit zunehmender Belastungshöhe zugunsten des nichtelastischen Verformungsanteils ändert. Generell wirken sich die zeit-, temperatur- und lastabhängigen Verformungsanteile unterschiedlich aus und sind weder einzeln noch in Summe beliebig, besonders nicht einfach linear extrapolierbar. Die nichtelastischen Verformungsanteile können bei Reduzierung der Last relaxieren.

Den Festigkeitskennwerten können entsprechenden Verformungskennwerte zugeordnet werden:

- Streckdehnung ε_S bei der Streckspannung σ_S,
- Bruchdehnung ε_B bei der Bruchspannung σ_B,
- Elastizitätsmodul E_0 beschreibt den Zusammenhang zwischen Spannung und zugeordneter Verformung, im linearen Bereich gilt das Hookesche Gesetz $E = \sigma/\varepsilon = \text{const.}$,
- Sekantenmodul E_S kennzeichnet den Widerstand gegen Verformung am Belastungspunkt,

- Tangentenmodul E_T kennzeichnet das Steifigkeitsverhalten am Lastpunkt gegenüber zusätzlicher Be- oder Entlastung,
- Kriechmodul E_C ist für zeitabhängige Belastungen definiert als das Verhältnis zwischen Spannung und der zeitabhängig sich einstellenden Verformung, $E_C = \sigma/\varepsilon_{ges(t)}$.

Aus messtechnischen Gründen wird der **Elastizitätsmodul** nicht als Tangente durch den Nullpunkt, sondern als Sekante zwischen 0,05 % und 0,25 % Dehnung gemessen. Eine geringe untere Belastung ist die Voraussetzung für das Funktionieren der Messgeräte. Damit wird $E_0 = (\sigma_{0,25} - \sigma_{0,05})/(\varepsilon_{0,25} - \varepsilon_{0,05})$. Diese Festlegung ist für Kunststoffe besonders bei ausgeprägt nichtlinearem Verformungsverhalten nötig, um einen Materialvergleich zu ermöglichen.

Damit ist das Verformungsverhalten aber nicht ausreichend gekennzeichnet. Es werden daher drei Elastizitätsmoduln definiert, Bild 2.7. Der Konstrukteur wird den normgerecht gemessenen Elastizitäts- oder Nullpunktsmodul E_0 ohnedies nur zum Werkstoffvergleich bzw. zur Werkstoffauswahl verwenden. Da Konstruktionen aus Kunststoffen i. a. über $\varepsilon = 0{,}25\,\%$ beansprucht werden, wird für Berechnungen solcher Bauteile der **Sekantenmodul** E_S eingeführt. Unter dem Sekantenmodul wird formal der Quotient aus der durch die Belastung erzeugten Spannung σ und der dabei auftretenden Dehnung ε verstanden, $E_S = \sigma/\varepsilon$. Er nimmt also außerhalb des quasi elastischen Bereichs des σ/ε-Kurve mit zunehmender Belastung ab. Mit ihm wird versucht, auf vereinfachte Weise das nichtlineare Werkstoffverhalten bei Verformungsberechnungen zu berücksichtigen.

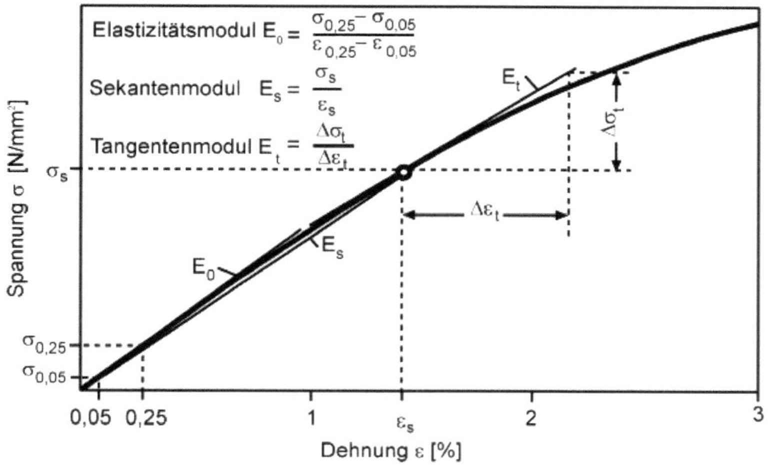

Bild 2.7 Definition verschiedener Elastizitätsmoduln zur Kennzeichnung des Verformungsverhaltens von Kunststoffen

Eine dritte Möglichkeit ergibt sich durch den sog. **Tangentenmodul** der die Steigung des Spannungs/Dehnungs-Diagramms an einem bestimmten Punkt kennzeichnet. Er ist für die Praxis i.a. von geringerer Bedeutung und nur zur Kennzeichnung des weiteren Verformungsverhaltens von vorbelasteten Bauteilen nützlich, z.B. durch Beulung.

Für die geschilderten Vorgänge spielt selbstverständlich neben der Zeit und der Höhe der Belastung die Einsatztemperatur eine maßgebliche Rolle, insbesondere hinsichtlich ihrer relativen Lage zur **Glasübergangstemperatur** T_g. Bei einer Einsatztemperatur deutlich oberhalb von T_g verhalten sich die Kunststoffe duktil und zäh, unterhalb dagegen spröde. Dieses gilt insbesondere bei teilkristallinen Thermoplasten, deren amorphe Phase erweichen kann, ohne dass der durch die kristallinen Bereiche fest zusammengehaltene Werkstoff seine Gebrauchstauglichkeit verliert. Die Dehnungen sind an die Spannungen gebunden.

In Bild 2.8 sind die den definierten Festigkeiten zugeordneten Dehnungen für das amorphe PMMA angegeben. Für die Auslegung von Bauteilen eignen sich die Bruchdehnung bei spröden Kunststoffen, die Streckdehnung bzw. die 0,5% Dehnung bei zähen Werkstoffen ohne Streckgrenze. Die Bruchdehnung bei zähen Kunststoffen liegt weit oberhalb zulässiger Verformungen, ihr Wert ist dennoch für die Bewertung von Kunststoffen von Interesse, da ihr Abstand zur Streckdehnung die Verformungsreserve bei kritischer Belastung angibt und damit eine Schadenstoleranz.

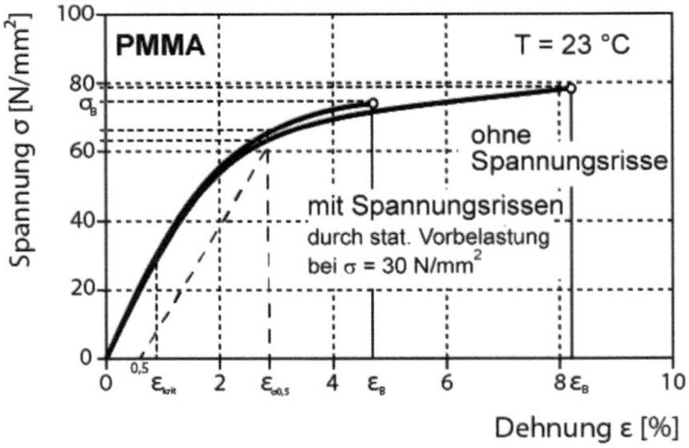

Bild 2.8 Spannungs/Dehnungs-Diagramm von PMMA mit und ohne Spannungsrissen (engl.: crazes)

Zum Vergleich wurden die Spannungs-/Dehnungs-Diagramme mit und ohne Craze-Bildung aufgetragen, Bild 2.8. Die Craze-Bildung der einen Probe wurde durch eine längere statische Vorlast bei 30 N/mm² erzeugt. Der stärkere Anstieg der σ/ε-Kurve der vorbelasteten Probe kurz vor dem Bruch ist auf Verformungsbehinderungen durch die Crazes des sich sonst stärker duktil verformenden PMMA zurückzuführen.

Bild 2.8 zeigt die verschiedenen Bemessungsspannungen. Neben den Festigkeiten beim Bruch σ_{B1} [78 N/mm²] und σ_{B2} [72 N/mm²] gibt es die 5%-Dehnspannung σ_{B3} [65 N/mm²] und σ_{B4} [62 N/mm²]. σ_{B1} und σ_{B2} für Material ohne Spannungsrisse, σ_{B3} und σ_{B4} mit Spannungsrissen. Die kritische Dehnung bei 0,8% Dehnung mit einer zulässigen Spannung von 28 N/mm² beinhaltet eine Sicherheit von 2,2 bis 2,8.

Verformungen kennzeichnen gemeinsam mit der dabei auftretenden Last die Zähigkeit eines Werkstoffs. Auch eine große Gesamtverformung ist nicht alleine für eine hohe Energieabsorption charakteristisch, weil diese bei einer kleinen Dehnung nicht möglich ist. Die Streckdehnung kennzeichnet eine eindeutige Belastungsgrenze. Oberhalb dieser Grenze treten zwar strukturell interessante Phänomene auf, die bauteilbestimmende Gestalt wird jedoch durch die hier eintretende Verstreckung so geändert, dass die geometrischen Festlegungen nicht mehr eingehalten werden können. Die Bewertung von Kunststoffen nach zulässigen Dehnungen (E: allowable strain) ist häufig sogar einfacher als nach zulässigen Spannungen.

Bedeutung gewonnen hat bisher in der Kunststofftechnik die kritische Dehnung nach Menges, der einen maximal zulässigen Hauptdehnwert $\varepsilon_V < \varepsilon_{krit}$ als Belastungsgrenze für Belastungen verschiedener Art definiert. Als Näherungswert besonders bei überwiegend einachsiger Verformung ist die ansonsten durchaus umstrittene kritische Dehnung nützlich und zu beachten, Tabelle 2.1.

Tabelle 2.1 Kritische Dehnung ε_{krit} von Thermoplasten nach Menges

Kunststoff	Kritische Dehnung [%]
amorphe, ungefüllte Thermoplaste	0,8
Ausnahme: Polystyrol	0,2
teilkristalline Thermoplaste (oberhalb T_g sonst siehe amorphe Thermoplaste)	2,0
schlagzäh modifizierte Blends	0,8

Bei der Verwendung der kritischen Dehnung als Dimensionierungsgrenze muss beachtet werden, dass bei mit harten Füllstoffen gefüllten Kunststoffen die lokale Dehnung der Matrix stets größer ist, als die mittlere makroskopische Dehnung. Deshalb muss die kritische Dehnung hier in Abhängigkeit vom Füllstoffanteil abgemindert werden. So kann man für mit Kurzglasfasern gefüllte Kunststoffe etwa mit folgender Näherungsformel rechnen:

$$\varepsilon_{\kappa\,\mathrm{kritGF}} \sim \varepsilon_{\mathrm{krit}} \left\{1 - 1{,}5\,\psi\right\}$$

mit Ψ = Gewichtsanteil Glasfasern in %

2.3.2 Temperatur-Steifigkeits-Verhalten

Der Schmelzpunkt üblicher metallischer Konstruktionswerkstoffe liegt in der Regel weit oberhalb des normalen Anwendungstemperaturbereichs.

Eine Temperaturabhängigkeit der Werkstoffkennwerte braucht deshalb in der Regel im Bereich der Raumtemperatur nicht berücksichtigt zu werden. Der Erweichungsbereich der Kunststoffe kann jedoch bereits je nach Typ im Bereich der Raumtemperatur liegen, sodass die Temperaturabhängigkeit der Kunststoffeigenschaften bei der Werkstoffbeurteilung und Konstruktion berücksichtigt werden muss.

Der Hauptunterschied zu den Metallen mit den Zuständen *fest – flüssig* sind bei den Kunststoffen die drei Zustandsbereiche

- energie-elastisch
- entropie-(gummi)elastisch
- schmelzflüssig

Die Lage der Übergänge von einem in den anderen Zustandsbereich hängt von der Höhe, Art und Geschwindigkeit der Belastung ab.

Bei den teilkristallinen Thermoplasten kann sowohl der energie- und der entropie-elastische Zustand genutzt werden, Bild 2.8, wobei die kristallinen Bereiche im energie-elastischen Zustand verbleiben, während sich die amorphen Bereiche in dem gummi-elastischen Zustand befinden. Bei den Duroplasten ist es hingegen möglich, den gummi-elastischen Zustand zu nutzen, jedoch kann durch Wahl eines höher vernetzten Harzes die Erweichung zu höheren Temperaturen verschoben werden. Bei amorphen Thermoplasten wird der energie-elastische Zustand genutzt, bei Elastomeren der gummi-elastische, Bild 2.9.

Der Grenzwert für den energie-elastischen Bereich ist die Glasübergangstemperatur T_g, deren Bestimmung viele Probleme aufweist. Alleine eine Verschiebung der Glasübergangstemperatur bei einem Druck von 1000 bar zeigt die Unsicherheit bei der Bestimmung, Tabelle 2.2.

Tabelle 2.2 Verschiebung der Glasübergangstemperatur zu höheren Temperaturen bei 1000 bar gegenüber 1 bar

	PM [ΔT_g]	PMMA [ΔT_g]	COC [ΔT_g]	amorph PA [ΔT_c]
ΔT/1000 bar	~ 30 °C	~ 12 °C	~ 30 °C	~ 36 °C

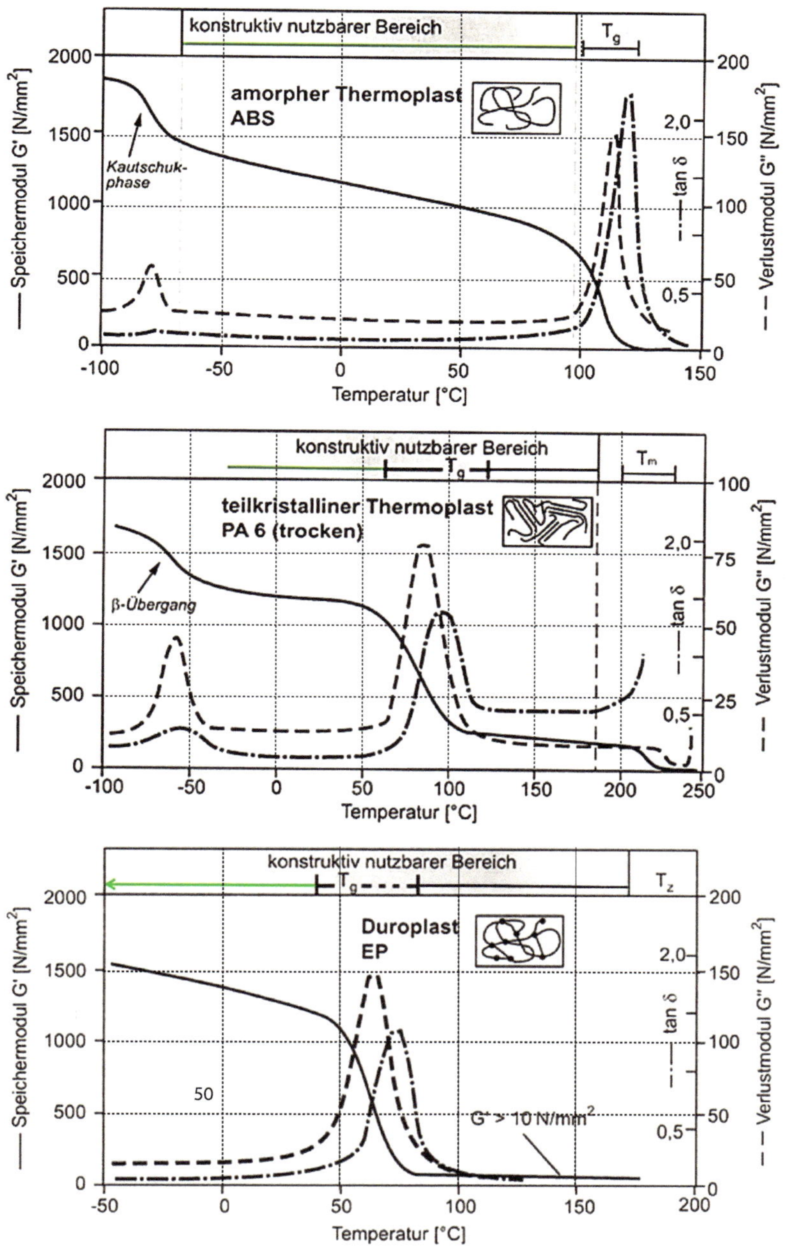

Thermisch-mechanisches Verhalten eines Duroplasten (Epoxidharz)
T_z = thermische Zersetzung (nach Altstädt)

Bild 2.9 *(Fortsetzung auf Seite 72)*

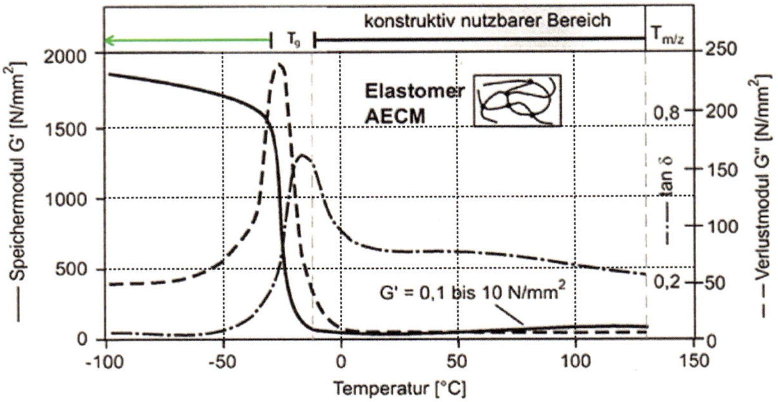

Bild 2.9 Konstruktiv nutzbare Bereiche in thermisch-mechanischen Zuständen bei amorphem ABS und teilkristallinen PA6 Thermoplasten, Duroplasten EP und Elastomeren AECM [nach Altstädt]
energieelastisch = grün
entropie[gummi]elastisch = blau

Da der Erweichungsvorgang fließend beginnt, ist die Bestimmung der thermischen Einsatzgrenzen (engl.: thermal application limits) von Kunststoffen eines der größten Probleme bei der Auslegung von Bauteilen. In Bild 2.10 sind die Ergebnisse genormter Prüfverfahren zur Bestimmung der Formbeständigkeit in der Wärme beginnend mit den Schubmodul-Kurven und drei weiteren Methoden zur Bestimmung der Formbeständigkeit in der Wärme sowie die ermittelten Formbeständigkeitswerte für Polycarbonat und konditioniertes Polyamid dargestellt. Es gibt keinen systematischen Zusammenhang zwischen diesen Messgrößen. Für konditioniertes Polyamid liegen die Wärmeformbeständigkeiten zwischen 40 und 200 °C je nach angewandter Methode. Dies ist auch nicht zu erwarten, da sowohl die Spannungen wie auch die Grenzwerte der Verformung je nach Methode recht unterschiedlich sind.

Es gibt eine Vielfalt von genormten Prüfverfahren, die zu deutlich voneinander abweichenden Ergebnissen führen, Bild 2.9. Die häufig genannte Glasübergangstemperatur T_g (engl.: glass transition temperature) als Wendepunkt der Modulkurve liegt bereits deutlich im erweichten Zustand.

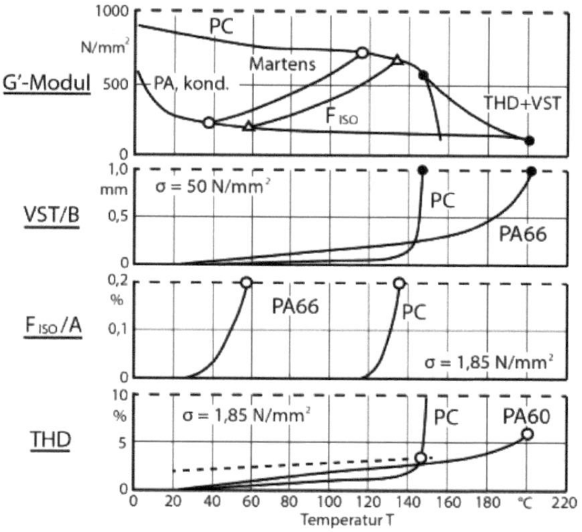

Bild 2.10 Formbeständigkeit in der Wärme nach genormten Prüfverfahren ermittelt für luftfeucht konditionertes PA 66 und PC mit Ergebnissen für PA 66 luftfeucht zwischen 40 und 200 °C und PC zwischen 115 bis 150 °C [Oberbach]
Schubmodul G' DIN EN ISO 6721; Vicat-Erweichungstemperatur VST/B DIN EN 306; DIN 53461/ASTN D 648 ~ FISO -ISO/R 75; ASTM D 1637 - Tensile-Heat-Distortion THD

An die Speichermodulkurve wird bei T_{g0} – 50 °C eine Tangente gelegt, Bild 2.11. Wo diese Tangente die Tangente durch die Glasübergangstemperatur T_g schneidet, liegt T_{g0}. Wo die um 2 % gesenkte Parallele zur Tangente durch T_{g0} – 50 °C die Tangente durch T_g schneidet, liegt $T_{g2\,\%}$.

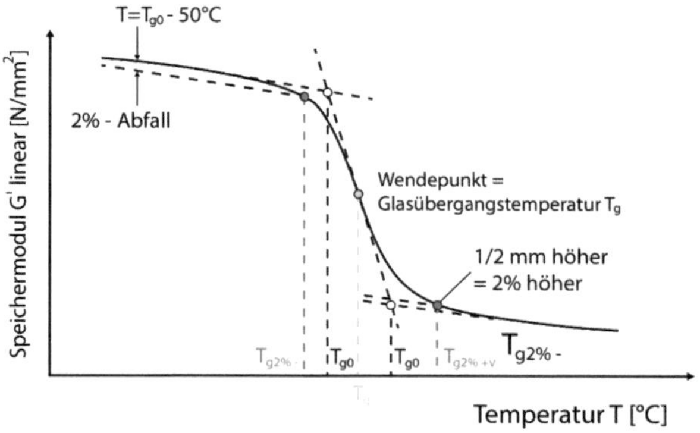

Bild 2.11 Auswertung der Speichermodul-Temperaturkurve nach DIN 65583 (1994)
$T_{g2\,\%}$ Begin/Ende des Glasübergangs nach der 2 %-Methode
T_{g0} Begin/Ende des Glasübergangs nach der Tangentenmethode
2 %-Abfall Modulabfall von 2 %, ausgehend vom Modul bei T_{g0} – 50 °C
T_g Glasübergangstemperatur
ΔT_{go} Glasübergangsbereich – Tangentenmethode
$\Delta T_{g2\,\%}$ Glasübergangstemperatur – DIN 65583

Der sich üblicherweise aus dem Schnittpunkt der Tangenten im energieelastischen und im gummielastischen Bereich ergebende Glasübergangsbereich ΔT_{g0} hat seine Grenzpunkte durchaus schon im Glasübergangsbereich. Angeregt durch DIN 65583 mit dem Vorschlag der 2 %-Methode zur Bestimmung der Einsatzgrenze im Hinblick auf die Glasübergangstemperatur handelt es sich durchaus um realistische Grenzwerte für den Glasübergangsbereich, die aber gegenüber der Tangentenmethode besonders im Übergang Glasübergangstemperatur/gummielastischer Zustand eine erhebliche Spannweite aufweisen.

Die Glasübergangstemperatur kann unter dem Gesichtspunkt der praktischen Anwendung definiert werden:

- Die Glasübergangstemperatur kennzeichnet die Mitte des Glasübergangsbereichs, sagt aber nichts über die Breite dieses Bereichs und einen stabilen Anwendungsbereich aus, weder über dessen Beginn noch dessen Ende.
- Als Übergang vom energie- in den gummielastischen Bereich, gekennzeichnet durch einen starken Abfall des E-Moduls z. B. G' als Maß für die Steifigkeit (elastischer Anteil der Verformung).
- Die Temperatur, bei der der Verlustmodul G'' ein Maximum aufweist, liegt in der Nähe der Glasübergangstemperatur; Verlust an mechanischer Energie (z. B. Umwandlung in Wärme).
- Das Gleiche gilt für die Temperatur, bei der die Dämpfung, gekennzeichnet durch tan δ, ein Maximum aufweist.
- *Ergänzung:* die Glasübergangstemperatur als Temperatur der größten Eigenschaftsänderungen ist als Temperatur zum Auslegen von Bauteilen völlig ungeeignet.

Umfangreiche Untersuchungen von Rieger zeigen, dass die Glasübergangstemperaturen gemessen in der Standard-DSC mit 20 °C/min Heizrate und 15 mg Proben-Masse und der in der Torsions-DMA bei 1 Hz mit einer Heizrate von 1 °C/min über den Verlustmodul G'' gemessene Glasübergang im Mittel übereinstimmen, auch wenn in Einzelfällen Abweichungen bis zu 10 °C möglich sind, Bild 2.10. Abweichungen wurden vor allem dann festgestellt, wenn es sich um ein Einkomponenten-Material handelt.

Die Glasübergangstemperatur gemessen aus dem Verhältnis von $\tan \delta = G''/G'$ verglichen mit den Werten aus der DSC-Messung führt dagegen zu deutlich größeren Abweichungen, Bild 2.13.

Bei Kunststoffen mit z. B. eingearbeiteten zusätzlichen, meist duktilen Komponenten unterscheiden sich die Temperatur-Lage der Maxima von G'' und tan δ kaum. Bei Einkomponenten-Material oder einer Dominanz des Materials mit der höchsten Übergangtemperatur unterscheiden sich die Temperatur-Lagen durchaus erheblich.

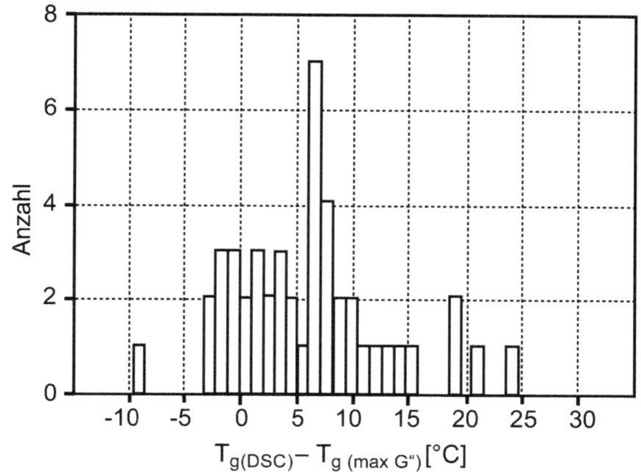

Bild 2.12 Unterschiede bei der Messung von Glasübergangstemperaturen mittels der DSC [Rieger]
bei 20 °C/min und dem Torsionschwingversuch bei 1 Hz und 1 °C/min, 83 verschiedene Polymer-Proben

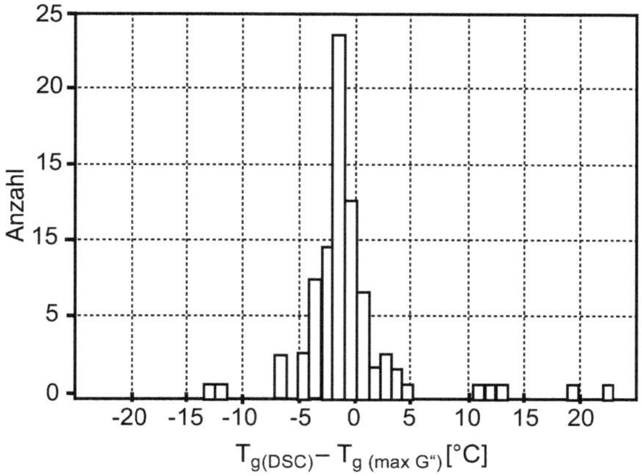

Bild 2.13 Unterschiede bei der Messung der Glasübergangstemperatur in der DSC mit 20 °C/min und tan $\delta = G''/G'$ aus dem Torsionsschwingversuch [Rieger]

Die öfter genannte Auffassung, dass die Glasübergangstemperatur abgeleitet aus dem Verlauf von tan δ und G'' immer größer ist als der in der DSC gemessene Wert, ist nicht haltbar.

Die sog. Glasübergangstemperatur T_g, die gerne als Einsatzgrenze gewählt wird, ist für den Konstrukteur irritierend, da der Wert der Steifigkeit bei Teilkristallinen grob auf ein Fünftel, bei Amorphen auf ein Hundertstel Wert zwischen einen energieelastischen Zustandsbereich in den folgenden gummi/entropie-elastischen gesunken ist. Sinnvoller ist die sog. $T_{g2\,\%}$-Temperatur.

Die Problematik der Bestimmung thermischer Einsatzgrenzen als reine mechanische Formbeständigkeit wird deutlich bei den genormten Einpunkt Schnellbestimmungsmethoden der sog. Formbeständigkeit in der Wärme, z.B. nach DIN EN ISO 75 oder Vicat, Bild 2.14. Diesen Methoden ist gemeinsam, dass Probekörper unter definierter Belastung mit einer bestimmten Aufheizgeschwindigkeit erwärmt werden und dabei die Deformation gemessen wird. Als Formbeständigkeitstemperatur wird die Temperatur definiert, bei der die Deformation einen bestimmten Wert erreicht hat.

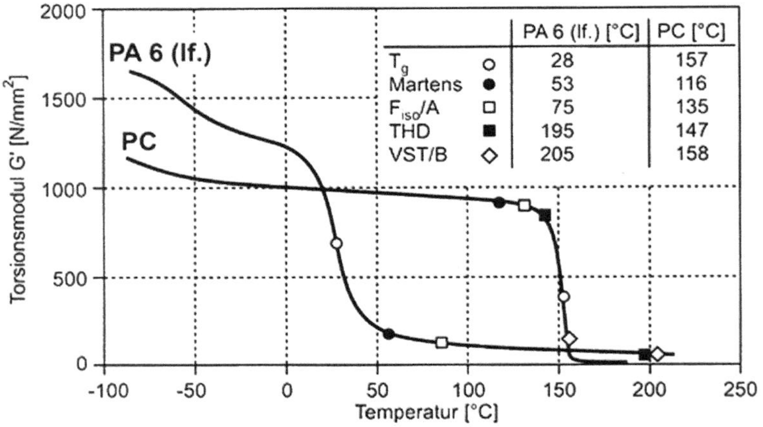

Bild 2.14 Torsionsmodul *G'* über der Temperatur und Formbeständigkeit in der Wärme

T_g *Glasübergangstemperatur, definiert als halbe Höhe zwischen den Schnittpunkten der Tangenten ober- und unterhalb des Erweichungsbereichs mit der Tangente an den Steilabfall, s. a. Bild 2.11*

Martens DIN 53462: *Temperatur, bei der sich unter 4-Punkt-Biegebeanspruchung (σ_b = 5 N/mm²) ein Belastungshebel (240 mm) um 6 mm gesenkt hat*

VST/B *Vicat, Methode B; EN ISO 306/2004: Temperatur, bei der ein runder Eindringkörper (1 mm²) bei senkrechter Belastung (F = 50 N) 1 mm eingedrungen ist.*

Fiso/A *DIN EN ISO 75, Methode A: Temperatur, bei der sich eine Biegeprobe in einem Wärmebad bei mittig aufgebrachter Belastung (σ_b = 1,85 N/mm²) je nach Probendicke um einen bestimmten Betrag durchbiegt.*

THD *Tensile Heat Distortion, ASTM D 648-01: Temperatur, bei der sich eine Probe unter Zugbelastung (σ_2 = 0,345 N/mm²) in einem Wärmebad um 2 % verformt.*

In Bild 2.13 sind der temperaturabhängige Torsionsmodul und die nach drei genormten Methoden zur Bestimmung der Formbeständigkeit in der Wärme ermittelten Werte für PC und luftfeucht konditioniertes PA 6 dargestellt. Es gibt keinen erkennbaren systematischen Zusammenhang zwischen diesen Messgrößen. Für konditioniertes PA liegen die sog. Wärmeformbeständigkeiten zwischen 53 und 205 °C, beim PC zwischen 116 und 158 °C. Dies ist u. a. auch darauf zurückzuführen, dass die Spannungen wie auch die Grenzwerte der Verformung je nach Methode unterschiedlich sind.

Mit zunehmender Belastungshöhe wird der Einfluss der nichtelastischen Anteile größer. Zum einen sinkt das Verhältnis von Spannung zur Dehnung, meistens unter dynamischer, also wechselnder Belastung gemessen, zum anderen verlagert sich der Erweichungsbereich zu tieferen Temperaturen. Die $T_{g2\%}$-Methode nach Bild 2.11 eignet sich als thermische Einsatzgrenze also nur für Produktüberwachung/Eingangskontrolle bei kurzzeitiger statischer Belastung. Wie sehr sich die Glasübergangstemperatur T_g und die thermische Einsatzgrenze $T_{g2\%}$ zu niedrigeren Temperaturen verschieben, zeigt Bild 2.15 für ein amorphes ABS und für ein teilkristallines PBT.

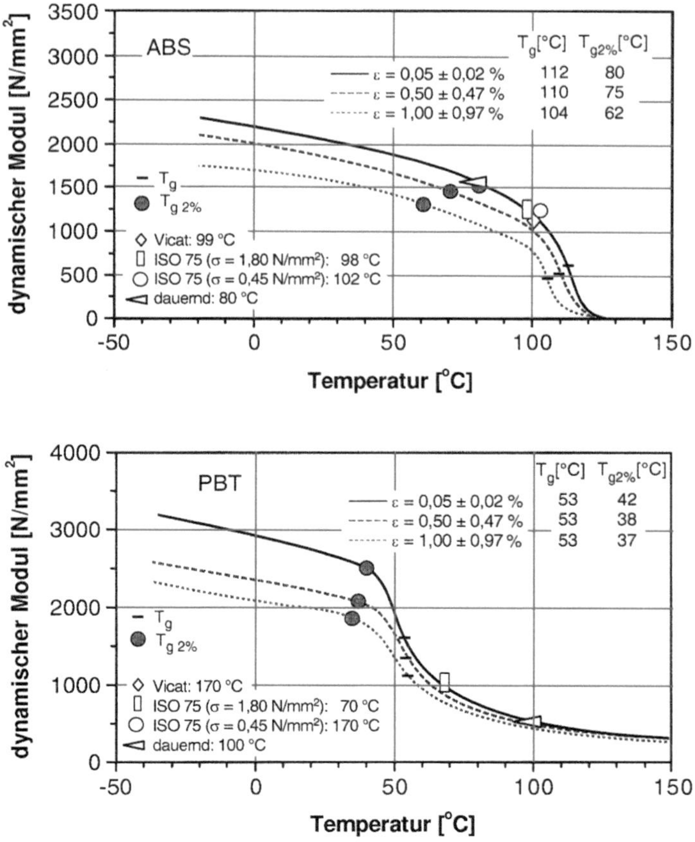

Bild 2.15 Einfluss einer steigenden Zug-Belastung im dehnungsgeregelten DMA-Versuch auf die Glasübergangstemperatur T_g und die thermische Einsatzgrenze $T_{g2\%}$ im Vergleich zu Werten aus den Normprüfungen nach Vicat, DIN EN ISO 75 und einem Wert aufgrund praktischer Erfahrung, vgl. Tabelle 2.4 [Dallner].

ε gibt die jeweils erzwungene Verformung bei der dynamischen Belastung an

$T_{g2\%}$ *siehe* Bild 2.11

oben an einem amorphen ABS (®Terluran 877T)

unten an einem teilkristallinen PBT (®Pocan B1501)

Tabelle 2.3 Empirische Richtwerte für thermische Belastungsgrenzen
kurzzeitig ~ einige Stunden; dauernd ~ mehrere Jahre

Kunststoff	zul. Gebrauchstemperaturen in °C					
	Oberbach		Erhard		Ehrenstein	
	kurzzeitig	dauernd	kurzzeitig	dauernd	kurzzeitig	dauernd
PS	90	80	90	60	90	80
ABS	95	80	95	85	95	85
PC	135	100	135	100	135	100
PMMA	–	–	90	65	90	85
PEI	–	–	–	–	–	170
PE-LD	100	80	100	80	100	80
PE-HD	125	100	110	90	100	90
PA6	150	80 ... 120	180	80	160	100
PA66	170	80 ... 120	200	90	160	100
PA46	–	–	–	–	160	110
POM	140	80 ... 120	150	100	140	80
PBT	–	–	170	120	160	100
PPS	–	–	–	–	300	200

Während beim ABS die empirische thermische Einsatzgrenze für dauernden Einsatz mit den Werten nach der 2 %-Methode noch einigermaßen übereinstimmt, zeigen die Normprüfungen recht hohe Werte an. Beim PBT zeigen die 2 %-Werte dagegen niedrigere Werte (um 40 °C) als in der Praxis üblich (< 100 °C) an. Der praktische Erfahrungswert für dauernde Belastung liegt bei 100 °C. Die nach Norm gemessenen ISO 75-Werte lassen die enorme Abhängigkeit von der Höhe der Belastung erkennen.

Bild 2.16 zeigt die Spannungsabhängigkeit der Formbeständigkeit in der Wärme nach ISO 75. Bei diesen Versuchen wurden neben den vorgeschriebenen Biegespannungen von 0,46 und 1,85 N/mm^2 auch höhere Spannungen angewendet z. B. Verfahren C nach DIN 53461 5 N/mm^2. Man erkennt, dass die ermittelten Formbeständigkeitstemperaturen stark von der Biegespannung abhängen und zwar besonders bei den teilkristallinen Werkstoffen.

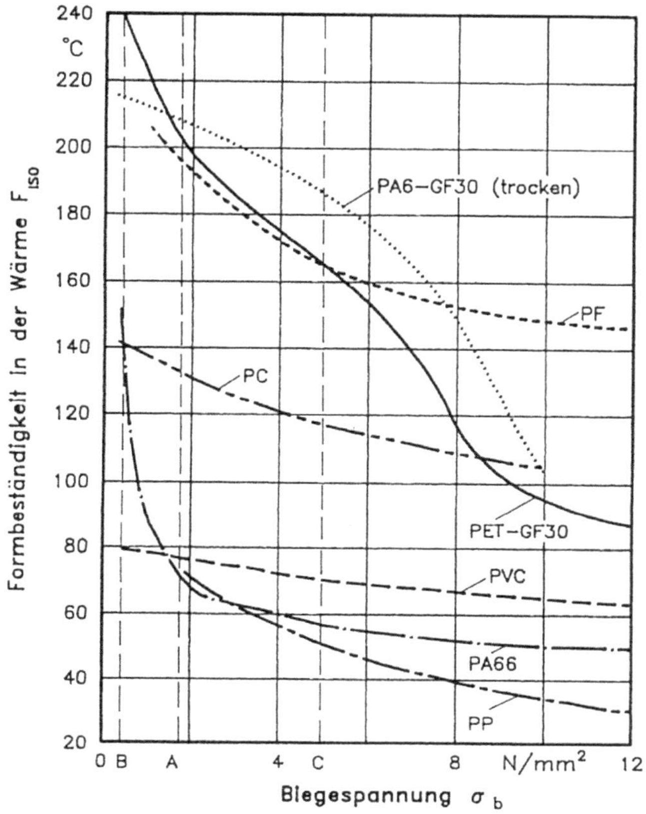

Bild 2.16 Spannungsabhängigkeit der Formbeständigkeit in der Wärme nach ISO 75 bei verschiedenen Kunststoffen [Oberbach]

Diese wenigen Beispiele zeigen, dass die zur Charakterisierung des Temperatur-Steifigkeitsverhaltens von Kunststoffen herangezogenen Methoden alleine nicht in der Lage sind, dem Konstrukteur zuverlässige Unterlagen für seine Konstruktionsrechnung zu liefern. Hierzu sind isotherme Spannungs-Dehnungs-Linien und isochrone Spannungs-Dehnungs-Linien, ermittelt bei verschiedenen Temperaturen, wesentlich besser geeignet. Auch über zulässige Dauergebrauchstemperaturen ohne und mit zulässiger Belastung können diese Wärmeformbeständigkeits-Temperaturen keinen Anhalt liefern. Hierzu sind langzeitige Lagerungsversuche bei verschiedenen Temperaturen und die Ermittlung anwendungsrelevanter Eigenschaftsänderungen z. B. Temperaturzeitgrenzen nach DIN 53 446 erforderlich.

2.3.3 Temperatur-Spannungs-Verhalten

Am Beispiel des teilkristallinen Werkstoffes PBT kann im Gegensatz zum amorphen Werkstoff ABS der Einfluss der Glasübergangstemperatur, die innerhalb üblicher Gebrauchstemperaturen liegt, auf die thermischen Einsatzgrenzen gezeigt werden. Es ist bereits am Verlauf des Parameters k erkennbar, dass im Bereich der Glasübergangstemperatur die Kriechneigung des Werkstoffes deutlich zunimmt, sodass eine thermische Einsatzgrenze bei hohen Spannungen bei deutlich niedrigeren Temperaturen liegen muss. Die Festlegung einer thermischen Einsatzgrenze bei einer definierten Belastungsdauer und -höhe kann auch hier für eine maximale zulässige Gesamtverformung von 2 % erfolgen, Bild 2.17.

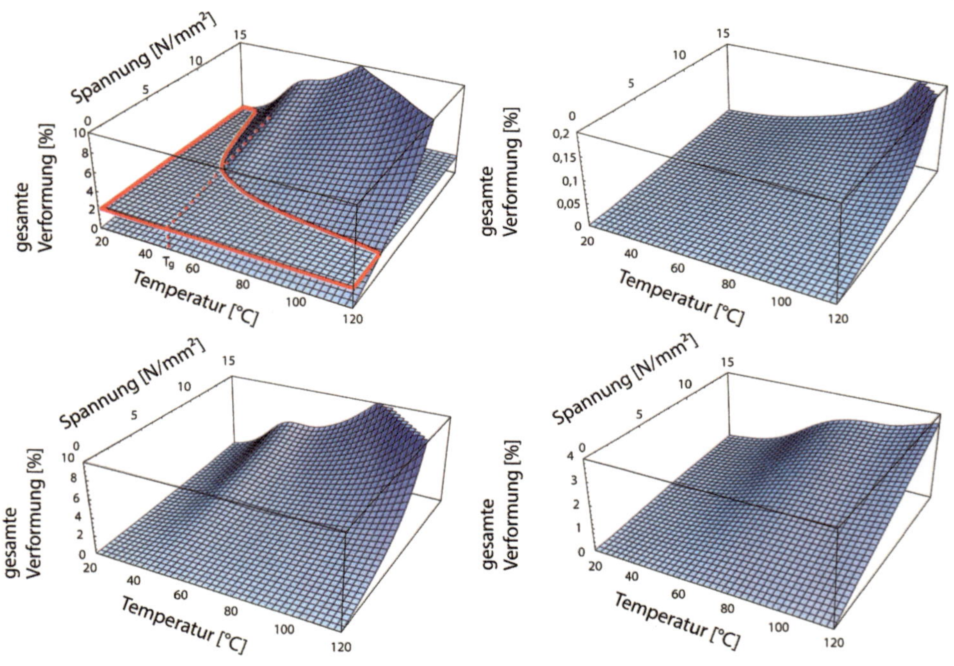

Bild 2.17 Verformung in Abhängigkeit von Spannung und Temperatur 5000 h-Belastungszeit; PBT (Ultradur B4500) [Dallner]
oben links: gesamte Verformung mit 2 %-Grenze
rechts: viskose Verformung
unten links: relaxierende Verformung
rechts: elastische Verformung

Auch hier wird der Einfluss der Glasübergangstemperatur auf die thermischen Einsatzgrenzen sichtbar. Im Bereich der Glasübergangstemperatur zwischen 45 bis 55 °C nimmt die Gesamtverformung stark zu, d. h. dass die zulässigen Spannungen unterhalb der Glasübergangstemperatur deutlich höher liegen können als oberhalb.

Allerdings nimmt auch hier die relaxierende, d.h. zeitlich verzögerte und reversible Verformung einen Großteil der Gesamtverformung ein. Die elastische Verformung verläuft analog zum E-Modul und nimmt ebenfalls am Glasübergang deutlich zu. Die viskose Verformung, d.h. der irreversible Verformungsanteil bzw. die Steigung der Kriechkurve bleibt vom Glasübergang weitgehend unbeeinflusst.

Die vorgestellte Methode zur Beschreibung des langzeitigen Verformungsverhaltens in Abhängigkeit von Spannung und Temperatur bis in den nicht-linear viskoelastischen Bereich in geschlossener Form eignet sich somit, thermische Einsatzgrenzen auf Grundlage einer maximal zulässigen Dehnung zu bestimmen.

2.4 Füll- und Verstärkungsstoffe

Verstärkungs- und Füllstoffe beeinflussen je nach Gehalt, Form und Eigenschaften die Eigenschaften von Kunststoffen und der daraus gefertigten Bauteile bei der Verarbeitung und im Gebrauch. Es ist zu unterscheiden zwischen Verstärkungsstoffen/-fasern, Füllstoffen und Additiven.

Unter **Verstärkungsstoffen**/-fasern (engl.: reinforcement) versteht man in Kunststoffen eingesetzte anorganische oder organische Zusatzstoffe, die die Kunststoffmatrix verstärken. Unter Verstärkung ist die Verbesserung mechanischer und physikalischer Eigenschaften, wie Steifigkeit, Festigkeit und reduziertes Kriechen zu verstehen.

Verstärkungsstoffe werden gezielt zur Verbesserung dieser Werkstoffeigenschaften eingesetzt. Bei der Komplexität besonders bei mehrachsiger Beanspruchung können sog. Verstärkungsstoffe/-fasern auch zu einer Verringerung der mechanischen Eigenschaften führen. Eine Verstärkung in einer Richtung kann zu einer Verschwächung in anderer Richtung führen.

Die Beurteilung der Wirkung von Verstärkungsstoffen/-fasern bedarf immer mehrachsiger Betrachtungen.

Füllstoffe (filler) sind unlösliche anorganische oder organische, synthetische oder natürliche Zusatzstoffe in unterschiedlichen Formen von globularer bis flächiger oder nadel- oder faserförmiger Form, die in unterschiedlichen Gehalten zum Grundmaterial (der Matrix) zugegeben und die mechanischen, physikalischen oder Verarbeitungs-Eigenschaften von Materialien stark ändern, und gleichzeitig den Anteil der typischerweise teureren Matrix im fertigen Produkt deutlich verringern. Von spezieller Bedeutung sind die Haftung und u.U. die Störspannungen durch spezielle Formen.

Interessant ist die sehr viel geringere Temperaturleitfähigkeit von Kunststoffen verglichen mit Metallen. Die Temperaturleitfähigkeit a ergibt sich aus der Wärmeleitfähigkeit λ dividiert durch die spezifische Wärmekapazität c_p und die Dichte ρ. Bei Werten für die Dichte von ρ = 0,95 g/cm³ für PE und 7,5 g/cm³ für Eisen und die spezifische Wärmekapazität von 2,3 J/g · °K für PE und 0,5 J/g · °K für Eisen ergeben sich bei Wärmeleitfähigkeit von 0,42 W/m · °K für PE und 81 W/m · °K für die Temperaturleitfähigkeit von PE von $0{,}16 \cdot 10^{-6}$ m²/s gegenüber Stahl von $21{,}6 \cdot 10^{-6}$ m²/s, also 135-mal so schnell, bei Kupfer ist es ca. 730-mal so schnell. Das bedeutet, dass die Wärme in Kunststoffen besonders bei der Verarbeitung nur sehr langsam ausgetragen wird, was aber funktionale Füllstoffe erheblich steigern können. Hinzu kommt die geringere Wärmekapazität, also des Wärmeinhaltes der Kunststoffschmelze. Bereits ein geringfügig höherer Austrag durch die höhere Wärmeleitfähigkeit der gefüllten Kunststoffe an einer bestimmten Wärmemenge führt zu einer stärkeren Temperaturverringerung und damit verändertem Erstarrungsverhalten der Schmelze.

Funktionale Füllstoffe zur Erhöhung der Temperatur- und Wärmeleitfähigkeit sind nicht immer niedrigpreisig: Bornitrid (BN) mit einer Wärmeleitfähigkeit λ von ca. 100 W/m · °K kostet ca. 100 Euro pro 1 kg, Aluminiumoxid mit λ = 10 bis 30 W/m · °K ca. 3,50 Euro; Kupfer mit λ = 380 W/m · °K je nach aktuellen Materialkosten ca. 15 Euro; Titanoxid (TiO) mit λ = ca. 10 W/m · °K ca. 3,50 Euro, Siliziumdioxid (SiO_2) mit λ = 1 bis 12 W/m · °K ca. 1,5 = 6,00 Euro; Siliziumkarbid mit λ = ca. 80 W/m · °K ca. 20 Euro und Aluminiumnitrid (AlN) mit λ = 200 W/m · °K ca. 20 Euro. Dazu kommen der Aufwand für die Einarbeitung und der höhere Verschleiß von Werkzeug und Maschine bei der Fertigung. Dass sich für so funktional gefüllte Thermoplaste wegen der höheren Temperaturleitfähigkeit ein anderes thermisches Management im System Kunststoffschmelze und Werkzeug ergibt, erklärt sich von selbst und ist gerade z. B. bei der Simulation von Verarbeitungsprozessen zu beachten.

Die systematisch durchgeführten Werkstoffmodifikationen zeigen, dass der mineralische Füllstoff die Schwachstelle des Werkstoffs darstellt und zu der niedrigen Schädigungsgrenze führt. Spannungskonzentrationen am Scheitel der Füllstoffpartikel sowie Dehnungsüberhöhungen im Harz zwischen benachbarten Füllstoffpartikeln führen bereits bei geringer Zugbeanspruchung zur Vielfachrissbildung aufgrund eines Grenzflächenversagens zwischen Harz und Füllstoffpartikeln. Neben dem absoluten Füllstoffgehalt haben die Korngrößenverteilkurve sowie die damit zusammenhängende spezifische Oberfläche und Packungsdichte der Füllstoffpartikel einen wichtigen Einfluss auf die Lage der Schädigungsgrenze (Altstädt).

Additive, auch Hilfsstoffe oder Zusatzstoffe genannt, sind im Gegensatz dazu in der Regel in der Matrix gelöst und haben Gehalte von weniger als einigen Prozent. Mit ihnen sollen bestimmte Eigenschaften erreicht oder verbessert werden.

Additive werden eingesetzt, um einen positiven Effekt auf Herstellung, Lagerung, Verarbeitung oder Produkteigenschaften während und nach der Gebrauchsphase zu erreichen. Im Gegensatz zu Füllstoffen sind Additive im Material sehr fein verteilt (häufig gelöst) und tragen fast immer nur zu wenigen Prozent zum Gesamtvolumen bei.

Bei der Beurteilung einer Wirkung von Verstärkungsmitteln und Füllstoffen ist die Art der Belastung besonders zu berücksichtigen, wobei die gebräuchliche eindimensionale Kennwertermittlung mit extra angefertigten Prüfkörper häufig wenig mit den Eigenschaften und Kennwerten der realen Bauteilen zu tun hat.

Eine Reihe von Füllstoffen sind hier vorgestellt von F. Ranft und M. Heinle:

Bild 2.18 Expandierter Naturgraphit groß

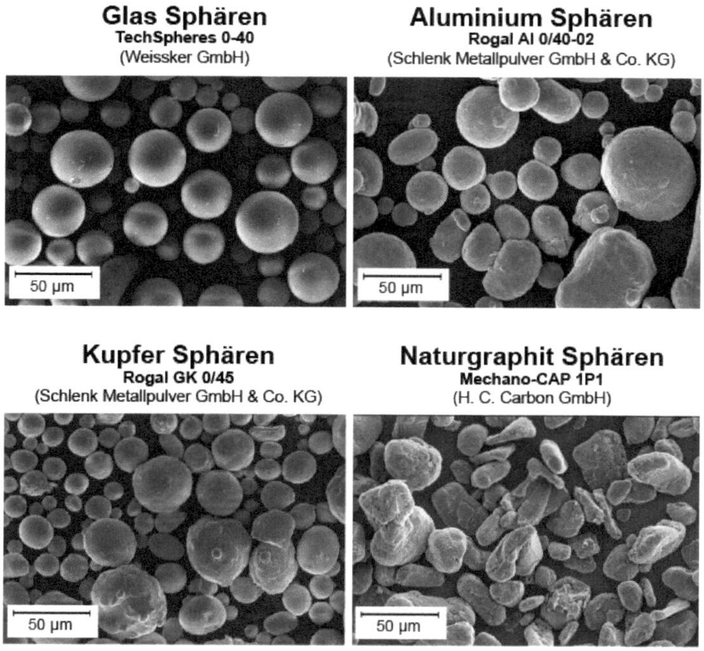

Bild 2.19 Füllstoffkugeln groß

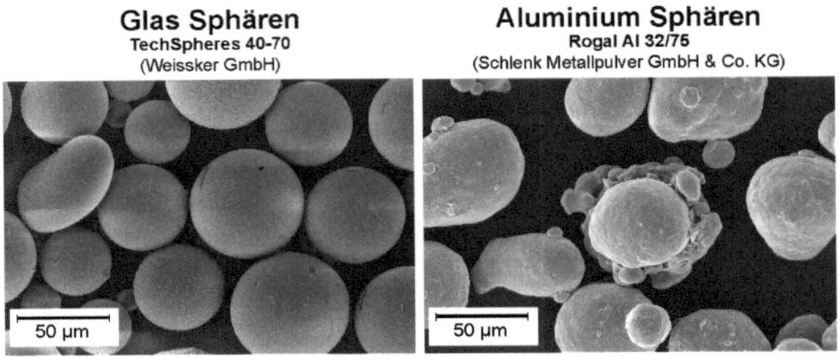

Bild 2.20 Füllstoffkugeln klein

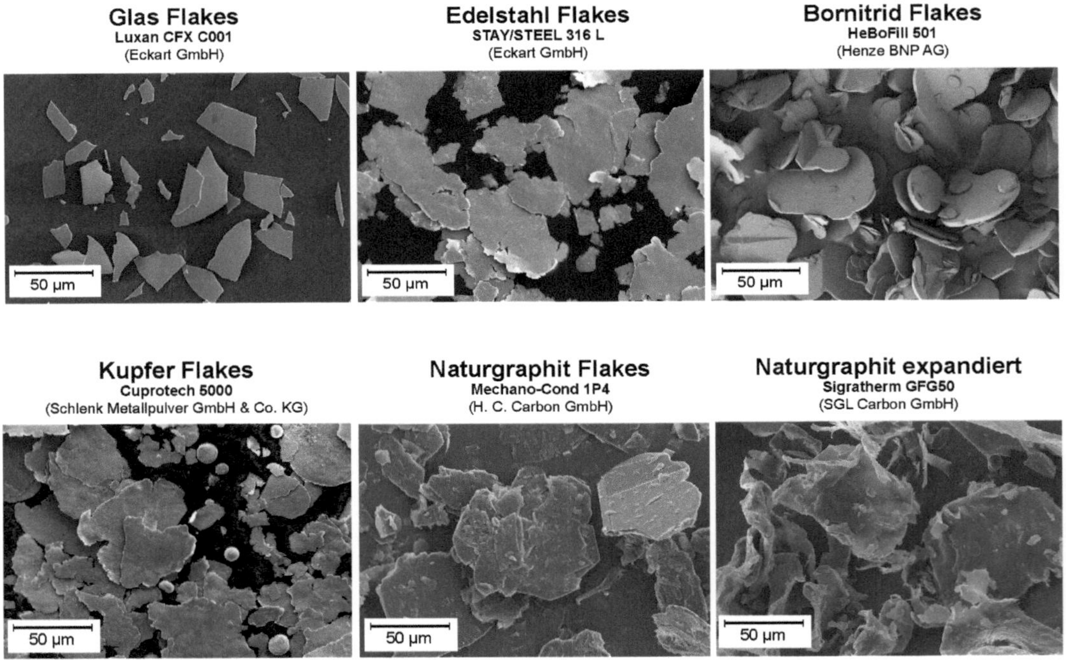

Bild 2.21 Füllstoffplättchen groß

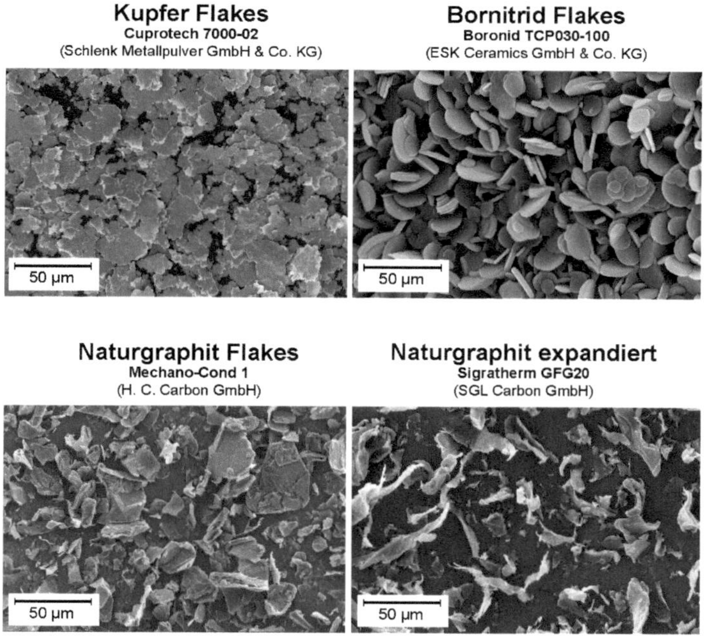

Bild 2.22 Füllstoffplättchen klein

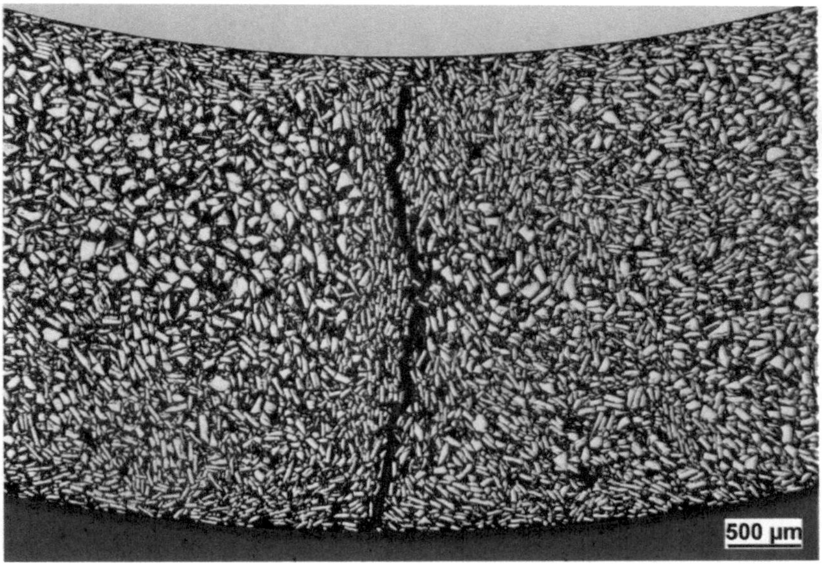

Bild 2.23 Riss aufgrund einer Füllstofforientierung senkrecht zur Zugbeanspruchung in einem Bauteil aus mit NdFeB gefüllten PA66 [H. Kurth]

Eine Füllstofforientierung von NdFeB in PA 66 senkrecht zur Zugbeanspruchung in einem rotierenden Bauteil schwächt den Verbund erheblich und führt zu einer Rissbildung. Selbst eine kleine obere Randphase von ½ mm mit in Zugrichtung verlaufenden Füllstoffen verstärkt und bleibt beim Bruch zunächst erhalten.

2.5 Konstruktionsgerechte und aussagefähige Kennwerte von Kunststoffen

Das letztliche Ziel aller, die sich mit Kunststoffen beschäftigen, ist der Ausbau bestehender und die Erschließung vorhandener und neuer Einsatzgebiete mit speziellen und neuen Funktionen. Wobei die Kunststoffe verglichen mit anderen Werkstoffen ganz spezifische Eigenschaften in der Anwendung, der Formgebung und Variation haben, die durch die vielen Modifikationsmöglichkeiten ein sehr viel größeres Spektrum erfassen, das wenig pauschalisiert werden kann.

Oberbach weist auf die Probleme hin:

Es gibt kaum eine Verwendung von Werkstoffen, bei der vom Werkstoff lediglich seine Eigenschaft der Raumausfüllung verlangt wird. Meist muss er Anforderungen mechanischer, physikalischer, elektrischer oder chemischer Art genügen. Dies bedeutet, dass man bei der Konzeption eines Teiles eine Werkstoffauswahl treffen muss, die sich nicht nur nach rein wirtschaftlichen Gesichtspunkten richten kann, sondern auch die Kenntnis vom Eigenschaftsbild des Werkstoffs erfordert. Die Eigenschaftswerte der Kunststoffe werden zum größten Teil durch die Rohstoff-Lieferanten ermittelt und weitergegeben. Obwohl auf diesem Gebiet viel geleistet wurde und ein großes Wissen vorliegt, ist es für den Anwender der Kunststoffe oft schwierig, die für ihn wichtigen Daten zu erhalten. Diese sind in Firmenschriften und Fachveröffentlichungen meist nicht nach einheitlichen Gesichtspunkten niedergelegt und deswegen schwer zugänglich.

Bei Kunststoffen gibt es nur wenige Einsatzfälle, bei denen eine reiner Betrachtung der Eigenschaften für eine qualifizierte Anwendung ausreichen. Bei Kunststoffen spielt die Gestaltungsvariation, eine Material-Modifikation und der Formgebungsprozess eine weitaus größere Rolle als bei klassischen Werkstoffen. Eine moderne Kunststofftechnik in der Forschung muss daher werkstoffkundliche Probleme, gestalterisch konstruktive Momente und die Verarbeitungstechnik zusammenfassen. Diese ist bei Metallen z. B. keineswegs der Fall, wie sich auch in den Forschungsgremien, besonders an den Universitäten zeigt, wo die Metalle getrennte wissenschaftlich Institutionen für Materialkunde, Verarbeitungstechnik und konstruktive Gestaltung aufweisen, in der Kunststofftechnik die einzelnen Felder aber unbedingt zusammenwirken müssen.

Wenn man sich nach Oberbach mit den Kennwerten bei Kunststoffen und ihrer Aussagefähigkeit beschäftigt, stellt man schnell fest, dass auf diesem Gebiet größte Lücken und Unsicherheiten bestehen. Es sollte hinreichend bekannt sein, dass an Kunststoffen ermittelte Kennwerte, vor allem die mechanischen, keine Werkstoffkennwerte, sondern bereits Formteilkennwerte sind, bei denen die Prozessparameter bei der Herstellung und die Geometrie des Probekörpers entscheidend auf die ermittelten Kennwerte einwirken.

Das viskoelastische zeitabhängige Verformungsverhalten hat auf die Eigenschaften der Kunststoffe im Vergleich z. B. zu den Metallen einen sehr viel stärkeren Einfluss und wirkt auf die Kennwerte alleine schon bei deren prüftechnischer Ermittlung ein. Hier sei nur an das dynamische Verhalten unter Biegebeanspruchung erinnert: Man nahm an, dass Kunststoffe bei dynamischer Biegebeanspruchung dauerfest seien, was sich dadurch ergab, dass die nichtelastischen Verformungen in den Randzonen bei Biegebeanspruchung mit den höchsten Spannungen (besonders im äußeren Zugbereich) zu einer zunehmenden Verformung und somit zu einem Belastungsabfall führten. Kunststoffe wurden schon als dauerfest bezeichnet, obwohl nur eine Belastungsreduktion durch Kriechen eingetreten war.

Damit ergibt sich für den Kunststoffprüfer eine weitaus komplexere Situation. Prüfergebnisse müssen daher vielfältigere Einflussmöglichkeiten als Metalle berücksichtigen.

Werden die Prüfkörper, wie heute bei Thermoplasten meist üblich, im Spritzgießverfahren hergestellt, so werden unterschiedliche Eigenschaften der so hergestellten Probekörper durch verschiedene Verfahrensparameter beeinflusst: die Masse- und Werkzeugtemperatur, die Verweilzeiten der Masse (und deren mögliche Beeinflussung), das temperatur- und druckabhängige Fließverhalten, Druck und Geschwindigkeit der Masse (wobei beide zudem noch variabel sein können).

Die Interpretation der jeweiligen Messergebnisse ist eine weitere wichtige Aufgabe des Kunststoffprüfers. Hier ist nach Oberbach eine enge Kooperation mit den für die Entwicklung von Formteilen aus Kunststoffen verantwortlichen Konstrukteuren erforderlich. Er hat dem Konstrukteur quantitative, zumindest aber qualitative Angaben darüber zur Verfügung zu stellen, wie die Kunststoffeigenschaften durch anwendungsrelevante Einflussparameter, sei es bei der Herstellung der Formteile, sei es bei der praktischen Anwendung im Gebrauch, beeinflusst werden. Nur wenn hier vollständige Informationen vorliegen, werden aus Prüfwerten Bemessungskennwerte. Diese Aufgabe wird erleichtert, wenn man sich auf wenige aussagekräftige Prüfmethoden beschränkt.

Trotz Einhaltung aller existierenden Vorschriften und Richtlinien ist nicht gewährleistet, dass die Ermittlung von Eigenschaftskennwerte korrekt erfolgt und eine Vergleichbarkeit von in verschiedenen Laboratorien ermittelten Werten vorliegt, betont Oberbach. Dies wird in verschiedenen Unterkapiteln zur Messunsicherheit dargestellt. *(Wampfler u. a. Messunsicherheit in der Kunststoffanalytik, Ermittlung mit Ringversuchen, Carl Hanser Verlag, München, 2017)*

Hierbei sollten nur solche Prüfverfahren angewandt werden, die direkt oder indirekt Aussagen zur Formteilentwicklung ermöglichen.

2.5.1 Kennwerte nach Norm – Eigenschaften von Formteilen

Von naturwissenschaftlicher Seite wird versucht, dem zuständigen Ingenieur für die Entwicklung seiner Bauteile eine Fülle von Kennwerten (bis zu 250 verschiedene) zur Verfügung zu stellen, die unter definierten Bedingungen und durchaus nach Norm ermittelt wurden. Trotzdem ist der für die Konstruktion zuständige Ingenieur selten in der Lage, hieraus die für seine Aufgabe und sein Arbeitsgebiet notwendigen Informationen abzuleiten, z. B. über die Einflüsse, die sich aus der Probekörpergestalt bzw. Bauteilherstellung, deren Geometrie, möglichweise ungleichmäßiger Struktur, durch lokale Umwelteinflüsse durch Chemikalien, aber besonders auch durch Temperatur, Witterung und Strahlungseinflüsse unterschiedlichster Art ergeben.

Inwieweit aus der Sicht der Formteilentwicklung die Zusammenhänge zwischen Spannungen, Dehnungen, Zeit und Temperatur und auch anderen Eigenschaften, wie optisches, elektrisches und anderes physikalisches Verhalten orts- und zeitabhängig beeinflusst werden, ist häufig kaum abzuschätzen. Um diesen Bedürfnissen zu genügen, reicht die unendliche Fülle von häufig nach Norm bestimmten Kennwerten nicht aus bzw. sie überdeckt die eigentlichen Bedürfnisse.

Es bestehen also Probleme, die an speziell gefertigten Probekörper ermittelten Werkstoffeigenschaften auf die realen Eigenschaften eines Kunststoffbauteils zu übertragen. Die Bewertung der tatsächlichen Eigenschaften des fertigen Kunststoffformteils ist nur möglich, wenn die Werkstoffeigenschaften direkt am Bauteil ermittelt wurden. Oberbach zitiert als Beispiel die Fertigung eines Ölfilters, den ein erfahrener Konstrukteur, dem alle für den eingesetzten Kunststoff PA-GF vorhandenen Daten zur Verfügung standen, entwickelt hatte.

Der Berstversuch an dem in einem versierten Spritzgießbetrieb hergestellten Prototyp erbringt nur ca. 50 % der erwarteten Festigkeit. Ein versierter Spezialist in der Verarbeitungstechnik optimiert dann den eigentlichen Spritzgießprozess so, dass die Berstfestigkeit nahezu verdoppelt wurde.

Während der Werkstoffwissenschaftler die Materialeigenschaften differenziert ermitteln kann, kann er meistens die Einflüsse durch die Gegebenheiten des Fertigungsprozesses und die Materialbeanspruchungen der meist komplexen formtechnischen Gegebenheiten der Bauteile nicht bewerten.

Dem Entwicklungsingenieur ergeben sich zudem zwei Probleme:

- erstens ist es schwierig, in einem Formteil z. B. die für die Festigkeit in Beanspruchungsrichtung maßgebenden Strukturparameter abzuschätzen (analytischer Aufwand, variierende Strukturen) und
- zweitens sind meistens keine entsprechenden Werkstoffkennwerte verfügbar, die den Einfluss der Strukturparameter zusätzlich bei der Art der auftretenden Beanspruchung hinreichend aufzeigen.

2.5.2 Zug

2.5.2.1 Prüfungen

In festgelegten Normprüfverfahren eindeutig ermittelte Eigenschaftskennwerte erfassen die Realität der entsprechenden Beanspruchung im Bauteil kaum realitätsnah. Das hat dazu geführt, dass von Seiten der Normung die Problematik der Kennwertermittlung analysiert und diskutiert wird. Hinweise darauf findet man in den Nachschlagewerken zu den Normen.

Dort heißt es z. B. zum Zugversuch:

Der Probekörper wird nach DIN EN ISO 527-1 entlang seiner größten Hauptachse bei konstanter Geschwindigkeit gedehnt, bis er bricht oder bis die Spannung (Kraft) oder Dehnung (Längenänderung) einen vorgegebenen Wert erreicht. Während dieses Vorgangs werden die vom Probekörper ertragene Belastung und die Längenänderung gemessen.

Eine Vorliebe für den Zugversuch zur Ermittlung von Kennwerten, führt zu u. U. irreführenden Ergebnissen, da bereits während der Herstellung der Zugprüfkörper eine spezifische Orientierung der Strukturen erfolgt.

Die Prüfungen werden an Probekörpern angewendet, die entweder in den ausgewählten Maßen geformt oder aus Fertigteilen und Halbzeugen, wie Formteilen, Schichtpressstoffen, Folien und extrudierten oder spritzgegossenen Platten ausgearbeitet, geschnitten oder gestanzt werden können. Die Typen der Probekörper und die Herstellung der Probekörper werden in dem für das jeweilige Material zutreffenden Teil von ISO 527 beschrieben. In einigen Fällen darf ein Vielzweckprobekörper verwendet werden. Vielzweckprobekörper und kleine Probekörper werden in ISO 20753 beschrieben.

Die Verfahren legen bevorzugte Maße für die Probekörper fest. Prüfungen, die an Probekörpern anderer Maße oder an unter abweichenden Bedingungen hergestellten Probekörpern durchgeführt werden, können Ergebnisse liefern, die nicht vergleichbar sind. Andere Einflüsse, wie die Prüfgeschwindigkeit und die Vorbehandlung der Probekörper, können ebenfalls die Ergebnisse beeinflussen. Folglich müssen diese Einflüsse sorgfältig kontrolliert und aufgezeichnet werden, wenn vergleichbare Daten verlangt werden.

2.5.2.2 Prüfkörper

Die Probekörper sind nach der entsprechenden Materialspezifikation herzustellen. Wenn keine existiert, sind die Probekörper entweder nach ISO 293, ISO 294-1, ISO 294-2, ISO 294-3, ISO 294-5, ISO 295 oder ISO 10724-1 direkt aus dem Material durch Formpressen oder Spritzgießen herzustellen oder sie sind nach ISO 2818 aus Platten herauszuarbeiten, die durch Formpressen oder Spritzgießen oder Extrudieren aus der Formmasse hergestellt oder polymerisiert und gegossen wurden.

> Die Vielfalt der Herstellnormen kennzeichnet das Problem der Vergleichbarkeit der Ergebnisse.

Eine strenge Kontrolle sämtlicher Bedingungen der Probekörperherstellung ist unerlässlich, um sicherzustellen, dass sich tatsächlich alle Probekörper eines Satzes im gleichen Zustand befinden.

Alle Oberflächen der Probekörper müssen frei von sichtbaren Fehlstellen, Kratzern oder sonstigen Unregelmäßigkeiten sein. Falls vorhanden, sind alle Grate von geformten Probekörpern vollständig zu entfernen, wobei darauf zu achten ist, die geformte Oberfläche nicht zu beschädigen.

Eine Ermittlung des Einflusses der variierenden Strukturparameter auf die mechanischen Kennwerten für alle Kunststofftypen scheidet wegen des Aufwandes, aber auch der häufig gezielt beeinflussten und daher unbekannten inhärenten Material-Eigenschaften aus. Es müssen deshalb zum direkten Produktvergleich wenige vergleichbare Kennwerte genügen, die allerdings die spezifischen Einflüsse in Richtung Struktur, Orientierung und Inhomogenitäten die Besonderheiten des gefertigten Bauteils berücksichtigen. Wichtig wären Bruchbilder von zufälligen oder gezielt ermittelten Versagensvorgängen mit möglichst enger Beziehung zur praktischen Anwendung. Diese stellen zumindest eine Grundlage für die Auswahl der Prüfmethoden dar.

Beim Zugversuch sind unterschiedliche Bruchformen zu unterscheiden. Es ergeben sich scharfkantige Bruchflächen, oft auch Splitterbrüche. Dann aber treten auch Brüche mit bleibenden makroskopischen Verformungen (z. B. Einschnürungen) auf, andererseits gummielastische Verformungen von mehreren 100 %, die beim Bruch aber im Wesentlichen wieder elastisch zurückgehen. Die Kurvenform wird beeinflusst durch Temperatur, Belastungsgeschwindigkeit, äußere Kerben, Fehlstellen, Inhomogenitäten, Orientierungen, Alterung, Spannungsrisse, Ermüdung, Verarbeitungsfehler usw.

Eines der Hauptprobleme bei der Beurteilung von Kunststoffen sind die nichtelastischen Verformungsanteile, die temperatur-, last-, struktur- und spannungsartabhängig sind und bei der Beurteilung von Versuchsergebnissen deutlich variieren können.

2.5.2.3 Festigkeit – Steifigkeit

Die Hauptkennwerte bei der Beurteilung von Festigkeit und Steifigkeit sind die Spannung und der E-Modul. Natürlich ist der Spannungsbegriff eine Definition (einfach ausgedrückt: Kraft bezogen auf eine Fläche, genauer gesagt ist es ein Differentialquotient), eingeführt von einem Ingenieur (Cauchy) zur Lösung von Problemen in der Kontinuumsmechanik, etwa zur Berechnung der Beanspruchung in einem Balken, einer Platte etc. Auch wir Ingenieure wissen, dass bei den betrachteten realen

Materialien die Körper nicht „gleichmäßig“ mit Materie gefüllt sind und dass die realen Flächen nicht eben und glatt sind, Bild 2.24. Wir kennen heute verschiedene Ebenen der Betrachtungsweise. Auf der Makroebene werden alle Eigenschaften „verschmiert“ betrachtet (das ist die klassische Denkweise nach Cauchy) und auf verschiedenen Meso- bzw. Mikroebenen wird schrittweise den realen Gegebenheiten Rechnung getragen. Bis hin zu atomaren Betrachtungsweisen. In letzterer existiert natürlich keine Spannung mehr, nur noch Kräfte und Bewegungen.

Auch die Steifigkeit ist eine Kenngröße, die ausgehend von der Elastizitätstheorie (der Kontinuumsmechanik) eingeführt wurde. Sie wird festgelegt als Verhältnis von Spannung zu Dehnung und ist – wenn man so will – wie die Spannung fiktiv. In der Mechanik der letzten Jahre wurde dieses Problem genauer untersucht: Welchen Einfluss haben die realen strukturellen Eigenschaften auf diese makroskopischen Kenngrößen? Dabei werden dann Untersuchungen auf den jeweiligen Meso- bzw. Mikroebenen durchgeführt und (in Umkehrung des oben angesprochenen Differentialquotienten) auf die Makroebene hoch integriert.

Zweifellos eine idealistische Vereinfachung ist der jeweilige Bezug auf die Querschnittsfläche beim Zugversuch und der E-Modul-Messung. Aufgrund der äußeren Abmessungen werden idealistische Querschnittsflächen bestimmt. Sieht man sich unterschiedliche reale Bruchflächen an, ergibt sich das Erscheinungsbild einer idealen Querschnittsfläche nicht unbedingt wieder. Bei einem duktilem LDPE und dem spröden PA keineswegs eine geometrisch reale Querschnittsfläche, Bild 2.24.

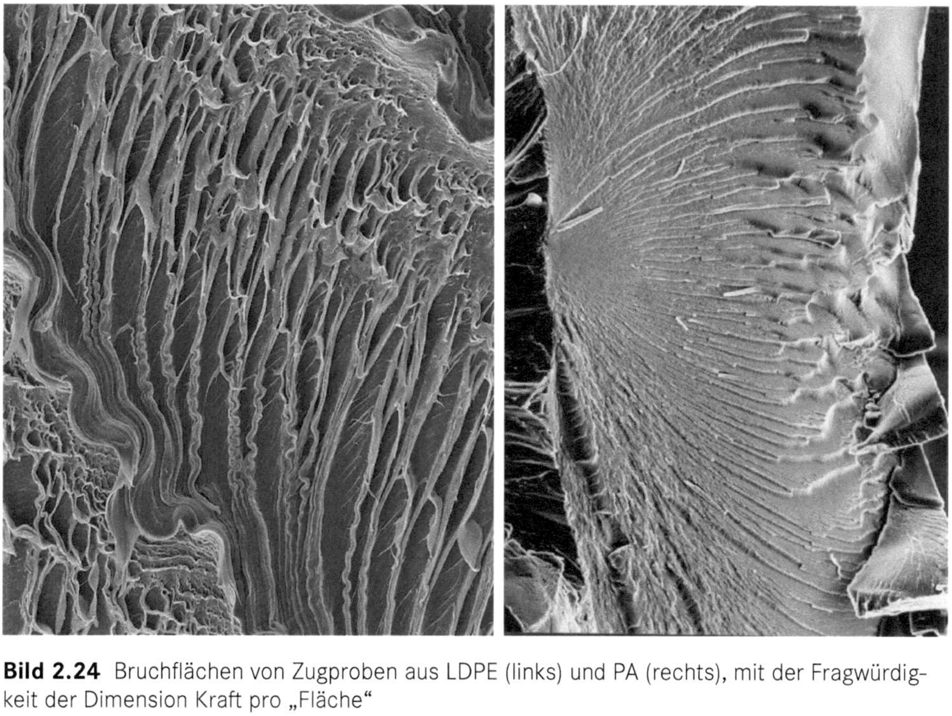

Bild 2.24 Bruchflächen von Zugproben aus LDPE (links) und PA (rechts), mit der Fragwürdigkeit der Dimension Kraft pro „Fläche“

Die Querschnitts-Strukturen von Zugstäben sind selten gleichmäßig. Je nach Kristallisationsgrad sind Bereiche steifer oder weniger steif, sodass ungleiche Rissstrukturen zu erwarten sind. Die Steifigkeitsunterschiede führen zu unterschiedlichen Verformungen und keineswegs gleichmäßigen Brüchen, wie sich das in den ermittelten Kennwerten ausdrückt. Also weder die Bruchfläche noch die Kraftwirkung entsprechen den Kennwerten, Bild 2.25.

Anwender von Kunststoffen stellen immer wieder fest, dass verfügbare Kennwerte zum Vergleich der Eigenschaften gleichartiger Materialien nicht unbesehen herangezogen werden können, selbst wenn die gleichen genormten Prüfungen angewandt wurden.

Innerhalb der großen Vielzahl der Anwendungsmöglichkeiten von Kunststoff sind Kennwerte für einen weiten Bereich von Eigenschaften bei der Auswahl des geeigneten Kunststoffs erforderlich. Je nach Gebrauch können die Belastungen des Bauteiles sehr variabel und meistens mehrachsig sein. Kennwerte können trotzdem nur als Richt- oder Orientierungswerte verstanden werden, da Probleme hinsichtlich der Übertragbarkeit von an Prüfkörpern ermittelten Kennwerten auf die tatsächlichen Eigenschaften eines Kunststoffbauteils bestehen. Bei technisch höherwertigen Kunststoffbauteilen ist eine Überprüfung der Werkstoffeigenschaften direkt am Bauteil sinnvoll.

Ein weiteres Problem ist die werkstoffmechanische Interpretation der Prüfkörper-Messergebnisse anhand genormter Kennwerte, da diese auf ganz bestimmten Voraussetzungen beruhen, die zwischen dem Bauteil und seiner realen Beanspruchung deutlich abweichen können bzw. nicht gegeben sind.

2.5.3 Prüfkörperstruktur

Die rein physikalisch basierte Ermittlung von Kennwerten reicht nicht aus, um die Komplexität eines irgendwie hergestellten und belasteten Bauteils zu erfassen. Schon alleine, dass Probekörper verwendet werden, die entweder in den ausgewählten Maßen geformt oder aus Fertigteilen und Halbzeugen, wie Formteilen, Schichtpressstoffen, Folien und extrudierten oder gegossenen Platten ausgearbeitet, geschnitten oder gestanzt werden, macht die Kennwerte bedingt übertragbar und damit aussagefähig.

Bei teilkristallinen Kunststoffen, insbesondere Polyamiden wie im linken Bild, hat die Wahl der Verarbeitungsparameter großen Einfluss auf die sich ausbildenden morphologischen Strukturen und infolgedessen bestimmen diese Verarbeitungsparameter unmittelbar auch die mechanischen und tribologischen Eigenschaften der entstehenden Prüfkörper.

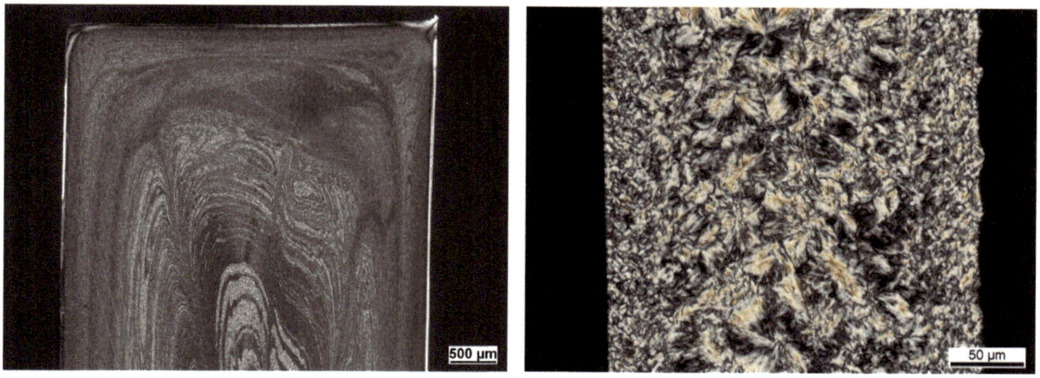

Bild 2.25 Querschnitt-Strukturen von teilkristallinen Zugproben [Leisen, Gierl]
links: PA66, T_{WZ} = 40 °C
rechts: POM, T_{WZ} = 165 - 100 °C

Im Bild 2.25 links zeigen sich deutlich Scherungseffekte mit Scherungen und Fließlinien in der entstehenden Sphärolithstruktur. Die Massetemperatur war 285 °C, Einspritzgeschwindigkeit 40 mm/s, Einspritzdruck 550 bar, Nachdruck 400 bar, Haltezeit 15 s und Kühlzeit 30 s. Bei dieser Probe wurde eine klassische Werkzeugtemperierung (wassergekühltes Werkzeug) verwendet. Während des Herstellungsprozesses wurde eine konstante Werkzeugtemperatur von 40 °C gewählt.

Die mittels DSC bestimmte Kristallisationspeaktemperatur beträgt T_{pc} = 229 °C, der Schmelztemperaturpeak T_{pm} liegt bei 259 °C, der Kristallisationsgrad wurde in der Randschicht (0 bis 50 µm) ermittelt zu 24 % [in Anlehnung an Wunderlich/Krevelen]. Die große Vielfalt von Einflüssen auf die Eigenschaften von Prüfkörpern bei der Herstellung ergibt sich wie folgt und zeigt gleichzeitig, dass Probekörper Bauteile sind, die einer Vielzahl von Varianten unterliegen (Leisen).

Bei der rechten Probe handelt es sich um Mikrozugstäbe aus nukleiertem Polyoxymethylen (POM Hostaform C9021, Fa. Ticona) mit einer Skalierung in Anlehnung an den Campus-Zugstab nach DIN EN ISO 527 Typ 1 a im Maßstab 1:16 (Gesamtlänge 28 mm, Dicke 0,25 mm). Dieser wurde auf einer Arburg-370U 700-30/30-Spritzgießmaschine mit einem Schneckendurchmesser von 15 mm hergestellt. Die Massetemperatur war 230 °C, Einspritzgeschwindigkeit 260 mm/s, Einspritzdruck 1675 bar, Nachdruck 1400 bar, isotherme Haltezeit 3,1 s und Kühlzeit 32,5 s.

Im Vergleich zu regulärer Fertigung nach Datenblatt war der Verschleiß naturgemäß etwas höher angesiedelt, was sich durch die Struktur- und Randschichtausbildung erklären lässt.

Bei dieser Probe wurde eine dynamische Werkzeugtemperierung mittels CO_2 verwendet. Während des Einspritzen und der Nachdruckphase wurde eine Werkzeugtemperatur von 165 °C gewählt. In der Abkühlphase wurde eine Werkzeugtemperatur von 100 °C gewählt.

Der mittels DSC-bestimmte Kristallisationsgrad ist in der Randschicht (0 bis 100 μm) 71 % und im Kernbereich 73,5 %.

Das Elastizitätsmodul bei diesen Bauteilen lag bei ca. 2800 N/mm² und die Streckspannung bei ca. 60 N/mm². Laut Datenblatt liegt das Elastizitätsmodul bei 2850 N/mm² und die Streckspannung bei 64 N/mm².

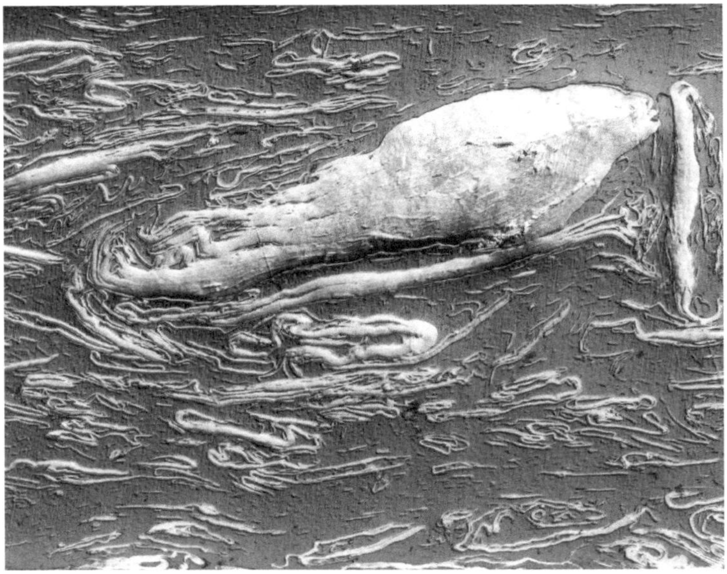

Bild 2.26 In eine leichtfließende Kunststoffmatrix (PP-Copolymer Borealis BG373MO) ist ein expandiertes Naturgraphit der Fa. SGL Carbon eingebettet [Ranft]

Bei Bild 2.26 handelt es sich um den polierten Anschliff eines gespritzten Plättchen 50 · 50 · 2 mm mit mittigem Bildausschnitt senkrecht zur Einspritzrichtung mit 20 % Vol.-Anteil. Zielstellung der Einarbeitung von expandiertem Naturgraphit war in diesem Fall eine signifikante Steigerung der Wärme- bzw. Temperaturleitfähigkeit des Kunststoffbauteils. Während Bild 2.25 noch einigermaßen homogene Strukturen erkennen lässt, ergeben sich hier Füllstoffe in mannigfacher Form und seitlicher Vorzugsrichtung. Es kann also hier nicht von Materialkennwerten gesprochen werden.

Noch problematischer wird die Kennwertermittlung bei einer Faserverstärkung, wenn eine Glasfaserarmierung mittels Thermoplasten im Spritzgussverfahren in eine belastbare Struktur geformt wird, Bild 2.27.

Bild 2.27 Unterschiedliche Faserlage eines glasfaserverstärkten Spritzgussbauteils

2.5.4 Biegung

Eine Biegebelastung, bzw. der Biegeversuch, ist eine der häufigsten und komplexesten Prüfbelastungen, da sie in unterschiedlicher Form Druck-, Zug- und Schubbelastungen in variablen Verhältnissen vereint. Dabei treten elastische, viskoelastische und plastische Verformungsanteile in verschiedener Stärke auf. Es wird zwischen Dreipunkt- und Vierpunktbelastung unterschieden, Bild 2.28.

Die hier dargestellten Betrachtungen gelten nur für homogene, unverstärkte und ungefüllte Kunststoffe. Für füllstoffhaltige und faserverstärkte Kunststoffe sind besonders die mehrachsigen Unterschiede zu berücksichtigen. Unterschiedliche innere verarbeitungsbedingte Strukturen können das mechanische Verhalten ebenso beeinflussen.

Auffallend ist, dass in der Fachliteratur die möglichen Varianten diskutiert werden, es aber so gut wie keine vergleichenden Kennwertedarstellungen gibt. Insofern vermitteln dargestellte Messergebnisse allenfalls Tendenzen.

Beim Dreipunktversuch wird in der Mitte am Punkt maximaler Beanspruchung der Probe der Bruch erwartet, und aufgrund der geometrischen Verhältnisse die Biegefestigkeit bestimmt. Da der Bruch bei vorhandenen Fehlstellen auch abseits der Krafteinwirkung in der Mitte der Probe eintreten kann, ist festgelegt, dass die

Ergebnisse von Brüchen, bei denen die Bruchstelle und die Stelle des maximalen Biegemoments nicht zusammenfallen, in dem mittleren Drittel der Auflagerlänge akzeptiert werden können.

Die Vierpunktprüfung weist ein konstantes Biegemoment über die Messlänge und in diesem Bereich eine Querkraftfreiheit auf. Besonders bei der Dreipunktprüfung kann sich die neutrale Phase in Probenmitte dabei durchaus verschieben, wenn die Verformung und Steifigkeit im Druck- und Zugbereich voneinander abweichen, was besonders bei erhöhten Temperaturen, langzeitig und verstärkt bei viskoelastischem Verhalten der Fall sein kann.

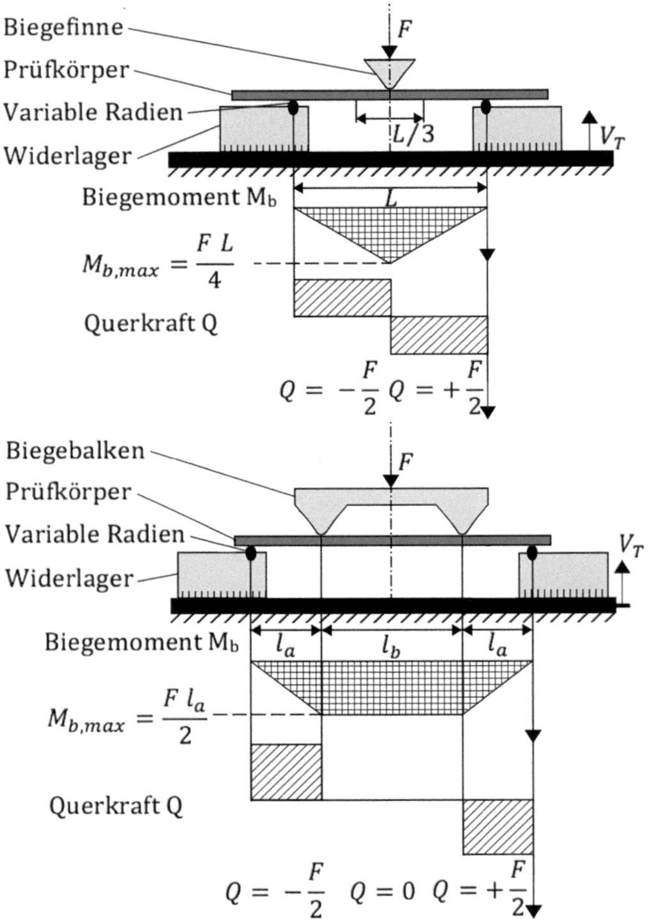

Bild 2.28 Aufbau des Dreipunkt- (oben) und des Vierpunktbiegeversuchs (unten)

Da die Ergebnisse von Biegeversuchen meist höhere Werte ergeben als vergleichbare Zug- und Druckversuche, ist bei der Formteilentwicklung darauf zu achten, ob die Biegekennwerte direkt oder indirekt für die vorgesehen Formteilentwicklung aussagekräftig sind.

Da die Biegung die häufigste Art der Belastung ist, werden neben Kennwerten aus dem Zug- und Druckversuch, seltener Schubkennwerte, auch solche aus dem Biegeversuch gewünscht. Die Komplexität der Prüfergebnisse hat für renommierte Kunststofftechniker zu dem Vorschlag geführt, den Biegeversuch und seine Ergebnisse restriktiv zu behandeln und möglichst zu vermeiden.

Ergebnisse von Scherversuchen, Härtekennwerte und Ergebnisse von Schlag- und Kerbschlagzähigkeitsversuchen sind nach Oberbach keine für den Konstrukteur z. B. für das Versagen bei Stoßbeanspruchung direkt verwertbare Werkstoffkennwerte, zumal es eine Vielzahl von Methoden mit unterschiedlichen Geometrie- und Prüfparametern gibt.

2.5.5 Einfluss Temperatur

Ein wesentlicher Unterschied zwischen Kunststoffen und Metallen ist die große Abhängigkeit der Eigenschaften von der Temperatur bei Kunststoffen, wobei man nicht von einer stetigen Abhängigkeit sprechen kann. Während bei Metallen selbst Dauereinsatztemperaturen von 200 °C und mehr weitgehend unproblematisch sind, müssen bei Kunststoffen Temperatureinflüsse ab 60 °C beachtet werden. Bei ca. 6000 Kunststoffen bei ca. 20 verschiedenen Polymergruppen, die für Leichtbaukonstruktionen zur Verfügung stehen, sind komplette Kunststoff-Datenbanken eine Illusion. Die vorhandenen Datenbanken z. B. von Campus liefern eine erhebliche Anzahl von Kennwerten. Dabei stellt sich die Frage, ob die vorliegenden Materialkennwerte ausreichen, um eine Bauteilsicherheit und Kosteneffizienz sicher zu stellen.

Typische Aspekte die dabei zu berücksichtigen sind:

- ist das Bauteil so bemessen, dass es mit dem vorgesehenen Verfahren hergestellt werden kann. Besonders relevant sind Fragen:
  - der Strukturen an Stellen geringster Wanddicken;
  - Anzahl und Lage der Anschnitte;
  - werden Materialschädigungen bei hohen Schmelzetemperaturen vermieden. Hier hilft die Finite-Element-Technik, den Füllvorgang und die thermische Beanspruchung der Schmelze zu simulieren;
  - ergibt sich im Bauteil eine beanspruchungsgerechte Struktur mit der gewünschten Orientierung der Moleküle, der Verstärkungsfasern und Füllstoffe. Dabei ist zu berücksichtigen, dass Ermittlungen der Festigkeit und Stei-

figkeit an Prüfkörpern eine weitgehend optimale Struktur-Orientierung in den Normprüfkörpern vorfinden, d. h. Maximalwerte ermitteln, während Bauteile besonders in flächigen Bereichen zusätzlich hohe Anisotropien aufweisen können;
  - wo liegt die für einen vorgesehenen Einsatzfall maximale Temperatur? Hierbei ist zwischen der Beständigkeit des Materials, z. B. bei kurzzeitiger Beanspruchung (z. B. beim Einbrennlackieren) weitgehend ohne zusätzliche mechanische Belastung oder Dauereinsatztemperatur unter Last zu unterscheiden.
- Das Versagen eines Kunststoff-Formteils geschieht bei bestimmungsgemäßer Verwendung überwiegend durch Sprödbruch. Dieser kann die Folge sein von wiederholter Beanspruchung, Kerbwirkung, Bindenähte, Kleb- und Schweißverbindungen, Alterung, Spannungsrissbildung, Farbpigmente und modifizierende Zusätze usw., d. h. von komplexen, speziell bei Kunststoffen auftretenden Schadensvorgängen.
- Die üblichen Prüfverfahren zum Verhalten der Werkstoffe unter Wärmeeinwirkung ergeben Kurzzeitkennwerte, die keine zuverlässigen Aussagen über das Langzeitverhalten ermöglichen.

Trotz der vielfältigen Prüfmethoden zur Beurteilung der Formmassen, an denen seit Jahrzehnten zur Verbesserung der Aussagen gearbeitet wird, ändert sich an den limitierten Aussagen dieser Prüfmethoden hinsichtlich der Übertragbarkeit auf irgendwie gestaltete Kunststoffformteile kaum etwas.

Wenig Aussagekraft hat die Angabe verschiedener Festigkeits- und Steifigkeitskennwerte, die im Wesentlichen das Verhalten unter einachsigen Belastungen wiedergeben. Viel wichtiger als nach unterschiedlichen Verfahren, vor allem nach Normen, bestimmte Festigkeitskennwerte sind Messungen längs und quer zur Fließrichtung der Schmelze bei der Werkzeugfüllung, zumal sich dabei viel größere Differenzen ergeben. Mehrachsige und flächige Eigenschaften lassen sich daraus nur schwer ableiten

Thermoplastische Prüfkörper werden meist im Spritzgießverfahren hergestellt. Dabei beeinflussen Verfahrensparameter wie Massetemperatur, Verweilzeit der Masse bei hohen Temperaturen, Werkzeugtemperatur, Einspritzgeschwindigkeit, Füll- und Nachdruck, Angussgeometrie usw. alle Eigenschaften, die an so hergestellten Probekörpern ermittelt werden.

Das wichtigste Kriterium bei Duroplasten ist der Aushärtezustand, der oft nicht beachtet wird, da er rein äußerlich kaum definierbar und damit ermittelbar ist.

Tabelle 2.4 Thermische Eigenschaften von Kunststoffen [Oberbach]

Kunststoff	Spez. Wärmekapazität	Wärmeleitfähigkeit	Längenausdehnungskoeffzient	Richtwerte für Anwendungs-Temperaturbereiche		Formbeständigkeit in der Wärme	
	Cρ [kJ/kg · K]	λ [W/mK]	α [1/K · 10⁵]	Kurzzeit [°C]	Langzeit [°C]	Vicat/B (49 N) [°C]	Fiso/A (1,8 N/mm²) [°C]
HDPE	2,3 … 2,5	0,33 … 0,36	23	110	60 … 75		35
PE	2 … 2,3	0,35 … 0,42	17			< 65	40
LDPE	2 … 2,1	0,38 … 0,57	13	90	70 … 80	60 … 70	50
Ionomer	2,2	0,25	12	120	70 … 90		40
EVA	2,3	0,35	16 … 20	65	55		35
PP	1,7 … 2,0	0,22	15 … 18	140	80 … 100	85 … 100	60 … 70
PB-1	1,8	0,23	12 … 15	130	90 … 100	70 … 90	60
PMP	2,2	0,17	12	180	120	65	
PS	1,17	0,14 … 0,16	6 … 8	60 … 80	50 … 70	80 … 100	70 … 80
SB	1,21	0,16 … 0,17	6 … 10	60 … 80	50 … 70	65 … 95	≈ 80
SAN	1,17	0,15 … 0,20	7 … 8	90 … 95	75 … 85	≈ 100	≈ 80
ABS	1,4	0,16 … 0,17	5 … 10	85 … 105	75 … 95	90 … 110	85 … 100
ASA		0,175	9	85 … 100	≈ 85	≈ 100	82 … 88
PVC hart	0,83 … 0,92	0,14 … 0,17	7 … 8	70 … 90	60 … 70	75	60
PVC weich		0,15	15 … 21	55 … 65	50 … 55	40	
PVC sz.	1,05	0,16	8	≈ 70	≈ 60	75 … 80	
PVCC	0,92	0,14	6	110	90	≈ 110	
PTFE	1,0	0,25	10 … 12	300	250	110	50 … 60
GF_{25}-PTFE		0,29	10	300	250		

Tabelle 2.4 Thermische Eigenschaften von Kunststoffen [Oberbach] *(Fortsetzung)*

Kunststoff	Spez. Wärmekapazität	Wärmeleitfähigkeit	Längenausdehnungskoeffzient	Richtwerte für Anwendungs-Temperaturbereiche		Formbeständigkeit in der Wärme	
	$C\rho$ [kJ/kg · K]	λ [W/mK]	α [1/K · 10^5]	Kurzzeit [°C]	Langzeit [°C]	Vicat/B (49 N) [°C]	Fiso/A (1,8 N/mm²) [°C]
PCTFE	0,9 ... 0,92	0,22	6 ... 8	180	150	75 ... 90	50 ... 60
PVF			8,5		105		
PVDF		0,13	8 ... 9		≈ 150	140 ... 150	90
PFEP	1,12 ... 1,17	0,23 ... 0,25	8 ... 10	250	170 ... 200		55
GF_{25}-PFEP		0,12	≈ 5	250	170 ... 200	155	
PETFE	0,9	0,23	9	220	150	135	60 ... 70
PMMA	1,5	0,18 ... 0,19	7 ... 9	85 ... 100	60 ... 90	80 ... 120	75 ... 100
AMMA	1,5	0,23	6,5	≈ 75		92	78
POM	1,45 ... 1,5	0,29	10 ... 14	120 ... 140	85 ... 110	150 ... 170	85 ... 110
PPOS	1,4	0,22 ... 0,23	6 ... 7	150	80 ... 100	≈ 150	≈ 100
GF_{30}-PPOS		0,26	2,5 ... 3,5			160	145
CA	1,3 ... 1,7		10 ... 14	70 ... 95	50 ... 80		
CAB	1,3 ... 1,7		10 ... 12	70 ... 100	50 ... 90		
CP	1,7		10 ... 13	70 ... 100	50 ... 90		
PC	1,17	0,21	6 ... 7	135	100 ... 120	145 ... 155	130 ... 140
GF_{30}-PC	1,1	0,26	2,5 ... 3	145	110 ... 135	155 ... 160	145 ... 150
PC/ABS	1,26 ... 1,34	0,18 ... 0,20	7 ... 8,5	100 ... 135	80 ... 100	110 ... 130	100 ... 115
PETP	1,05	0,24	7 ... 8	≈ 200	100 ... 120	160 ... 180	≈ 90
GF_{33}-PETP			2,4	≈ 220	100 ... 120	240	230

Kunststoff	Spez. Wärmekapazität	Wärmeleitfähigkeit	Längenausdehnungskoeffzient	Richtwerte für Anwendungs-Temperaturbereiche		Formbeständigkeit in der Wärme	
	$C\rho$ [kJ/kg · K]	λ [W/mK]	α [1/K · 10^5]	Kurzzeit [°C]	Langzeit [°C]	Vicat/B (49 N) [°C]	Fiso/A (1,8 N/mm²) [°C]
PBTB	1,3	0,21		180 … 200	100 … 120	165	70
GF_{30}-PBTP		0,26	2 … 3	190 … 210	110 … 130	> 200	≈ 200
PA 6	1,7	0,25	8 … 10	80	80 … 100	180 … > 200	75 … 80
GF_{30}-PA 6	1,3	0,33	2,5	170 … 200	90 … 110	> 200	≈ 200
PA 11	1,3 … 1,4	0,23	11 … 13	140 … 150	70 … 80	≈ 180	50 … 60
GF_{30}-PA 11		0,28	3 … 4,5	150 … 170	80 … 100	> 200	
PA 12	1,26	0,23	8 … 15	140 … 150	70 … 80	140 … 150	50 … 60
GF30-PA 12			3 … 4,5	150 … 160	80 … 100	160	155
PA 66	1,7	0,23	6 … 8	170 … 200	80 … 110	≈ 200	100 … 110
GF_{30}-PA 66	1,5	0,29	2 … 3	> 200	100 … 120	> 200	> 200
PA 610	1,6	0,2	7 … 10	140 … 160	80 … 100	> 200	
PA 6-3-T	1,5 … 1,6	0,22	6 … 8	130 … 140	80 … 100	145	130 … 140
PA Guss	1,7	0,3	7 … 8	150 … 170	80 … 100	> 200	
PSO	1,3	0,22	5 … 6	185 … 200	140 … 160	180 … > 200	175
PES	1,1	0,18	5 … 6	260	150 … 200	> 200	> 200
PAS		0,16	4 … 5	300	260		
PAE	1,5	2,26	6 … 7	160	120		150 … 160
PPS		0,29	5 … 6	260 … 300	200 … 230	> 200	140
GF_{40}-PPS			3 … 4	260 … 300	200 … 230	> 200	190 … > 200

Tabelle 2.4 Thermische Eigenschaften von Kunststoffen [Oberbach] *(Fortsetzung)*

Kunststoff	Spez. Wärme-kapazität	Wärmeleitfähigkeit	Längenausdehnungskoeffzient	Richtwerte für Anwendungs-Temperaturbereiche		Formbeständigkeit in der Wärme	
	$C\rho$ [kJ/kg · K]	λ [W/mK]	α [1/K · 10^5]	Kurzzeit [°C]	Langzeit [°C]	Vicat/B (49 N) [°C]	Fiso/A (1,8 N/mm²) [°C]
PI th.	1,13	0,32 … 0,37	5 … 6	450 … 500	200 … 300	260	> 250
PI dur.				≈ 450	≈ 250		
PAI th.			3,4	≈ 450	≈ 250		280 … 300
PUR-Elast.	1,85	0,19	18 … 21	100 … 120	≈ 80		
Polyhydantoin					160		
UP Typ 802	1,2	0,7	2 … 4	200	150		> 200
EP Typ 891	0,8	0,9	2 … 3	180	130		200
PF Typ 31	1,3	0,3	3 … 5	140	110		150
MF Typ 152	1,2	0,5	5 … 6	120	80		180
UF Typ 131	1,2	0,4	5 … 6	100	70		130
Aluminium	0,92	220	2,35				
Kupfer	0,39	380	1,65				
Stahl	0,26	50	1,1				
Glas	0,84	0,6 … 1,2	0,5				

2.5.6 Perspektiven

2.5.6.1 Festkörper

Der Leichtbaukonstruktionswerkstoff Kunststoff wird in mehr als 6000-facher unterschiedlicher Form angeboten, basierend auf etwa 20 verschiedenen Polymergruppen. Rohstoffhersteller bieten für einzelne, für konstruktive Anwendungen vorgesehene Kunststoffe, bis zu 250 Kennwerte an. Dabei stellt sich die Frage, ob diese dem mit Kunststoffen wenig erfahrenen Konstrukteur ausreichend verständliche Informationen für eine zuverlässige Bauteilentwicklung geben. Zudem muss gesichert sein, dass das Bauteil im vorgesehenen Fertigungsverfahren hergestellt werden kann und wie die Beeinflussungen durch das Fertigungsverfahren sich auf die Eigenschaften des so hergestellten Bauteiles auswirken.

Die Wanddicke hat durchaus einen Einfluss auf die thermischen und die strukturellen Materialstrukturen und die daraus folgenden Materialeigenschaften, die durchaus unterschiedliche thermische Belastungen erfahren haben können. Hier können Finite-Elemente-Programme, die den Füllvorgang simulieren, durchaus hilfreich sein, auch wenn sie die strukturellen Vorgänge nicht direkt erfassen.

Inwieweit Korrelationen zwischen bruchmechanischen Kennwerten, Ergebnisse des Dauerschwingverhaltens oder der Schlagzähigkeit (temperaturabhängiger Spröd-Zäh-Übergang), hier hilfreich sind, ist individuell zu bezweifeln und allenfalls bei der Gesamteinschätzung des Verhaltens von Kunststoffen nützlich.

Oberbach, der sich mit diesen Fragestellungen intensiv beschäftigt hat, kommt zu dem Ergebnis, dass in der Literatur zahlreiche Ergebnisse, zum Teil auch von neu entwickelten Beurteilungsmethoden für das Werkstoffverhalten von Kunststoffen beschrieben sind. Eine vergleichende Beurteilung der Aussagekraft ist aber in der Regel nicht möglich. Zusammenhänge werden unscharf und für Umrechnungen zu ungenau.

Diese Zusammenhänge können aus bisher vorliegenden Ergebnissen nicht ausreichend sicher analysiert werden.

2.5.6.2 Rheologie

Dem rheologischen Verhalten von Kunststoff-Schmelzen ist ein ganzer Band der Erlanger Kunststoffschadensanalyse der „Viskosität“ gewidmet. Die rheologische Auslegung von Werkzeugen erfolgt jedoch weitgehend auf empirischer Basis. Solange es keine einheitlichen Empfehlungen für die Bestimmung des Fließ(amorph)- und des Schmelz-(teilkristallin)-Zustandes gibt, ist es müßig auf eine gesicherte Auslegung von Werkzeugen aufgrund der geometrischen Strukturen und thermischen Beeinflussungen zu hoffen. Die Auslegung von Werkzeugen erfolgt basiert vor allem auf Erfahrung und detailliert betrachteten und gelösten Einzelelementen.

Bei der rheologischen Auslegung von kleineren Spritzgießwerkzeugen liegt viel Erfahrung vor. Außerdem lassen sich die benötigten Wanddicken aufgrund meist empirisch ermittelter Fließ-Weg-Wanddicken Beziehungen recht gut abschätzen. Schwieriger ist es bei größeren Werkzeugen, bei denen alleine die Druckverluste in den erforderlichen langen Angusssystemen schwer abzuschätzen sind.

2.5.7 CAMPUS

Dr. Erwin Baur

CAMPUS wurde 1988 ins Leben gerufen von einer Gruppe deutscher Kunststoffproduzenten. Inzwischen beteiligen sich über 25 internationale Produzenten an dieser Datenbank. CAMPUS war seinerzeit die Reaktion auf Forderungen, hauptsächlich aus der Automobilindustrie, es solle eine herstellerübergreifende Datenbank für Kunststoffe geben.

Ein solches Projekt hätte damals keinen Sinn gemacht, weil alle Produzenten für ihre Werkstoffprüfung unterschiedliche Konditionen und Normen verwendet haben, somit die Werte in einer Datenbank überhaupt nicht vergleichbar gewesen wären.

Daher einigte man sich in jahrelanger Normenarbeit auf einheitliche Bedingungen für die Prüfung von Kunststoffen. Dabei werden insbesondere die Geometrie der Probekörper und deren Herstellbedingungen genau festgelegt. Diese Bedingungen wurden über die ISO international genormt. Die Basis bilden dabei die ISO 10350 für die sogenannten Einzelpunktwerte (Singlepoint) und die ISO 11403 für die funktionalen Zusammenhänge, die in Form von Diagrammen präsentiert werden (sogenannte Multipoint Daten).

Die neuen Prüfnormen und die Kunststoffdatenbank wurden dann parallel entwickelt und erfreuen sich großer Beliebtheit. Man kann heute davon ausgehen, dass alle qualifizierten Kunststoffproduzenten, auch diejenigen, die nicht offiziell an CAMPUS teilnehmen, ihre Werkstoffe nach diesen Normen prüfen. CAMPUS hat somit zu einer flächendeckenden Harmonisierung geführt, das Vertrauensverhältnis zwischen Kunststoffproduzenten und deren Kunden deutlich verbessert und es werden unnötige Prüfungen vermieden, was der Branche Milliarden einspart.

CAMPUS wurde ursprünglich als klassische Desktop Software entwickelt, die der Nutzer auf dem eigenen PC installierte, zunächst mit Lieferung per Floppy Disk oder CD, später als Download via Internet. Seit einigen Jahren ist die volle Funktionalität online im Internet verfügbar, die bisherige Version soll in Kürze eingestellt werden.

Der Inhalt von CAMPUS ist in den beiden folgenden Tabellen zusammengefasst.

Tabelle 2.5 Eigenschaftskatalog für CAMPUS (Singlepoint)

	Einheit	Norm
Schmelzevolumenrate mit Temperatur und Belastung	cm^3/10min	ISO 1133
Verarbeitungsschwindung (parallel)	%	ISO 2577, 294-4
Verarbeitungsschwindung (senkrecht)	%	ISO 2577, 294-4
Mechanische Eigenschaften		
Zug-Modul	MPa	ISO 527-1/-2
Zug-Modul, parallel	MPa	ISO 527-4/-5
Zug-Modul, senkrecht	MPa	ISO 527-4/-5
Streckspannung	MPa	ISO 527-1/-2
Streckdehnung	%	ISO 527-1/-2
Nominelle Bruchdehnung	%	ISO 527-1/-2
Spannung bei 50 % Dehnung	MPa	ISO 527-1/-2
Bruchspannung	MPa	ISO 527-1/-2
Bruchspannung, parallel	MPa	ISO 527-4/-5
Bruchspannung, senkrecht	MPa	ISO 527-4/-5
Bruchdehnung	%	ISO 527-1/-2
Bruchdehnung, parallel	%	ISO 527-4/-5
Bruchdehnung, senkrecht	%	ISO 527-4/-5
Zug-Kriechmodul (1 h)	MPa	ISO 899-1
Zug-Kriechmodul (1000 h)	MPa	ISO 899-1
Charpy-Schlagzähigkeit (+ 23 °C)	kJ/m^2	ISO 179/1eU
Charpy-Schlagzähigkeit (- 30 °C)	kJ/m^2	ISO 179/1eU
Charpy-Kerbschlagzähigkeit (+ 23 °C)	kJ/m^2	ISO 179/1eA
Charpy-Kerbschlagzähigkeit (- 30 °C)	kJ/m^2	ISO 179/1eA
Zug-Kerbschlagzähigkeit (+ 23 °C)	kJ/m^2	ISO 8256/1
Durchstoß - Maximalkraft (+ 23 °C)	N	ISO 6603-2
Durchstoß - Maximalkraft (- 30 °C)	N	ISO 6603-2
Durchstoß - Arbeit (+ 23 °C)	J	ISO 6603-2
Durchstoß - Arbeit (- 30 °C)	J	ISO 6603-2
Thermische Eigenschaften		
Schmelztemperatur (10 °C/min)	°C	ISO 11357-1/-3
Glasübergangstemperatur (10 °C/min)	°C	ISO 11357-1/-2
Formbeständigkeitstemperatur (1,80 MPa)	°C	ISO 75-1/-2
Formbeständigkeitstemperatur (0,45 MPa)	°C	ISO 75-1/-2
Formbeständigkeitstemperatur (8,00 MPa)	°C	ISO 75-1/-2
Vicat-Erweichungstemperatur (50 °C/h 50N)	°C	ISO 306

Tabelle 2.5 Eigenschaftskatalog für CAMPUS (Singlepoint) *(Fortsetzung)*

	Einheit	Norm
Längenausdehnungskoeffizient 23 °C bis 55 °C (längs)	E-6/K	ISO 11359-1/-2
Längenausdehnungskoeffizient 23 °C bis 55 °C (quer)	E-6/K	ISO 11359-1/-2
Brennbarkeit bei nominal 1,5 mm	class	IEC 60695-11-10
Brennbarkeit 5V	class	IEC 60695-11-20
Brennverhalten (Probendicke 1 mm)	mm/min	ISO 3795 (FMVSS 302)
Brennbarkeit-Sauerstoff-Index	%	ISO 4589-1/-2
Elektrische Eigenschaften		
Dielektrizitätszahl (100 Hz)	-	IEC 62 631-2-1
Dielektrizitätszahl (1 MHz)	-	IEC 62 631-2-1
Dielektr. Verlustfaktor (100 Hz)	E-4	IEC 62 631-2-1
Dielektr. Verlustfaktor (1 MHz)	E-4	IEC 62 631-2-1
Spezifischer Durchgangswiderstand	Ohm*m	IEC 62 631-3-1
Spezifischer Oberflächenwiderstand	Ohm	IEC 62 631-3-2
Elektrische Durchschlagfestigkeit	kV/mm	IEC 60243-1
Vergleichszahl der Kriechwegbildung	-	IEC 60112
Andere Eigenschaften		
Wasseraufnahme	%	Sim. to ISO 62
Feuchtigkeitsaufnahme	%	Sim. to ISO 62
Dichte	kg/m^3	ISO 1183
Materialspezifische Eigenschaften		
Viskositätszahl	cm^3/g	ISO 307, 1157, 1628
Kennzeichnende Dichte (nur PE)	kg/m^3	ISO 1872-1
Lichttransmissionsgrad	%	ISO 13468-1, -2
Charpy-Kerbschlagzähigkeit (+ 23 °C), 3mm (nur PC)	kJ/m^2	ISO 179/1eA
Charpy-Kerbschlagzähigkeit (- 30 °C), 3mm (nur PC)	kJ/m^2	ISO 179/1eA
Kennwerte für rheologische Berechnungen		
Dichte der Schmelze	kg/m^3	-
Wärmeleitfähigkeit der Schmelze	W/(m K)	-
Spez. Wärmekapazität der Schmelze	J/(kg K)	-
Effektive Temperaturleitf. a-effektiv	m^2/s	-
Ejection-Temperatur	°C	-

Tabelle 2.6 Eigenschaftskatalog CAMPUS (Multipoint)

- Viskosität - Schergeschwindigkeit
- Dynamischer E-Modul - Temperatur
- Dynamischer Schubmodul - Temperatur
- Spannung - Dehnung am Standard CAMPUS Probekörper gemessen, 4 mm Dicke
- Spannung - Dehnung anisotrop, Probekörper aus einer Platte entnommen, Dicke 2 mm
- Spannung-Dehnung (isochron)
- Spezifisches-Volumen-Temperatur (*pvT*)
- Spez. Enthalpie pro Masse Temperatur (DSC)
- Zug-Modul-Temperatur
- Wärmealterung, Diagramme für verschiedene Eigenschaften
- Längenausdehnungskoeffizient - Temperatur (anisotrop)

Hinzu kommen noch einige spezielle Eigenschaften für thermoplastische Elastomere, Folienwerkstoffe und seit neuestem endlosfaserverstärkte Thermoplaste. Für eine Erweiterung um dehnratenabhängige Eigenschaften (Crash-Simulation) und Wechselfestigkeit laufen zurzeit im Rahmen der CAMPUS Gruppe normative Vorprojekte.

Bei der Nutzung der Daten sollte man folgendes beachten. Das Akronym „CAMPUS“ steht für „**C**omputer **A**ided **M**aterial **P**reselection By **U**niform **S**tandards“, d. h. CAMPUS war ursprünglich konzipiert für die Werkstoffvorauswahl. Die Werte werden an einem genormten und auf Grund der Verarbeitung hoch orientierten Probekörper ermittelt. Auch wenn CAMPUS für die Konstruktion wertvolle Informationen, wie Spannungs-Dehnungs-Diagramme anbietet, kann man diese Informationen dennoch nicht einfach kritiklos in Berechnungen oder Simulationen übernehmen, was leider vielfach passiert.

Hier gilt - wie überall - die Software kann den Konstrukteuren nicht das Denken abnehmen. Es bleibt in der Verantwortung des Konstrukteurs die qualitativ hochwertigen und vergleichbar gemessenen Daten für den jeweiligen Anwendungsfall korrekt zu interpretieren und gegebenenfalls mit entsprechenden Korrekturen anzupassen.

Zugang zu CAMPUS besteht über die folgende Web Adresse *www.CAMPUSplastics.com*

Die Funktionalität der Online-Oberfläche ist noch nicht allen Nutzern vertraut, deshalb hier noch ein kleiner Hinweis für die Vorgehensweise. Es stehen auf der CAMPUS-Homepage auch einige Videos zur Verfügung, die die einzelnen Funktionen anschaulich erläutern. Zudem bietet die CAMPUS-Homepage eine umfangreiche Dokumentation über den normativen Hintergrund.

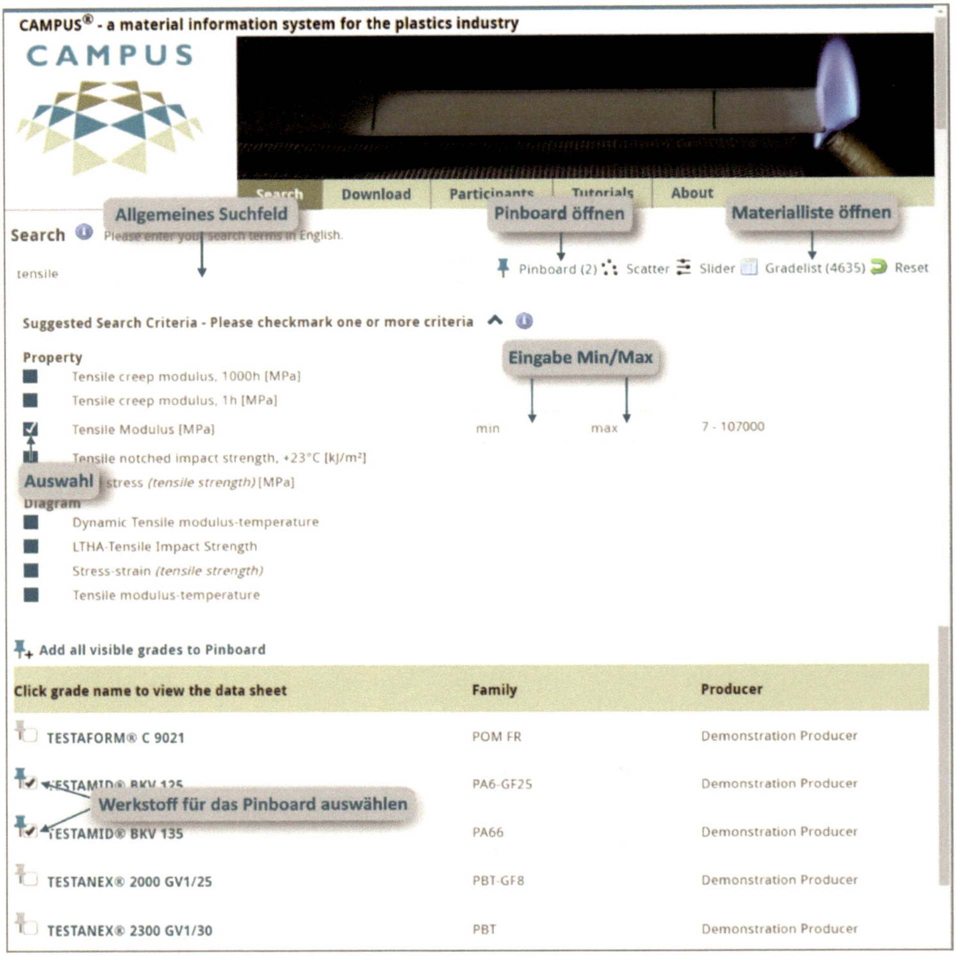

Bild 2.29 Zentrales Eingabefeld von Campus

Bereits auf der ersten Seite bietet CAMPUS ein zentrales Eingabefeld an. Hier kann man entweder den Namen eines gesuchten Kunststoffes, eine gewünschte Polymerfamilie, den Namen eines Produzenten oder eine gesuchte Werkstoffeigenschaft eintragen. Schon nach Eingabe weniger Buchstaben erscheinen Vorschläge für die Suche, die man direkt anklicken kann. Sollte der gesuchte Begriff eine numerische Eigenschaft sein, öffnet sich ein Feld zur Eingabe von geforderten Minimal- bzw. Maximalwerten. Nach Eingabe wird sofort eine Suche durchgeführt und die Anzahl der in Frage kommenden Werkstoffe reduziert sich. Dieser Vorgang kann beliebig oft wiederholt werden und somit eine herstellerübergreifende Suche durchgeführt werden. Unterhalb der Vorschlagsliste erscheint die Liste der geeigneten Werkstoffe, deren Datenblätter wiederum durch Anklicken geöffnet werden können.

Es besteht die Möglichkeit einzelne Materialien für das sogenannte Pinboard zu markieren wo weitergehende Vergleiche möglich werden, wie z.B. Bildung von Tabellen, Polardiagramme, Kurvenüberlagerung etc. Details werden in den bereits genannten Video-Tutorials erläutert.

2.5.8 Einheiten

Die DIN 1301-3:2018-02 enthält eine umfangreiche Auflistung von Einheiten, die in Deutschland nicht-gesetzliche Einheiten sind, aber in anderen Ländern noch benutzt werden, und ihre Umrechnungsbeziehungen dazu in SI- oder andere gesetzliche Einheiten in Deutschland. Einheitennamen und -zeichen orientieren sich am Gebrauch für den elektronischen Datenaustausch nach IEC/TS 62720.

Die Celsius-Skala der Temperatur ist so definiert, dass die Temperatur in Grad Celsius gemessen gegenüber der Temperatur in Kelvin um exakt 273,15 verschoben ist. Durch diese Festlegung wurde erreicht, dass die Differenzen zwischen zwei Temperaturwerten in Kelvin und Grad Celsius gemessen zahlenmäßig gleich groß sind und gleichwertig verwendet werden können. $\{T\}K = \{\vartheta\}°C + 273{,}15$

Gefrier- und Siedepunkt von Wasser bei Normalbedingungen (101,325 kPa Druck) liegen mit dieser Definition bei fast exakt 0 °C (273,15 K) und 100 °C (373,15 K).

Tabelle 2.7 Internationales SI-Einheitensystem

Basisgröße und Dimensionsname	Größen-symbol	Dimensions-symbol	Einheit	Einheiten-zeichen
Zeit	t	T	Sekunde	s
Länge	l	L	Meter	m
Masse	m	M	Kilogramm	kg
Stromstärke	I	I	Ampere	A
Thermodynamische Temperatur	T	Θ	Kelvin	K
Stoffmenge	n	N	Mol	mol
Lichtstärke	I_v	J	Candela	cd

Das **Internationale Einheitensystem SI** ist das am weitesten verbreitete Einheitensystem für physikalische Größen. Das SI ist in der ganzen Welt verbreitet. Eine wichtige Ausnahme sind die USA, wo das SI zwar gilt, im amtlichen und geschäftlichen Verkehr aber auch das angloamerikanische Maßsystem *(customary units)* zugelassen ist. Alle Einheiten werden nun auf sieben physikalische Konstanten zurückgeführt. Im internationalen Größen- und Einheitensystem werden die sieben Basisgrößen durch die Basiseinheiten Sekunde (s), Meter (m), Kilogramm (kg), Ampere (A), Kelvin (K), Mol (mol) und Candela (cd) ausgedrückt. Gefrier- und

Siedepunkt von Wasser bei Normalbedingungen (101,325 kPa Druck) liegen mit dieser Definition bei fast exakt 0 °C (273,15 K) und 100 °C (373,15 K).

Tabelle 2.8 Einheiten und ihre Umrechnungsbeziehungen [Carlowitz]

Länge
SI-Einheit: m
Weitere gesetzliche Einheiten: µm, mm, cm, dm, km usw.

Nicht mehr zugelassen:
Å (Angström)

1 Å = 10^{-10} m = 0,1 nm

Volumen
SI-Einheit: m^3
Weitere gesetzliche Einheiten: mm^3, cm^3, dm^3 usw.
ml, l

1 ml = 10^{-6} m^3 = 1 cm^3
1 l = 10^{-3} m^3 = 1 dm^3

Masse
SI-Einheit: kg
Weitere gesetzliche Einheiten: mg, g usw.
t, kt

1 t = 10^3 kg
1 kt = 10^6 kg

Dichte (Rohdichte)
SI-Einheit: kg/m^3
Weitere gesetzliche Einheiten: g/cm^3 = g/ml = kg/l

1 g/cm^3 = 10^3 kg/m^3

Kraft
SI-Einheit: N (Newton)
1 N = 1 kg · m/s^2
Weitere gesetzliche Einheiten: µN, mN, kN, MN usw.
(cN, daN möglichst nicht verwenden)

Nicht mehr zugelassen:
p, kp, Mp, dyn

1 p = 9,81 · 10^{-3} N = 9,81 mN ≈ 10 mN
1 kp = 9,81 N ≈ 10 N
1 Mp = 9,81 · 10^3 N = 9,81 kN ≈ 10 kN

1 N = 0,102 kp ≈ 0,1 kp

1 dyn = 1 g · cm/s^2 = 10^{-5} N = 10 µN

Druck (von Fluiden)
SI-Einheit: Pa (Pascal)
1 Pa = 1 N/m^2
Weitere gesetzliche Einheiten: mbar, bar

1 mbar = 100 Pa = 1 hPa
1 bar = 10^5 Pa = 0,1 MPa

Druck (mechanische Spannung)
SI-Einheit: Pa (Pascal)
1 Pa = 1 N/m^2
Weitere gesetzliche Einheiten: MPa = N/mm^2 (zweckmäßige Einheit),
N/cm^2 (nur bei besonderen Gründen)

1 N/cm^2 = 10^4 Pa = 0,01 MPa = 0,1 bar
1 N/mm^2 = 10^6 Pa = 1 MPa = 10 bar

Nicht mehr zugelassen:
kp/m^2, kp/cm^2, kp/mm^2, mmWS, mWS, at, dyn/cm^2, Torr, mmHG, atm

1 kp/m^2 = 1 mm WS ≈ 10 Pa = 10^{-4} bar = 0,1 mbar
1 kp/cm^2 = 1 at = 10 mWS ≈ 10^5 Pa = 0,1 MPa = 1 bar
1 kp/mm^2 ≈ 10^7 Pa = 10 MPa = 100 bar
1 dyn/cm^2 = 0,1 Pa = 10^{-6} bar = 1µ bar
1 Torr = 1 mm HG = 133 Pa = 1,33 · 10^{-3} bar = 1,33 mbar
1 atm = 760 Torr = 1,013 · 10^5 Pa = 0,1013 MPa = 1,013 bar

1 Pa = 7,5 · 10^{-3} Torr = 0,987 · 10^{-5} atm
1 bar = 750 Torr = 0,987 atm

Energie, Arbeit, Wärmemenge (Größen gleicher Art)
SI-Einheit J (Joule)
1 J = 1 N · m = 1 W · s
Weitere gesetzliche Einheiten: mJ, kJ = kN · m = kW · s, MJ, GJ usw.
W · h, kW · h, MW · h

1 W · h = 3,6 kJ
1 kW · h = 3,6 MJ
1 MW · h = 3,6 GJ

1 MJ = 0,278 kW · h

Nicht mehr zugelassen:
cal, kcal, kp · m, PS · h, erg

1 cal = 4,19 J
1 kcal = 4,19 kJ = 1,16 W · h
1 kp · m = 9,81 J
1 PS · h = 2,65 MJ = 0,736 kW · h
1 erg = 1 dyn · cm = 10^{-7} J

1 kJ = 0,239 kcal = 102 kp · m = 3,77 · 10^{-4} PS · h
1 kW · h = 860 kcal = 3,67 · 10^5 kp · m = 1,36 PS · h

Leistung
SI-Einheit: W (Watt)
1 W = 1 J/s
Weitere gesetzliche Einheiten: mW, kW = kJ/s, MW, GW usw.
kJ/h

1 kJ/h = 0,278 W

1 W = 3,6 kJ/h

Nicht mehr zugelassen:
kcal/s, kcal/h, kp · m/s, PS

1 kcal/s = 4,19 kW
1 kcal/h = 1,16 W
1 kp · m/s = 9,81 W
1 PS = 0,736 kW

1 kW = 0,239 kcal/s = 860 kcal/h = 102 kp · m/s = 1,36 PS

Spezifische Wärmekapazität (massenbezogen)
SI-Einheit: J/(K · kg)
Weitere gesetzliche Einheiten: kJ/(K · kg) = J/(K · g)

Nicht mehr zugelassen:
kcal/(kg · grd)

1 kcal/(kg · grd) = 4,19 kJ/(K · kg)

1 kJ/(K · kg) = 0,239 kcal/(kg · grd)

Wärmeleitfähigkeit
SI-Einheit: W/(K · m)
Weitere gesetzliche Einheiten: kW/(K · m), kJ/(K · m · h)

1 kJ/(K · m · h) = 0,278 W/(K · m)

1 W /(K · m) = 3,6 kJ/(K · m · h)

Nicht mehr zugelassen:
kcal/(m · h · grd)

1 kcal/(m · h · grd) = 1,16 W/(K · m)

1 W/(K · m) = 0,86 kcal/(m · h · grd)

Energiedosis
SI-Einheit: Gy (Gray)
1 Gy = 1 J/kg = 1 m^2/s^2
Weitere gesetzliche Einheiten: kJ/kg = J/g

Nicht mehr zugelassen:
rd (Rad), krd, Mrd

1 rd = 0,01 Gy
1 krd = 10 Gy
1 Mrd = 10^4 Gy = 10 kJ/kg

Dynamische Viskosität
SI-Einheit Pa · s
1 Pa · s = 1 N · s/m^2
Weitere gesetzliche Einheiten: m Pa · s

Nicht mehr zugelassen:
cP, P (Poise)

1 cP = 10^{-3} Pa · s = 1 m Pa · s
1 P = 0,1 Pa · s

Kinematische Viskosität (dichtebezogene dynamische Viskosität)
SI-Einheit: m^2/s
1 m^2/s = 1 Pa · s m^3/kg
Weitere gesetzliche Einheiten: mm^2/s, cm^2/s

Nicht mehr zugelassen:
cSt, St (Stokes)

1 cSt = 10^{-6} m^2/s = 1 mm^2/s
1 St = 10^{-4} m^2/s = 1 cm^2/s

ISO 1000 empfiehlt bei zusammengesetzten Einheiten nur bei einer Einheit einen Vorsatz zu verwenden, also nicht kN/cm^2 usw. kg in Verbindung mit einer Einheit mit Vorsatz, wie z. B. kJ/kg ist davon ausgenommen, da kg eine Basiseinheit des SI ist.

Die sieben Basiseinheiten des SI sind: m, kg, s, A, K, mol, cd. Die aus ihnen durch Produkte und/oder Quotienten in der Einheitengleichung kohärent festgesetzten, d. h. mit dem Faktor 1 gebildeten Einheiten sind abgeleitete SI-Einheiten. Alle aus den Basiseinheiten mit einem von 1 verschiedenen Faktor abgeleitete Einheiten sind keine SI-Einheiten.

Liter (l), Tonne (t), Bar (bar) sind besondere Einheitennamen mit besonderen Einheitenzeichen für dezimale Vielfache oder dezimale Teile von SI-Einheiten.

Vorsätze und Vorzeichen für dezimale Vielfache und dezimale Teile von Einheiten

Deka	da	10^1	Dezi	d	10^{-1}
Hekto	h	10^2	Zenti	c	10^{-2}
Kilo	k	10^3	Milli	m	10^{-3}
Mega	M	10^6	Mikro	µ	10^{-6}
Giga	G	10^9	Nano	n	10^{-9}
Tera	T	10^{12}	Piko	p	10^{-12}
Peta	P	10^{15}	Femto	f	10^{-15}
Exa	E	10^{18}	Atto	a	10^{-18}

2.6 Normen

Mechanische Eigenschaften

DIN EN ISO 527-1 (12/2019)	Bestimmung der Zugeigenschaften Teil 1: Allgemeine Grundsätze
DIN EN ISO 527-2 (06/2012)	Bestimmung der Zugeigenschaften Teil 2: Prüfbedingungen für Form- und Extrusionsmassen
DIN EN ISO 527-4 (08/2020)	Bestimmung der Zugeigenschaften Teil 4: Prüfbedingungen für isotrope und anisotrope faserverstärkte Kunststoffverbundwerkstoffe
DIN EN ISO 527-5 (08/2020)	Bestimmung der Zugeigenschaften Teil 5: Prüfbedingungen für unidirektional faserverstärkte Kunststoffverbundwerkstoffe
DIN EN ISO 899-1 (03/2018)	Bestimmung des Kriechverhaltens Teil 1: Zeitstand-Zugversuch
DIN EN ISO 10350-1 (03/2018)	Ermittlung und Darstellung vergleichbarer Einpunktkennwerte Teil 1: Formmassen
ISO/FDIS 10350-2 (04/2020)	Ermittlung und Darstellung vergleichbarer Einpunktkennwerte Teil 2: Langfaserverstärkte Kunststoffe
ISO/DIS 11403-1 (07/2020)	Ermittlung und Darstellung von vergleichbaren Vielpunkt-Kennwerten Teil 1: Mechanische Eigenschaften
ISO 11403-2 (09/2012)	Ermittlung und Darstellung von vergleichbaren Vielpunkt-Kennwerten Teil 2: Thermische und Verarbeitungseigenschaften
ISO/DIS 11403-3 (07/2020)	Ermittlung und Darstellung von vergleichbaren Vielpunkt-Kennwerten Teil 3: Umgebungseinflüsse auf Eigenschaften
DIN EN ISO 179-1 (11/2010)	Bestimmung der Charpy-Schlageigenschaften Teil 1: Nicht instrumentierte Schlagzähigkeitsprüfung
DIN EN ISO 179-2 (09/2020)	Bestimmung der Charpy-Schlageigenschaften Teil 2: Instrumentierte Schlagzähigkeitsprüfung
DIN EN ISO 8256 (05/2005)	Bestimmung der Schlagzugzähigkeit

DIN EN ISO 6603-1 (10/2000)	Bestimmung des Durchstoßverhaltens von festen Kunststoffen Teil 1: Nicht-instrumentierter Schlagversuch
DIN EN ISO 6603-2 (04/2002)	Bestimmung des Durchstoßverhaltens von festen Kunststoffen Teil 2: Instrumentierter Schlagversuch

Thermische Eigenschaften

ISO 11357-1 (09/2016-09)	Dynamische Differenz-Thermoanalyse (DSC) Teil 1: Allgemeine Grundlagen
ISO 11357-2 (03/2020)	Dynamische Differenz-Thermoanalyse (DSC) Teil 2: Bestimmung der Glasübergangstemperatur und der Glasübergangsstufenhöhe
ISO 11357-3 (03/2018-03)	Dynamische Differenz-Thermoanalyse (DSC) Teil 3: Bestimmung der Schmelz- und Kristallisationstemperatur und der Schmelz- und Kristallisationsenthalpie
ISO 75-1 (02/2020)	Bestimmung der Wärmeformbeständigkeitstemperatur Teil 1: Allgemeines Prüfverfahren
ISO 75-2 (04/2013)	Bestimmung der Wärmeformbeständigkeitstemperatur Teil 2: Kunststoffe und Hartgummi
ISO 75-3 (05/2004)	Bestimmung der Wärmeformbeständigkeitstemperatur Teil 3: Hochbeständige härtbare Schichtstoffe und langfaserverstärkte Kunststoffe
DIN EN ISO 306 (03/2014)	Thermoplaste – Bestimmung der Vicat-Erweichungstemperatur (VST)
ISO 11359-1 (01/2014)	Thermomechanische Analyse (TMA) Teil 1: Allgemeine Grundlagen
ISO 11359-2 (10/1999)	Thermomechanische Analyse (TMA) Teil 2: Bestimmung des linearen thermischen Ausdehnungskoeffizienten und der Glasübergangstemperatur
DIN EN 60695-11-10 (10/2014)	Prüfungen zur Beurteilung der Brandgefahr Teil 11-10: Prüfflammen – Prüfverfahren mit einer 50-W-Prüfflamme horizontal und vertikal
DIN EN 60695-11-20 (04/2016)	Prüfungen zur Beurteilung der Brandgefahr Teil 11-20: Prüfflammen – Prüfverfahren mit einer 500-W-Prüfflamme
ISO 3795 (10/1989)	Straßenfahrzeuge sowie Traktoren und Maschinen für die Land- und Forstwirtschaft – Bestimmung des Brennverhaltens von Werkstoffen der Innenausstattung

DIN 75200 (09/1980)	Bestimmung des Brennverhaltens von Werkstoffen der Kraftfahrzeuginnenausstattung
DIN EN ISO 4589-1 (08/2017)	Bestimmung des Brennverhaltens durch den Sauerstoff-Index Teil 1: Allgemeine Anforderungen
DIN EN ISO 4589-2 (11/2017)	Bestimmung des Brennverhaltens durch den Sauerstoff-Index Teil 2: Prüfung bei Umgebungstemperatur
DIN EN ISO 4589-3 (08/2017)	Bestimmung des Brennverhaltens durch den Sauerstoff-Index Teil 3: Prüfung bei erhöhter Temperatur

Elektrische Eigenschaften

DIN EN 62631-1 (03/2012)	Dielektrische und resistive Eigenschaften fester Isolierstoffe Teil 1: Grundlagen
DIN EN IEC 62631-2-1 (12/2018-12)	Dielektrische und resistive Eigenschaften fester Isolierstoffe Teil 2-1: Relative Permittivität und Verlustfaktor – Technische Frequenzen (0,1 Hz bis 10 MHz) – Wechselspannungsverfahren
DIN EN IEC 62631-3-1 (1/2017)	Dielektrische und resistive Eigenschaften fester Isolierstoffe Teil 3-1: Bestimmung resistiver Eigenschaften (Gleichspannungsverfahren) – Durchgangswiderstand und spezifischer Durchgangswiderstand – Basisverfahren
DIN EN IEC 62631-3-2 (10/2016)	Dielektrische und resistive Eigenschaften fester Isolierstoffe Teil 3-2: Bestimmung resistiver Eigenschaften (Gleichspannungsverfahren) – Oberflächenwiderstand und spezifischer Oberflächenwiderstand
DIN EN IEC 62631-3-3 (10/2016)	Dielektrische und resistive Eigenschaften fester Isolierstoffe Teil 3-3: Bestimmung resistiver Eigenschaften (Gleichspannungsverfahren) – Isolationswiderstand
DIN EN IEC 62631-3-4 (07/2020)	Dielektrische und resistive Eigenschaften fester Isolierstoffe Teil 3-4: Bestimmung resistiver Eigenschaften (Gleichspannungsverfahren) – Durchgangswiderstand und spezifischer Durchgangswiderstand bei erhöhten Temperaturen

DIN EN IEC 62631-3-11 (09/2018)	Dielektrische und resistive Eigenschaften fester Isolierstoffe Teil 3-11: Bestimmung resistiver Eigenschaften (Gleichspannungsverfahren) – Durchgangswiderstand und spezifischer Durchgangswiderstand – Verfahren für Tränk- und Beschichtungsstoffe
DIN EN 60243-1 (01/2014)	Elektrische Durchschlagfestigkeit von isolierenden Werkstoffen Prüfverfahren – Teil 1: Prüfungen bei technischen Frequenzen
DIN EN 60243-2 (08/2014)	Elektrische Durchschlagfestigkeit von isolierenden Werkstoffen Prüfverfahren – Teil 2: Zusätzliche Anforderungen für Prüfungen mit Gleichspannung
DIN EN 60243-3 (09/2014)	Elektrische Durchschlagfestigkeit von isolierenden Werkstoffen Prüfverfahren – Teil 3: Zusätzliche Festlegungen für 1,2/50 µs Stoßspannungsprüfungen
DIN EN 60112 (05/2010)	Verfahren zur Bestimmung der Prüfzahl und der Vergleichszahl der Kriechwegbildung von festen, isolierenden Werkstoffen

Andere Eigenschaften

DIN EN ISO 62 (05/2008)	Bestimmung der Wasseraufnahme
DIN EN ISO 1183-1 (09/2019)	Bestimmung der Dichte von nicht verschäumten Kunststoffen Teil 1: Eintauchverfahren, Verfahren mit Flüssigkeitspyknometer und Titrationsverfahren
DIN EN ISO 1183-2 (06/2019)	Bestimmung der Dichte von nicht verschäumten Kunststoffen Teil 2: Verfahren mit Dichtegradientensäule
DIN EN ISO 1183-3 (05/2000)	Bestimmung der Dichte von nicht verschäumten Kunststoffen Teil 3: Gas-Pyknometer-Verfahren

Materialspezifische Eigenschaften

DIN EN ISO 307 (11/2019)	Polyamide – Bestimmung der Viskositätszahl
SN EN ISO 1157 (09/1999)	Celluloseacetat in verdünnter Lösung – Bestimmung der Viskositätszahl und des Viskositätsverhältnisses

DIN EN ISO 1628-1 (05/2020)	Bestimmung der Viskosität von Polymeren in verdünnter Lösung durch ein Kapillarviskosimeter Teil 1: Allgemeine Grundlagen
DIN EN ISO 1628-2 (04/2020)	Bestimmung der Viskosität von Polymeren in verdünnter Lösung durch ein Kapillarviskosimeter Teil 2: Vinylchlorid-Polymere
DIN EN ISO 1628-3 (10/2010)	Bestimmung der Viskosität von Polymeren in verdünnter Lösung durch ein Kapillarviskosimeter Teil 3: Polyethylen und Polypropylen
DIN EN ISO 1628-5 (05/2015)	Bestimmung der Viskosität von Polymeren in verdünnter Lösung durch ein Kapillarviskosimeter Teil 5: Thermoplastische Polyester (TP) Homopolymere und Copolymere
DIN EN ISO 1872-1 (10/1999)	Polyethylen (PE)-Formmassen Teil 1: Bezeichnungssystem und Basis für Spezifikationen
DIN EN ISO 13468-1 (10/2019)	Gesamtlichttransmissionsgrad von transparenten Materialien Teil 1: Einstrahlinstrument
DIN EN ISO 13468-2 (07/2006)	Lichttransmissionsgrad von transparenten Materialien Teil 2: Zweistrahlinstrument
DIN EN ISO 11667 (10/1999)	Faserverstärkte Kunststoffe – Formmassen und Prepregs – Bestimmung des Gehaltes an Harz, Verstärkungsfaser und Mineralfüllstoff – Auflösungsverfahren
DIN EN ISO 16012 (02/2016)	Bestimmung der linearen Maße von Probekörpern
DIN EN ISO 180 (03/2020)	Bestimmung der Izod-Schlagzähigkeit

Kennwerte für rheologische Berechnung

DIN EN ISO 1133-1 (03/2012)	Bestimmung der Schmelze-Massefließrate (MFR) und der Schmelze-Volumenfließrate (MVR) von Thermoplasten Teil 1: Allgemeines Prüfverfahren
DIN EN ISO 1133-2 (03/2012)	Bestimmung der Schmelze-Massefließrate (MFR) und der Schmelze-Volumenfließrate (MVR) von Thermoplasten Teil 2: Verfahren für Materialien, die empfindlich gegen eine zeit- bzw. temperaturabhängige Vorgeschichte und/oder Feuchte sind
DIN EN ISO 22007-1 (03/2018)	Wärmeleitfähigkeit und Temperaturleitfähigkeit Teil 1: Allgemeine Grundlagen

DIN EN ISO 22007-4 (11/2017)	Wärmeleitfähigkeit und Temperaturleitfähigkeit Teil 4: Laserblitzverfahren
DIN 1341 (10/1986)	Wärmeübertragung; Begriffe, Kenngrößen
DIN EN ISO 11357-1 (02/2017)	Dynamische Differenz-Thermoanalyse (DSC) Teil 1: Allgemeine Grundlagen
DIN EN ISO 11357-4 (05/2020)	Dynamische Differenz-Thermoanalyse (DSC) Teil 4: Bestimmung der spezifischen Wärmekapazität
DIN EN ISO 11357-8 (01/2020)	Dynamische Differenz-Thermoanalyse (DSC) Teil 8: Bestimmung der Wärmeleitfähigkeit

2.7 Literatur

- Conrad, I., Anforderungen bei der Compoundentwicklung wärmeleitfähiger Werkstoffe, Fachtagung Wärmeleitende Kunststoffe, 2007 LKT
- Dallner, C., Thermomechanische Einsatzgrenzen von Kunststoffen, Dissertation Uni Erlangen, LKT, 2006, *www.kunststoffe.de/Dissertationen*
- Domininghaus, H., Die Kunststoffe und ihre Eigenschaften, Springer Verlag, Heidelberg, 2012
- Ehrenstein, G. W., Kunststoff-Schadensanalyse, Carl Hanser Verlag, München, 1992
- Ehrenstein, G. W., Polymerwerkstoffe, 3. Auflage, Carl Hanser Verlag, 2011
- Ehrenstein, G. W., Riedel, G., Trawiel, P., Praxis der Thermischen Analyse von Kunststoffen, 2. Aufl. Carl Hanser Verlag, München, 2003
- Hemminger, W. F., Methoden der thermischen Analyse, Springer Verlag Heidelberg, 1989
- Kämpf, G., Industrielle Methoden der Kunststoffcharakterisierung, Carl Hanser Verlag, München, 1996
- Menges, G., Haberstroh, E., Michaeli, E., Schmachtenberg, W., Werkstoffkunde Kunststoffe, 5. Auflage, München, Wien: Carl Hanser Verlag, 2002
- Mezger, T., Das Rheologie-Handbuch, 1. Auflage, Hannover, Vincentz Verlag 2000
- Michler, Georg H., Atlas of Polymer Structures, Hanser Publisher, München,2013
- Oberbach, K. Zur Aussagekraft von Stoßversuchen an Probekörpern für das Zähigkeitsverhalten von Plastformteilen Plaste und Kautschuk 29 (1982) 3, S. 178 - 182
- Oberbach, K., Müller, W., Prüfung von Kunststoffformteilen Carl Hanser Verlag, München, 1986
- Riedel, G., Trawiel, P., Thermische Analyse - Methodenübersicht Hochschulseminar Praxis der Thermischen Analyse
- Rieger, J., The glass transition temperature Tg of polymers, Comparison of the values from differential thermal analysis (DTA, DSC) on dynamic mechanical measurement pendulum) Polymer Testing 20 (2001) 199 - 204
- Rieger, J., Bestimmung der Glastemperatur mittels DSC Z. Kunststoffe 85 (1995) 4, S. 528 - 530
- Rieger, J., Klassifizierung der Kunststoffe und ihrer Zustandsbereiche, in: Altstädt, V. [Hg.] Polymerphysik für die Praxis, Aufbereitung und Verarbeitung. VDI-Gesellschaft Kunststofftechnik, Düsseldorf, 1996

- Rieger, J., Polymer Crystallization viewed in the general Context of particle formation and crystallization. In: Polymer Crystallization – Oberservations, Concept and Interpretations; Lecture Notes in Physics 606, p.7–16, Springer, 2003
- Rudolph, N., mehrfache persönliche Mitteilungen
- Rudolph, N., Druckverfestigung amorpher Thermoplaste, Dissertation FAU Erlangen, Kunststofftechnik, 2009
- Saechtling, H., u. a., Kunststofftaschenbuch, 31. Auflage, Carl Hanser Verlag, München, 2013
- Turi, E., Thermal Characterization of Polymeric Materials, Second Edition, Academic Press inc., Orlando, 1997
- Widmann, G., Riesen, R., Thermoanalyse, Hüthig Verlag, Heidelberg, 1984

3 Oberflächenspannung

Mit Dr.-Ing. Agnieszka Kopczynska, eingefügte Änderungsvorschläge Prof. W. Leiner

3.1 Begriff

Die an Flüssigkeiten messbare Oberflächenspannung gegen den eigenen Dampf oder eine sonstige Gasphase, ist die auf die Oberfläche bezogene freie Enthalpie bzw. freie Energie der Oberfläche. An festen Oberflächen ist die Oberflächenspannung so nicht messbar, obwohl sie naturgemäß auch zu einer geringen Verformung z. B. von Kristallgittern führen muss. Freie Energie und freie Enthalpie der Oberfläche sind gleich, da eine Volumenänderung der kondensierten Phase mit der Änderung ihrer freien Oberfläche nicht messbar, und sicher zu vernachlässigen, ist.

Nach DIN und den durchaus sorgfältigen Darstellungen der Fa. Krüss GmbH und Dataphysics gilt der Begriff „Oberflächenenergie" für Werkstoffe im festen Zustand, die „Oberflächenspannung" dagegen für den flüssigen Zustand. Da der bei weitem größte Anteil der Kunststoffe bei der Verarbeitung beide Zustände und zudem noch Zwischenzustände durchläuft, haben zwei verschiedene Bezeichnungen keinen Sinn. Das Wort **„Oberflächenspannung"** wird hier vereinfachend für die spezifische freie Enthalpie bzw. spezifische freie Energie der Oberfläche (meist angegeben in 10^{-3} J/m² = 10^{-3} N/m = mN/m), sowohl von Flüssigkeiten als auch von Feststoffen gleichermaßen verwendet.

Während die Oberflächenspannung einer Flüssigkeit nur von ihrer stofflichen Zusammensetzung und vom thermodynamischen Zustand (T, p) abhängt, wird die Oberflächenspannung einer festen Oberfläche auch durch den Prozess ihrer Entstehung mitbestimmt, z. B. Erstarren der freien Oberfläche einer Schmelze, Erstarren im Kontakt mit einer Gefäßwand bestimmter Eigenschaften und Spaltung oder Zerreißen eines festen Körpers.

Bei den zwischenmolekularen Wechselwirkungen (Energien bzw. Kräften), welche die Oberflächen-/Grenzflächenspannungen bestimmen, ist zu unterscheiden zwischen:

1. Wechselwirkungen zwischen molekularen Dipolen mit festen Dipolmomenten,

2. Wechselwirkungen polarisierbarer Moleküle oder Gruppen (besonders in Molekülketten oder aromatischen Ringen), bezeichnet als Dispersions- bzw. London-Van-der-Waals- Wechselwirkungen,
3. Wechselwirkungen zwischen beiden und
4. Wechselwirkungen aufgrund von Wasserstoffbrückenbindungen.

In der Literatur wird der Wert der Oberflächenspannung oft aufgeteilt in zwei additive Anteile: einen **polaren** oder nichtdispersiven Anteil und einen dispersiven Anteil. Neben dem aus dem Englischen übernommenen Wort „**dispersiv**" wird auch das Wort „dispers" verwendet; letzteres ist irreführend, da „dispers" üblicherweise eine feine Tröpfchen- oder Partikelverteilung einer Phase in einer anderen bezeichnet.

Somit erscheint der Begriff **dispersiv** eindeutiger, laut Duden und DIN gibt es ihn aber in der deutschen Sprache nicht.

3.2 Einleitung und Definition

Ober- und Grenzflächeneffekte, insbesondere Adhäsion, Benetzung und Spreitung spielen bei vielen technischen Prozessen eine bedeutende Rolle, z. B. beim Verkleben, Lackieren, Bedrucken, Reinigen, Mehrkomponentenspritzgießen, bei Reibung und Verschleiß. Oberflächenspannungen sind maßgebend für die adhäsive Haftung, die Benetzung und den Ausbreitungsdruck (Spreitungsdruck).

Unter einer Oberfläche versteht man die Phasengrenze zwischen einer Flüssigkeit oder einem Festkörper und einem unfinierten Gas, z. B. der normalen Umgebungsluft. Der Begriff Grenzfläche bezeichnet darüber hinaus insbesondere die Kontaktfläche zwischen zwei kondensierten, festen oder flüssigen bzw. einer festen und einer flüssigen Phase.

Die **Oberflächenspannung** ist eine makroskopische Wirkung molekularer Kohäsionskräfte in flüssigen oder festen Stoffen. Auch der vorwiegend für Feststoffe gebräuchliche Begriff **Oberflächenenergie** ist für die Vorstellung des Phänomens durchaus anschaulich.

Ursache für die Oberflächenspannung sind physikalische Wechselwirkungen zwischen benachbarten äußeren Molekülen der kondensierten Phase. Tangential zur Oberfläche heben sich die zwischenmolekularen Kräfte auf ein Molekül der Oberfläche gegenseitig auf; senkrecht dazu fehlen kompensierende molekulare Kräfte auf der Gasseite; es resultiert das Bestreben der Flüssigkeit, möglichst viele Moleküle ins Innere der Phase hineinzuziehen, d. h. die Oberfläche zu verringern.

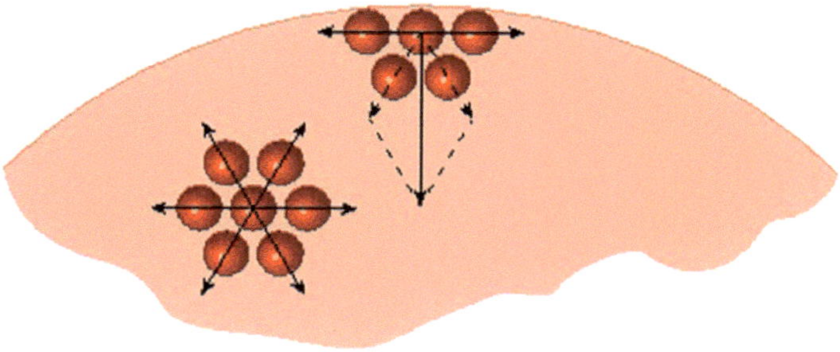

Bild 3.1 Entstehung der Oberflächenspannung

Feststoffe (solids) wie Flüssigkeiten (liquids) besitzen eine stofftypische (und zustandsabhängige (*p*-, *T*-)) Oberflächenspannung. Im festen Zustand kann sie nur indirekt bestimmt werden, weil keine Form- oder Gestaltänderungen ihrer Auswirkung beobachtet und damit gemessen werden können. Experimentell wird die Festkörperoberflächenspannung indirekt aus dem sich im Gleichgewicht einstellenden Randwinkel einer mit der Festkörperoberfläche im Kontakt befindlichen Flüssigkeit bestimmt. Die Oberflächenspannungswerte **von Flüssigkeiten** sind direkten Messungen zugänglich, bzw. werden aus Messergebnissen direkt ermittelt.

Oberflächenspannungsmessungen spielen eine besondere Rolle für die Vorhersage von Benetzungs- und Haftvorgängen, speziell wenn eine Komponente zunächst flüssig ist. Die wichtigsten Phänomene der physikalischen Oberflächenspannungsbetrachtungen werden durch folgende physikalischen Größen gekennzeichnet:

Oberflächenspannnung σ von Werkstoffen im flüssigen σ_l und festem σ_s Zustand. Diese Werte werden zum Verständnis oft aufgeteilt in jeweils einen polaren σ_l^p und σ_s^p und einen dispersiven σ_l^d und σ_s^d Anteil, $\sigma_l = \sigma_l^d + \sigma_l^p$ bzw. $\sigma_s = \sigma_s^d + \sigma_s^p$. Die wichtigste Gleichung der Oberflächenspannungsbetrachtung, die Young'sche Gleichung $(\sigma_s - \gamma_{sl}) / \cos \delta = \sigma_l$ unterscheidet die Anteile nicht. Diese können aber mittels der Grenzflächenspannung γ_{sl} berücksichtigt werden, siehe Abschnitt 3.2.6 und Tabelle 3.9. Im festen Zustand können sie nicht direkt gemessen werden, da Werkstoffe im festen Zustand sich nicht verformen und z. B. keinen Randwinkel ausbilden können.

Die **Grenzflächenspannung** $\gamma_{1,2}$ ist die freie Energie der Kontaktfläche zwischen zwei kondensierten Phasen 1, 2 in vollständigem Kontakt, bezogen auf diese Fläche. Vollständiger Kontakt ist zwischen zwei festen Phasen praktisch nur erreichbar, indem eine der beiden Phasen flüssig mit der anderen in Kontakt gebracht wird. Eine vollständige Kontaktfläche entsteht zwischen zwei festen Phasen, wenn eine flüssige Phase, z. B. ein Kleber, nach dem Zusammenbringen erstarrt. Die Grenzflächenspannung $\gamma_{s,l}$ zwischen einer festen und einer flüssigen Phase ist nicht direkt messbar, sie wird mit Hilfe des beobachtbaren Kontaktwinkels δ ermittelt.

Der **Kontaktwinkel** δ (Randwinkel oder Benetzungswinkel), den die flüssige Phase auf der festen Oberfläche im Gleichgewicht bildet, ist direkt messbar (s. Bild 3.19). Im Ungleichgewicht wird bei vorrückender Randlinie meist ein größerer Kontaktwinkel $\delta_V > \delta$, bei zurückweichender Randlinie ein kleinerer Kontaktwinkel $\delta_R < \delta$, Vorrück- bzw. Rückzugswinkel, als der Wert δ im Gleichgewicht beobachtet (Kontaktwinkelhysterese). Die Gleichung von Young beschreibt den Zusammenhang zwischen beiden Oberflächenspannungen σ_s bzw. σ_l der Grenzflächenspannung γ_{sl} und dem Kontaktwinkel δ nach Art eines Kräftegleichgewichts:

$$\gamma_{sl} = \sigma_s - \sigma_l \cos\delta \tag{3.1}$$

Die **Adhäsionsarbeit W_{ad}** beschreibt die theoretisch notwendige Arbeit zum Trennen zweier Phasen ohne den Energieverzehr durch Verformungen der Phasen. Die auf die Fläche bezogene Adhäsionsarbeit W_{ad} ist die Summe der Oberflächenspannungen beider Phasen, vermindert um die Grenzflächenspannung:

$$W_{ad} = \sigma_1 - \sigma_2 - \gamma_{1,2} \tag{3.2}$$

Die Adhäsionsarbeit lässt sich nach Young und Dupré sowie nach Neumann ermitteln, ohne polare und dispersive Anteile zu trennen, Tabelle 3.9. Owens und Wendt sowie Wu schlagen eine differenziertere Berechnung mit getrennter Berücksichtigung beider Anteile vor. Im Allgemeinen ist die einfachere Berechnung nach Young und Dupré sowie nach Neumann ausreichend, zumal die Streuung der Ergebnisse erheblich ist und Unterschiede überdeckt.

Spreitung oder ideale Benetzung ist die spontane Ausbreitung einer Flüssigkeit auf einer Festkörperoberfläche ohne Ausbildung eines Randwinkels, d. h. wenn $\sigma_s > \sigma_L$ und $\delta = 0$. Der **Spreitungsdruck p_{sp}** bewirkt die Ausbreitung einer Flüssigkeit in Form eines Films auf einer Festköper- oder Flüssigkeitsoberfläche:

$$p_{sp} = \sigma_s \left(\gamma_{s,1} + \sigma_1\right) \tag{3.3}$$

Die **Benetzungsspannung** σ_B ist die treibende Größe für die Benetzung eines Festkörpers durch eine Flüssigkeit:

$$\sigma_B = \sigma_1 \cos\delta \tag{3.4}$$

Benetzung, $\sigma_B > 0$; $\delta < 90°$ zeigt sich als spontanes Vordringen von Flüssigkeit in Porenräume eines Festkörpers, z. B. von Wasser oder einer organischen Flüssigkeit in einer Glaskapillaren. Als **Nichtbenetzung** bezeichnet man Fälle negativer Benetzungsspannung $\sigma_B < 0$; $\delta > 90°$. In diesem Fall wird die Flüssigkeit aus Porenräumen verdrängt, z. B. Quecksilber aus Glaskapillaren (Kapillardepression) oder Wasser von fettigen Oberflächen.

Gute Klebverbindungen erfordern gute Benetzung oder Spreitung der flüssigen Komponente (Kleber), schlechte Benetzung z. B. auch durch Verunreinigungen ist unbedingt zu vermeiden.

Tabelle 3.1 Formelzeichen und Abkürzungen

Griechische Formelzeichen		Begriffe
$\Delta\rho$	g/cm^3	Dichteunterschied
δ	°	Kontaktwinkel
δ_V	°	Vorrückwinkel
δ_R	°	Rückzugswinkel
β	$(m/mN)^2$	Konstante: 0,0001247
η	mPa·s	Viskosität
ρ	g/cm^3	Dichte
ρ_u	g/cm^3	Dichte der Umgebung
σ	mN/m	Oberflächenspannung
σ^d	mN/m	dispersiver Oberflächenspannungsanteil
σ_l	mN/m	Flüssigkeitsoberflächenspannung
σ_l^{**}	mN/m	unkorrigierte Oberflächenspannung
σ^p	mN/m	polarer Oberflächenspannungsanteil
σ_s	mN/m	Festkörperoberflächenspannung
γ_{sl}	mN/m	Grenzflächenspannung
p	bar	Druck
p_{sp}	mN/m	Spreitungsdruck
R	cm	Radius des Ringes (Ringabreiß-Methode)
r	cm	Radius des Ringdrahtes (Ringabreiß-Methode)
R_1, R_2	m	Hauptkrümmungsradien eines Tropfens
R_a	µm	Rauheit: arithmetischer Mittelwert
R_H	N/mm^2	Haftfestigkeit bzw. Haft-Zugfestigkeit
R_z	µm	Rauheit: Summe aus der Höhe der größten Profilspitze und der Tiefe des größten Profiltales
T	°C, K	Temperatur
t	s	Zeit
T_m	°C	Massetemperatur
T_w	°C	Werkzeugtemperatur
V	cm^3	Volumen
W_{ad}	mN/m	Adhäsionsarbeit
W_{Koh}	mN/m	Kohäsionsarbeit bzw. Kohäsionsfestigkeit

Vollständige Benetzung tritt im Grenzfall $\delta = 0°$; $\sigma_B = \sigma_L$ auf, bei welchem Spreitung und Benetzung ineinander übergehen.

Negative Benetzung ist demgegenüber der Fall $\delta > 90°$, bei welchem die Flüssigkeit von der Festkörperoberfläche zurückgedrängt wird, z. B. als Schwierigkeit, PTFE- oder Graphitpulver in reinem Wasser zu dispergieren oder als Kapillardepression.

Folgende Bezeichnungen sind üblich und werden verwendet:

Tabelle 3.2 Wasseraufnahme im Normalklima und bei Wasserlagerung 23 °C (Auszug aus: Johannaber)

Kunststoff	Wasseraufnahme [%] (Richtwert)	
	Normklima (23 °C/50 % rel. Feuchte)	Wasserlagerung (23 °C)
PE-LD, PE-HD	< 0,1	0,002 bis 0,2
PP, PP-GF, PP-M	< 0,1	0,002 bis 0,2
ABS	0,22	0,8
PS	< 0,1	0,2 bis 0,3
SAN	< 0,1	0,2
E-PVC	ca. 0,18	0,5 bis 3,5 (60 °C)
S-PVC		0,3 (60 °C)
PEEK	< 0,1	0,5
PEEK-GF 30	< 0,1	0,11
PEEK-CF 30	< 0,1	0,06
PEI	< 0,7	1,25
PES	0,15	2,1
PI	1,2	3
PMMA	0,6	1,6 bis 2
POM-C	0,2	0,8
POM-H	0,22	0,9
PPE + PS		0,15
PPE + PS-GF	ca. 0,03	0,15
PPS-GF 40	0,01	0,02
PSU	0,22	1,0
PCDF	0,01	0,05
PBT	0,45	0,45
PBT-GF 33	0,1 bis 0,2	0,1 bis 0,2
PC	0,2	0,4
PET	0,35	0,5 bis 0,7
PET-GF 33	0,2	0,25
PSU	0,25	0,6

Kunststoff	Wasseraufnahme [%] (Richtwert)	
	Normklima (23 °C/50 % rel. Feuchte)	Wasserlagerung (23 °C)
PA 6	2,8 bis 3,6	9 bis 10
PA 11	0,8 bis 1,2	ca. 1,8
PA 12	0,7 bis 1,1	1,3 bis 1,9
PA 66	2,5 bis 3,5	7,5 bis 9
PA 610	1,5 bis 2	3 bis 4
PA 612	1,3 bis 2	2,5 bis 2,8
PA 6-3-T	2,6 bis 3	6,2 bis 7
PA Guß	2,3 bis 2,7	7 bis 8
PA 6-GF 30	1,5 bis 2	ca. 6
PA 66-GF 30	1 bis 1,5	ca. 5,5
PA 11-GF 30	ca. 0,54	ca. 1,2
PA 12-GF 30	ca. 0,45	ca. 1,1
CA		3,8 bis 5
CAB		2 bis 2,5
CP		2,3 bis 2,7
UP		ca. 0,4
UP-GF		0,5 bis 2,5
EP	0,5 bis 0,8	0,7 bis 1,5
EP-GF 55	0,3 bis 0,5	ca. 0,8

3.2.1 Grundlagen

Der **Adhäsion und der Oberflächenspannung** liegen großteils die gleichen molekularen Kräfte zugrunde, jedoch erlaubt die Oberflächenspannung ein deutlich umfangreicheres Bild insbesondere im Hinblick auf die Verarbeitung.

Die **molekular betrachteten** Kräfte, die zur Oberflächenspannungen beitragen, sind disperse Bindungen zwischen fluktuierenden Dipolen (auch als Van-der-Waals-Wechselwirkung bekannt) die bei allen Molekülen auftreten und polare Bindungen zwischen permanenten Dipolen bzw. permanenten und fluktuierenden Dipolen, wie sie nur bei polaren Molekülen auftreten. Aus diesem Grund unterscheidet man auch zwischen polarem und dispersem Anteil der Oberflächenspannung, welche sich additiv zur Oberflächenspannung zusammensetzen. Kommt es nun zu einem Kontakt zwischen Festkörper und Flüssigkeit bestimmt die Übereinstimmung der polaren und dispersen Anteile des Festkörpers mit denen der Flüssigkeit die Haftung: je besser diese Anteile proportional zueinander passen desto bessere Haftung wird man erhalten.

Darüber hinaus kann der ganze Prozess aber auch **thermodynamisch betrachtet** werden und folglich die Gesamtenergie des Systems. So sind die Wechselwirkungskräfte zwischen Festkörper und Luft bzw. Flüssigkeit und Luft andere als zwischen Festkörper und Flüssigkeit, wodurch ein großer Kontakt zwischen Festkörper und Flüssigkeit bzw. ein geringer Kontakt (gleichbedeutend mit einem geringeren Kontakt des Festkörpers zur Luft bzw. eines größeren Kontakts des Festkörpers zur Luft) energetisch begünstigt sein kann. Dies kann wieder über die Oberflächenspannung der einzelnen Komponenten beschrieben werden, wodurch sich bei Kenntnis der Oberflächenspannung nicht nur die Haftung der Flüssigkeit auf der Probe sondern auch die Benetzung bestimmen lässt.

Tabelle 3.3 Oberflächenspannung von Messflüssigkeiten
1) nach Fowkes
2) bei 20 °C
3) Kalibrierflüssigkeit für Steighöhenverfahren (Pulver)

Flüssigkeit	Dichte[2)] ρ [g/cm³]	Viskosität[2)] η [mPas·s]	Oberflächenspannung[2)] [mN/m]		
			dispersive Anteile[1)] σ_l^d	polare Anteile[1)] σ_l^p	gesamt σ_l
Wasser	0,9982	1,002	19,9	52,2	72,1
Glycerin	1,2613	1412	21,2	41,5	62,7
Formamid	1,1334	3,810	23,5	33,4	56,9
Methyleniodid	3,3254	2,760	47,4	2,6	50,0
Ethylenglycol	1,1088	21,80	29,0	19,0	48,0
Dimethylsulfoxid	1,1014	2,150	36,0	8,0	44,0
Benzylalkohol	1,0419	6,440	30,3	8,7	39,0
N,N Dimethyl-formamid	0,9487	0,899	32,4	4,9	37,3
Symtetrachlor-Ethan	1,595	1,46	36,0	0,0	36,0
Fumarsäure-diethylester	1,0452	2,850	29,3	2,1	31,4
1-Decanol	0,8297	13,60	22,2	6,3	28,5
p-Cymol	0,8573	0,796	26,5	1,6	28,1
1-Octanol	0,8270	9,120	21,3	6,3	27,6
n-Tetradecan	0,756	2,078	26,6	0,0	26,6
Propanol	0,8035	2,260	20,8	2,9	23,7
Ethanol	0,7893	1,160	17,517,5	4,6	22,1
n-Oktan	0,703	0,542	21,8	0,0	21,8
n-Hexan[3)]	0,6603	0,308	18,43	0	18,4
n-Perfluoroctan[3)]	1,7672	1,630	14,0	0	14,0
n-Perfluorhexan[3)]	1,6995	0,710	11,9	0	11,9

Hierbei gilt, je geringer die Oberflächenspannung der Flüssigkeit oder je höher die Oberflächenenergie des Festkörpers, desto besser die Benetzung. Und auch hier liegt dies wieder an den molekularen Wechselwirkungen die sich durch die van-der-Waals-Kräfte bzw. die Dipol-Dipol-Wechselwirkung ergeben. [Grüßer]

Im flüssigen Zustand ist die Oberflächenspannung neben der Dichte und der Viskosität die dritte wichtige kennzeichnende Größe des Materials.

Korrekterweise bezeichnet die Oberflächenspannung freie Energie der Oberfläche gegen den eigenen Dampf im Gleichgewicht. Da dieses unter normalen Bedingungen aber nicht vorliegt, wird die Oberflächenspannung gegen die normale Umgebungsatmosphäre bestimmt. In Tabelle 3.3 bis Tabelle 3.6 sind Oberflächenspannungswerte für feste Werkstoffe zusammengestellt.

Tabelle 3.4 Oberflächenspannungen fester Werkstoffe

Füll- und Verstärkungsstoffe			
Werkstoff	σ^d [mN/m]	σ^p [mN/m]	σ [mN/m]
Metalle	-	-	1000 bis 5000
Eisen	-	-	1400
Keramik	-	-	500 bis 1500
Quecksilber	-	-	484
Glas	-	-	300
Glimmer	27,3	29,8	67,1

Tabelle 3.5 Oberflächenspannungen von Thermoplasten im festen Zustand bei RT, die aus dem Vorrück- (δ_V) oder Rückzugswinkel (δ_R) berechnet worden sind

Werkstoff	Oberflächenspannung σ [mN/m]						dispersiver Anteil σ^d [mN/m]				polarer Anteil σ^p [mN/m]			
	Neumann		Wu		Owens/Wendt		Wu		Owens/Wendt		Wu		Owens/Wendt	
	σ_V	σ_R	σ_V	σ_R	σ_V	σ_R	σ_V	σ_R	σ_V	σ_R	σ_V	σ_R	σ_V	σ_R
ABS	36,7	55,7	38,3	55,9	40,7	56,1	29,7	20,1	36,2	15,7	8,6	35,5	4,5	40,4
PA 12	33,2	57,8	32,5	58,0	30,1	57,9	23,9	35,1	24,8	34,0	8,6	23,0	5,4	23,9
PA 46	31,5	62,2	31,0	-	29,7	-	23,3	-	26,2	-	7,7	-	3,5	-
PA 6	35,1	57,7	34,5	67,3	35,3	65,9	16,3	25,9	25,4	13,8	18,2	41,4	9,8	52,1
PA 66	29,6	59,6	29,1	-	28,6	-	23,5	-	26,4	-	5,6	-	2,1	-
PBT	33,9	55,5	32,6	59,3	29,6	56,8	19,1	24,8	21,9	21,1	13,6	34,5	7,8	35,6
PC	34,4	50,2	34,0	61,0	35,8	56,7	26,5	40,0	31,6	37,7	7,5	21,0	4,2	19,0
PE	25,7	34,4	25,6	34,1	33,8	30,5	19,3	16,6	33,6	16,1	6,3	17,5	0,2	14,4
PEEK	32,1	50,6	32,3	52,3	33,9	55,9	25,9	37,9	32,4	49,5	6,4	14,4	1,5	6,4
PEI	30,4	58,9	31,6	62,4	30,8	60,8	26,4	26,3	27,5	22,5	5,2	36,1	3,3	38,4
PES	33,6	58,1	34,3	60,6	29,1	59,1	22,5	31,1	21,7	34,2	11,8	29,5	7,4	24,9
PET	30,4	59,7	32,8	64,1	33,1	65,2	27,4	17,8	30,9	10,4	5,5	46,3	2,2	54,8
POM	31,0	56,3	28,0	57,1	23,8	56,5	15,8	39,7	13,3	22,0	12,2	17,3	10,6	34,5
PP	21,7	29,8	24,8	29,3	24,2	27,6	23,5	18,2	24,2	27,6	1,4	11,1	0,1	5,4
PPS	22,0	57,1	20,1	62,4	21,0	57,7	13,1	30,0	19,7	22,4	7,0	32,4	1,4	35,3
PS	28,5	34,0	34,0	33,9	28,4	34,3	32,4	16,5	26,1	16,8	1,6	17,5	2,3	17,5
PSU	28,1	57,2	28,0	60,2	25,1	57,6	20,9	31,1	21,5	29,4	7,2	29,1	3,6	28,2
PTFE	14,9	23,6	15,4	23,9	13,0	21,2	12,6	16,8	12,4	17,4	2,8	7,2	0,5	3,8
PTS	27,8	64,9	27,3	68,7	29,3	67,7	17,2	24,2	26,4	19,1	10,1	44,5	2,9	48,6
PVDF	30,9	51,5	28,5	49,7	26,8	47,4	18,7	22,0	19,4	22,9	9,8	27,8	7,4	24,6
SAN	37,3	53,9	39,1	58,5	37,5	58,1	25,6	23,3	27,7	18,4	13,5	35,2	9,8	39,7

Leider sind keine Werte für **Silikone** angegeben. Die niedrige Oberflächenspannung von Silkonen im Allgemeinen ist vermutlich auch der Grund, weshalb man keine entsprechenden Werte z. B. im Internet findet. Die sehr hohen Kontaktwinkel der einzelnen Testflüssigkeiten bringen die Methode selbst an den Rand einer zuverlässigen Messung. Wenn Messungen nach der Owens/Wendt-Methode für einen Silkonkautschuk insgesamt 8,05 mN/m (6,57 dis. und 1,47 pol.) und nach Wu ingesamt 13,2 mN/m (10,2 dis und 3 pol) ergeben, gemessen mit Wasser, Ethylen-Glykol und Diiodomethan), bestätigen sie die Zweifel an einer zuverlässigen Messungsmöglichkeit. Für Silikonöl selbst werden 19 – 20 mN/m für die Methode des hängenden Tropfens angegeben.

Tabelle 3.6 Oberflächenspannungen verschiedener Duroplaste berechnet aus dem Vorrückwinkel (δ_V) oder Rückzugswinkel (δ_R), siehe Abschnitt 3.2.5

Werkstoff	σ^d [mN/m]			σ^p [mN/m]			σ [mN/m]		
	flüssig	fest		flüssig	fest		flüssig	fest	
	–	σ_V	σ_R	–	σ_V	σ_R	–	σ_V	σ_R
Epoxidharz	19,4	22,6	10,9	14,5	7,9	55,8	33,9	30,5	66,7
Phenolharz	34,0	27,4	27,3	17,8	9,5	33,5	51,8	36,9	60,8
Polyesterharz	21,1	17,1	6,6	13,5	14,7	57,8	34,7	31,8	64,4

Tabelle 3.7 Zusätzliche Oberflächenspannungen von Thermoplaste (Literaturwerte)

Werkstoff	σ [mN/m]	σ^d [mN/m]	σ^p [mN/m]
PIB	33,6	33,6	0,0
PVC	40,1	37,3	2,8
PVA	36,5	25,1	11,4
PMMA	41,1	29,6	11,5
PUR (Elastomer)	40	31	9

Stoffe, die eine sehr hohe, meist überwiegend polare Oberflächenspannung haben, üben auf in der Luft bzw. technischen Umgebung enthaltene Gase und Dämpfe eine starke Anziehung aus und ziehen Bestandteile der Atmosphäre an. Sie verringern die Oberflächenspannung, indem sie sich auf der Oberfläche ablagern, also adsorbieren, sodass eine direkte Messung der Oberflächenspannung der reinen Oberfläche, z. B. von Metallen auch in flüssiger Form unter atmosphärischen Laborbedingungen nicht möglich ist. Die Werte für reine Metalloberflächen im Vakuum liegen bei mehr als 1000 mN/m, für Quecksilber werden Werte um 484 mN/m angegeben.

Die Oberflächenspannungen von Kunststoffen liegen in der Größenordnung von 15 bis 60 mN/m. Bei Metall-Kunststoff-Verbunden haften Kunststoffe umso besser, je höher die polaren Anteile der Kunststoffoberflächenspannung sind, da Metalle polare Oberflächen mit weit höheren Oberflächenspannungswerten haben. In dem Bereich der Kunststoffe liegen auch viele Flüssigkeiten. Flüssigkeiten mit hohen Oberflächenspannungen eignen sich besonders als Prüfflüssigkeiten bei Kunststoffen, da sie definierte Kontaktwinkel bilden.

Kommen zwei Medien in Kontakt, benetzt z. B. ein Klebstoff ein festes Substrat (Unterlage), ohne dass beide chemisch miteinander reagieren oder ineinander diffundieren, bildet sich eine Grenzfläche. Diese ist dadurch gekennzeichnet, dass in der Kontaktfläche die Oberflächen des Substrats und des aufgebrachten Klebstoffs als freie Oberflächen verschwinden. Die Größe der verbleibenden Wirkung wird durch die **Grenzflächenspannung** charakterisiert. Die Grenzflächenspannung kennzeichnet die Instabilität eines Kontaktes, d. h. die Arbeit, die zu seiner Trennung zur Verfügung steht. Je geringer die Grenzflächenspannung ist, desto geringer ist die Lösung der Verbindung durch andere Substanzen, die durch Risse eindringen oder eindiffundieren können. Diese Grenzflächenspannung ist ebenso wie die Festkörperoberflächenspannung nicht direkt messbar.

Direkt messbar sind nur die Flüssigkeit-Oberflächenspannung und der sich im Kontakt zu einer Festkörperoberfläche mit einer Flüssigkeit ausbildende Randwinkel bzw. Kontaktwinkel.

3.2.2 Gleichungen zur Berechnung

Die Beziehung des **Randwinkels**, der Flüssigkeits- und Festoberflächenspannung sowie der Grenzflächenspannung sind durch die **Young'sche Gleichung** gegeben:

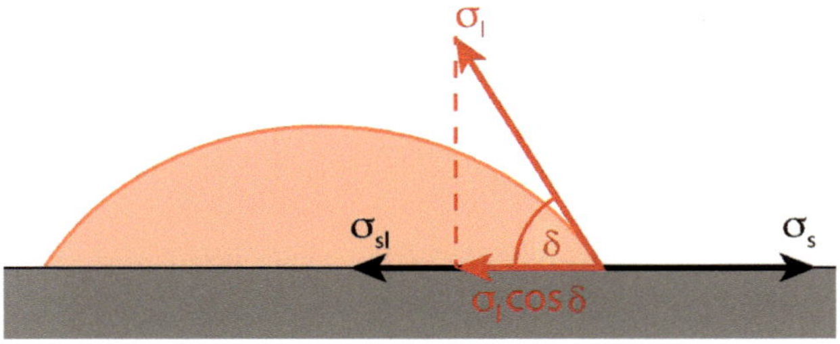

Bild 3.2 Kräftegleichgewicht am liegenden Tropfen $\sigma_s = \sigma_l \cdot \cos\delta - \gamma_{sl}$
mit: σ_s *- Festkörperoberflächenspannung [mN/m]*
σ_l *- Flüssigkeitsoberflächenspannung [mN/m]*
γ_{sl} *- Grenzflächenspannung [mN/m]*
δ *- Kontaktwinkel [Grad]*

3.2.2.1 Benetzungsverhalten und Spreitung

Der Kontaktwinkel ist ein Maß für das Benetzungsverhalten. Um einen Kontaktwinkel $\delta \neq 0°$ messen zu können, muss die Oberflächenspannung der Testflüssigkeit größer als die Oberflächenspannung des Festkörpers sein. Sind die Oberflächenspannung von Testflüssigkeit und Substrat gleich groß oder ist die Oberflächenspannung der Flüssigkeit kleiner als die des festen Substrates, findet eine vollständige Benetzung statt, der Kontaktwinkel wird gleich 0 °.

Als **Benetzung** bezeichnet man die Ausbildung einer Grenzfläche zwischen z. B. einem Klebstoff und einem Festkörper. Um als Maß für das Benetzungsverhalten einen Kontaktwinkel messen zu können, muss die Oberflächenspannung der aufgebrachten Flüssigkeit gleich oder größer als die Oberflächenspannung des Festkörpers sein ($\sigma_l \geq \sigma_s$).

Je größer die Anziehungskraft zwischen den verschiedenen Stoffen ist, umso geringer ist die Grenzflächenspannung. D. h. je kleiner die Grenzflächenspannung ist, desto kleiner wird der Kontaktwinkel und umso besser ist die Benetzung. Ist aber die Oberflächenspannung des Festkörpers viel größer als die der Flüssigkeit, findet auch eine gute Bentzung statt. Die Grenzflächenspannung zwischen den beiden Komponenten wird jedoch groß sein.

Ist der Randwinkel kleiner als 90 °, spricht man davon, dass die Flüssigkeit den Festkörper benetzt; je kleiner der Randwinkel ist, umso besser ist die Benetzung. Von einer guten Benetzung spricht man, wenn die Kontaktwinkelwerte unter 30 ° liegen. Falls die Oberflächenspannung der Flüssigkeit gleich der des Substrates ist, findet eine „vollständige Benetzung" statt und der Randwinkel ist gleich 0 °. Die Grenzflächenspannung nach der Young'schen Gleichung wird dann gleich 0. Ist die Oberflächenspannung der Flüssigkeit kleiner als die des Festkörpers findet ebenfalls eine vollständige Benetzung statt, die Grenzflächenspannung wird dagegen > 0. Bei $\delta = 180°$ läge völlig Nichtbenetzbarkeit vor, in der Praxis gibt es diesen Fall jedoch nicht. Der Kontaktwinkel wird nur näherungsweise 180 °, z. B. bei Quecksilbertropfen auf Kunststoffen oder auf strukturierten Oberflächen im Nanometerbereich. Diese Nichtbenetzbarkeit wird Lotus- bzw. Lotos-Effekt genannt.

Die Benetzung einer Flüssigkeit auf einem Substrat kann durch Beeinflussung der Oberflächenspannungen von Substrat und Flüssigkeit gefördert werden (kleiner Kontaktwinkel) indem man die Oberflächenspannung des Substrates erhöht (z. B. durch Behandlung der Oberfläche mittels Plasma) oder durch Erniedrigung der Oberflächenspannung der Flüssigkeit (z. B. Erwärmung). Dabei ist die Sauberkeit der Oberfläche sehr relevant. Verschmutzungen wie z. B. Fett stören das Benetzungsverhalten.

Die Neigung zur Benetzung des Festkörpers kennzeichnet der **Spreitungsdruck** (p_{Sp}) bzw. **Spreitungskoeffizient**. Im englischen Sprachraum wird der Spreitungsdruck auch als **Gleichgewichtsspreitungsdruck** (engl.: equilibrium spreading pressure) bezeichnet.

Bitte beachten: Der Grenzfall $\delta = 0°$; $\sigma_s = \sigma_l$; $\gamma_{sl} = 0$ der Young'schen Gleichung gilt nur exakt, wenn beide Oberflächenspannungen auch gleiche polare bzw. dispersive Anteile aufweisen.

Die Summe der polaren und dispersiven Anteile bestimmt die Situationen in Bild 3.3.

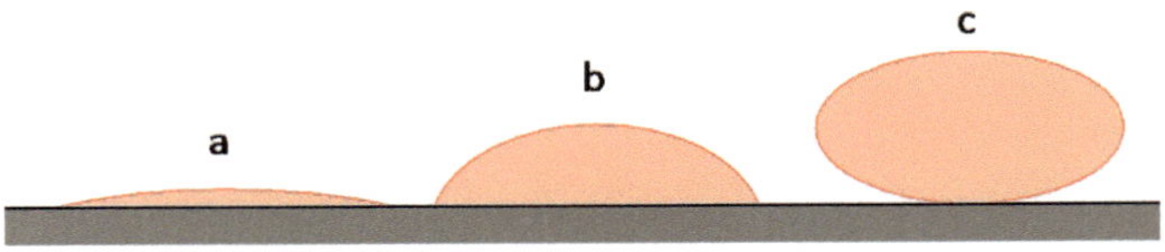

Bild 3.3 Schematische Darstellung typischer Benetzungsvarianten
a: völlige Benetzung ($\sigma_l \leq \sigma_s$, $\delta \cong 0°$)
b: definierte Benetzung ($\sigma_l > \sigma_s$)
c: völlige Nichtbenetzbarkeit ($\sigma_l >> \sigma_s$)

Die die Benetzung bestimmenden Oberflächenspannungen werden durch den Spreitungsdruck p_{sp} gekennzeichnet.

$$\sigma_s - (\gamma_{sl} + \sigma_l) \equiv p_{sp} > 0 \tag{3.5}$$

Gute bis ausreichende Benetzungsverhältnisse liegen vor, wenn der Kontaktwinkel $\delta < 30°$ beträgt. Bei $\delta = 180°$ läge völlige Nichtbenetzbarkeit vor, in der Praxis gibt es diesen Fall nicht. Der Kontaktwinkel kann näherungsweise 180° werden, z. B. auf strukturierten Oberflächen im Nanobereich. Diese Nichtbenetzbarkeit wird auch Lotos-Effekt genannt.

3.2.2.2 Adhäsion

Adhäsion ist der rein physikalische Zustand des Zusammenhalts zweier kondensierter Phasen im direkten Kontakt.

Die Adhäsionsarbeit W_{ad} ist die Arbeit, die zwei angrenzende Phasen einer Flüssig-flüssig- oder Flüssig-fest-Grenzfläche zusammenhält und aufgebracht werden müsste, um die Grenzfläche wieder zu trennen. Bei der Bildung der Grenzfläche ist sie die Energie, die beim Vorgang der Benetzung frei wird. Je höher die Adhäsionsarbeit ist, umso größer ist deren Haftung aufeinander Die Einheit der Adhäsionsarbeit lautet [mN/m]. Der Vorgang ist damit reversibel.

Bei der Benetzung einer Phase durch eine andere verschwinden die beiden zuvor vorhandenen Oberflächen äußerlich, weshalb aufgrund der jeweiligen Oberflächenspannung der beiden Phasenflächen Energie frei wird. Gleichzeitig wird bei der Bildung der Grenzfläche Arbeit gebunden, die als Grenzflächenspannung bezeichnet wird.

Bei einer Flüssig-fest-Phasengrenze kann die Adhäsionsarbeit W_{ls} (l für *liquid*; s für *solid*) oder W_{ad} nach der Young-Dupré'schen Gleichung aus dem Kontaktwinkel δ berechnet werden:

$$W_{ls} = \sigma_1 \left(1 + \cos\delta\right) \quad \text{oder} \quad W_{ad.} = \sigma_s + \sigma_1 - \sigma_s \tag{3.6}$$

Je höher die Adhäsionsarbeit ist, umso größer ist die physikalische Haftung. In Tabelle 3.3 sind die Gleichungen zur Auswertung der Adhäsionsarbeit und der Grenzflächenspannung zusammengestellt.

Tabelle 3.8 Adhäsionsarbeit nach Dupré' berechnet mittels der Grenzflächenspannungen nach Young, Neumann, Wu und Owens/Wendt

Autoren	Adhäsionsarbeit [mN/m]	Grenzflächenspannung [mN/m]
Young	$W_{ad} = \sigma_1\left(1+\cos\vartheta\right)$	$\sigma_{sl} = \sigma_s - \sigma_1 \cdot \cos\vartheta$
Neumann	$W_{ad} = \sqrt[2]{\sigma_s\sigma_1} \cdot e^{-\beta(\sigma_1-\sigma_s)^2}$	$\sigma_{sl} = \sigma_1 - \sigma_s - \sqrt[2]{\sigma_s\sigma_1} \cdot e^{-\beta(\sigma_1-\sigma_s)^2}$
Wu	$W_{ad} = 4\left(\frac{\sigma_1^d\sigma_s^d}{\sigma_1^d+\sigma_s^d} + \frac{\sigma_1^p\sigma_s^p}{\sigma_1^p+\sigma_s^p}\right)$	$\sigma_{sl} = \sigma_s - \sigma_1 - 4\left(\frac{\sigma_1^d\sigma_s^d}{\sigma_1^d+\sigma_s^d} + \frac{\sigma_1^p\sigma_s^p}{\sigma_1^p+\sigma_s^p}\right)$
Owens/Wendt	$W_{ad} = 2\left(\sqrt{\sigma_1^d\sigma_s^d} + \sqrt{\sigma_1^p\sigma_s^p}\right)$	$\sigma_{sl} = \sigma_s - \sigma_1 - 2\left(\sqrt{\sigma_1^d\sigma_s^d} + \sqrt{\sigma_1^p\sigma_s^p}\right)$

Die Adhäsionsarbeit ist das Maß für die Festigkeit des Kontaktes zwischen zwei Phasen. Ihre Kenntnis ist daher wichtig für Vorgänge wie Coating, Lackierung, Reinigung, Drucken, hydrophobe oder hydrophile Beschichtung, Kleben, Dispergierung.

Die Adhäsionsarbeit wird durch die Erhöhung der Oberflächenspannung beider Komponenten erhöht. Da die Oberflächenspannung der benetzenden Flüssigkeit praktisch nicht erhöht werden kann, diese aber häufig höher als die des Substrats ist, muss die Oberflächenspannung des Substrats erhöht werden z. B. durch Oberflächenbehandlung. Bild 3.5 zeigt, dass die Adhäsion maximale Werte erreicht, wenn der Spreitungsdruck ≥ 0 und die Grenzflächenspannung = 0 ist.

Durch den Kontakt der Komponenten aufeinander stellt sich eine Haftung (Adhäsion) ein. Diese Haftung ist durch die **Adhäsionsarbeit** (Dupré) W_{ad} gekennzeichnet ist.

$$W_{ad} = \sigma_s + \sigma_1 - \gamma_{sl} \tag{3.7}$$

Die Adhäsionsarbeit ist am höchsten, wenn die Oberflächenspannungen beider Komponenten gleich hoch sind, da dann die Grenzflächenspannung gleich 0 ist. Risse in Festkörpern bilden zwei neue Oberflächen mit gleichen Oberflächenspannungen. Eine **Kohäsionsarbeit** daraus zu berechnen ist sinnlos, weil Rissbildung in Kunststoffen immer mit Verformungsarbeit verbunden ist, die normalerweise viel größer ist.

Da die Grenzflächen- und die Oberflächenspannungen auf Kräften zwischen Atomen oder Molekülen beruhen, kann es sinnvoll sein, die Polarität zu berücksichtigen. Zu den unpolaren Kräften gehören die Dispersionskräfte (London-Kräfte), zu den polaren Kräften die zwischen dipolaren Molekülgruppen bestehenden Wirkungen sowie die Wasserstoffbrückenbindungen. Die Oberflächenspannung lässt sich in einen unpolaren dispersiven (σ^d) Anteil und einen polaren (σ^p) Anteil aufteilen [10].

$$\sigma = \sigma^d + \sigma^p \tag{3.8}$$

3.2.3 Bestimmung der Oberflächenspannung

Die Gleichung von Young beschreibt die Zusammenhänge zwischen der Oberflächenspannung von Flüssigkeit und Festkörper, sowie die Grenzflächenspannung zwischen den beiden Komponenten. Da die Grenzflächenspannung experimentell nicht zugänglich ist, wurden von verschiedenen Autoren empirische Zusammenhänge zwischen der Grenzflächenspannung und den Oberflächenspannungen von Festkörpern und Flüssigkeiten aufgestellt. Die Oberflächenspannung von Festkörpern wird somit aus der Young'schen Gleichung in Verbindung mit den Gleichungen von Neumann, Wu sowie Owens und Wendt berechnet. Tabelle 3.9 stellt die Gleichungen zusammen:

Tabelle 3.9 Gleichungen nach Young, Neumann, Wu und Owens/Wendt
γ_{sl} - Grenzflächenspannung [mN/m]
σ_s - Oberflächenspannung des Festkörpers [mN/m]
σ_l - Oberflächenspannung der Flüssigkeit [mN/m]
δ - Kontaktwinkel [°]
β - Konstante: 0,0001247 (m/mN)^2
σ^d - dispersiver Oberflächenspannungsanteil [mN/m]
σ^p - polarer Oberflächenspannungsanteil [mN/m]

Autor	Gleichung	Anmerkung
Young	Grenzflächenspannung [mN/m]: $\gamma_{sl} = \sigma_s - \sigma_l \cdot \cos\delta$ Adhäsionsarbeit [mN/m]: $W_{ad} = \sigma_l(1+\cos\delta)$	Oberflächenspannung von Festkörpern nur in Verbindung mit Gleichungen von Neumann, Wu oder Owens/Wendt auswertbar

Autor	Gleichung	Anmerkung
Neumann II	Grenzflächenspannung [mN/m]: $\gamma_{sl} = \sigma_l + \sigma_s - 2\sqrt{\sigma_s \sigma_l} e^{-\beta(\sigma_l - \sigma_s)^2}$ Adhäsionsarbeit [mN/m]: $W_{ad} = 2\sqrt{\sigma_s \cdot \sigma_l} \cdot e^{-\beta(\sigma_l - \sigma_s)^2}$	nur eine Testflüssigkeit erforderlich
Wu	Grenzflächenspannung [mN/m]: $\gamma_{sl} = \sigma_s + \sigma_l - 4\left(\frac{\sigma_l^d \sigma_s^d}{\sigma_l^d + \sigma_s^d} + \frac{\sigma_l^p \sigma_s^p}{\sigma_l^p + \sigma_s^p}\right)$ Adhäsionsarbeit [mN/m]: $W_{ad} = 4\left(\frac{\sigma_l^d \sigma_s^d}{\sigma_l^d + \sigma_s^d} + \frac{\sigma_l^p \sigma_s^p}{\sigma_l^p + \sigma_s^p}\right)$	▪ mindestens zwei Testflüssigkeiten erforderlich ▪ Bestimmung der polaren und dispersiven Anteile
Owens/Wendt	Grenzflächenspannung [mN/m]: $\gamma_{sl} = \sigma_s + \sigma_l - 2\left(\sqrt{\sigma_l^d \sigma_s^d} + \sqrt{\sigma_l^p \sigma_s^p}\right)$ Adhäsionsarbeit [mN/m]: $W_{ad} = 2\left(\sqrt{\sigma_l^d \sigma_s^d} + \sqrt{\sigma_l^p \sigma_s^p}\right)$	▪ mindestens zwei Testflüssigkeiten erforderlich ▪ Bestimmung der polaren und dispersiven Anteile

Grundsätzlich gilt, dass die Oberflächenspannungen von Festkörpern höchstens auf eine Streubreite von 10 % einigermaßen sicher gemessen werden können.

Bei der Bestimmung des Randwinkels ist zu berücksichtigen, dass beim Aufbringen des 1 bis 3 µl großen Tropfens sich dieser ausbreitet. Man spricht von einem **Vorrückwinkel**, Bild 3.4. Saugt man mittels einer Kanüle etwas Messflüssigkeit ab, zieht sich der Tropfen zurück, der Randwinkel wird kleiner und es bildet sich der sog. **Rückzugswinkel**. Beide Winkel kennzeichnen die Oberflächenbenetzung durch die Messflüssigkeit. Der kleinere Rückzugswinkel ergibt einen höheren Oberflächenspannungswert für das Substrat als der größere Vorrückwinkel. Die Unterschiede können recht groß sein und bis zu 50 % und mehr betragen. Die wahre Oberflächenspannung ergibt sich aus einem fiktiven Winkel der zwischen beiden Werten liegen muss.

Für einige Autoren bleibt die reale, richtige Oberflächenspannung diejenige, die sich aus dem Vorrückwinkel ergibt. Alles andere ist messtechnisch kaum zu ermitteln. Der Rückzugswinkel und die Kontaktwinkelhysterese bleiben aber genauso relevant wie die Oberflächenspannung selbst. Für alle Haftungs- und Benetzungsvorgänge sind sowohl der Vorrück- als auch der Rückzugswinkel von großer Bedeutung und eine Messung z. B. nur mit dem Vorrückwinkel ist nicht vollständig.

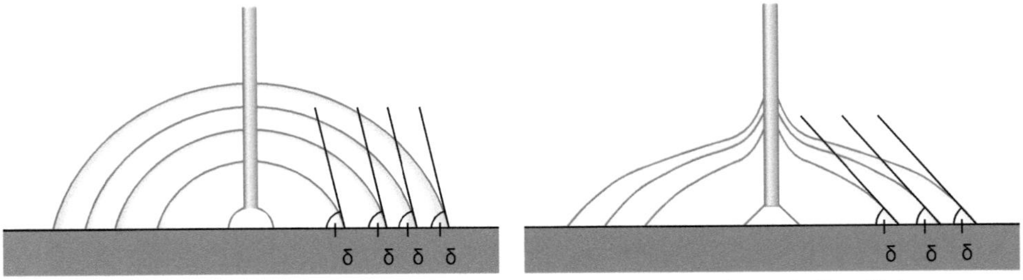

Vorrückende Randlinie *zurückweichende Randlinie*

Bild 3.4 Schematische Darstellung des Vorrückwinkels δ_V und des Rückzugwinkels δ_R

> Von Flüssigkeiten, also auch Kunststoffschmelzen, kann man die Oberflächenspannung eindeutig bestimmen; von festen Kunststoffsubstraten sind zwei Werte nötig (näheres in Abschnitt 3.2.8.3.2).

Die durch die Oberflächenspannungen bestimmten Funktionsgrößen sind die Adhäsionsarbeit, die Grenzflächenspannung und der Spreitungsdruck.

Die **Adhäsionsarbeit** kennzeichnet die physikalische Haftung zwischen zwei Komponenten. Im Bezug auf den Randwinkel ist dabei aber zu berücksichtigen, dass der Wert der Adhäsionsarbeit mit kleinerem Randwinkel zunimmt. Die Gefahr der Manipulation ist somit gegeben.

Die Grenzflächenspannung γ ist die freie Energie der Grenzfläche, die ihre Reduzierung begünstigt. Je niedriger sie ist, umso energetisch stabiler ist die Verbindung.

Der (Ausbreitungs-) **Spreitungsdruck** kennzeichnet das Potential zur Benetzung des Substrates.

Bild 3.5 kennzeichnet die einigermaßen komplizierten Beziehungen bei einem flüssigen Epoxidharzkleber auf festen Substraten mit unterschiedlichen Oberflächenspannungen und das Verhalten von Flüssigkeiten mit unterschiedlichen Oberflächenspannungen auf einer Polycarbonatoberfläche.

Die Adhäsionsarbeit wird durch die Erhöhung der Oberflächenspannung beider Komponenten erhöht. Wenn sich die Oberflächenspannung der benetzenden Flüssigkeit praktisch nicht erhöht bzw. eine Flüssigkeit mit höherer Oberflächenspannung gewählt werden kann, diese aber häufig höher als die des Substrates liegt, muss die Oberflächenspannung des Substrates erhöht werden z. B. durch Oberflächenbehandlung oder Wahl eines anderen Substrates.

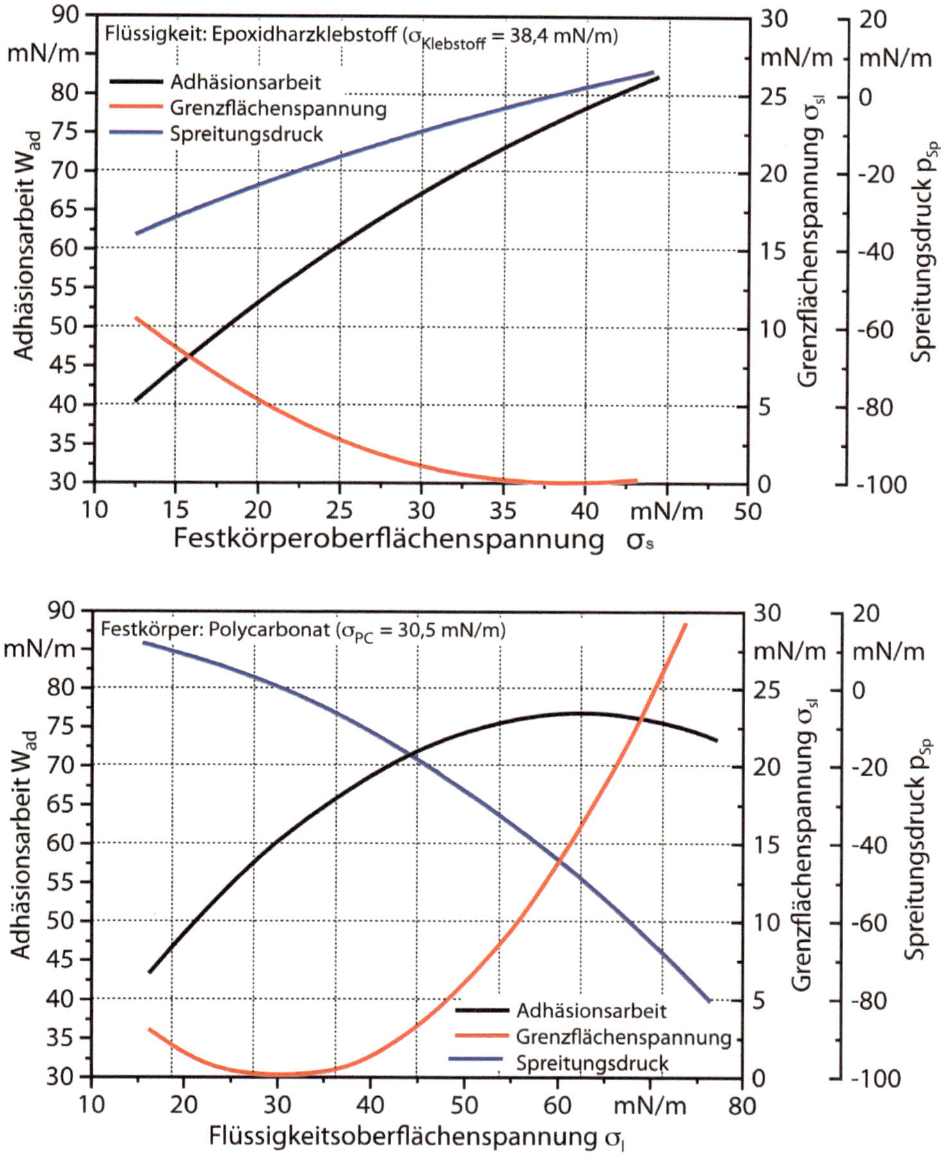

Bild 3.5 Adhäsionsarbeit [Dupré], Grenzflächenspannung [Neumann] und Spreitungsdruck in Abhängigkeit von der Oberflächenspannung, theoretische Werte.
oben: EP-Harzklebstoff auf Substraten unterschiedlicher Oberflächenspannung
unten: PC in Flüssigkeiten unterschiedlicher Oberflächenspannung

In Bild 3.5 oben ist zu erkennen, dass die Adhäsion maximale Werte annimmt, wenn der Spreitungsdruck ≥ 0 und die Grenzflächenspannung $= 0$ annehmen. Im Fall des unteren Bildes beträgt das berechnete Maximum der Adhäsionsarbeit ca. 77 mN/m und liegt bei einer Flüssigkeitsoberflächenspannung von ca. 60 mN/m. Bei der Adhäsionsarbeit von 77 mN/m ist hingegen der Spreitungsdruck < 0 und die Grenzflächenspannung > 0, somit wird die Voraussetzung für eine maximale Benetzung und Haftung nicht erfüllt. Werden diese Vorgaben für den Spreitungsdruck und die Grenzflächenspannung berücksichtigt, liegt das Maximum der Adhäsionsarbeit bei ca. 60 mN/m. Eine alleinige Betrachtung der Adhäsionsarbeit ist also nicht ausreichend. Der Spreitungsdruck und die Grenzflächenspannung müssen aus rein fertigungstechnischen Gründen mitberücksichtigt werden.

Häufig zu findende Faustregeln, dass möglichst hohe Oberflächenspannungen der Komponenten automatisch eine bessere Haftung ergeben, sind mit Vorsicht zu genießen, da z.B. die Benetzung dadurch deutlich verschlechtert und die Ausbreitung eines flüssigen Klebers unvollständig werden kann oder dass die adhäsive Haftung ein Maximum durchläuft.

3.2.4 Messverfahren von Flüssigkeiten und Schmelzen

Die Oberflächenspannung von Flüssigkeiten kann mit zwei getrennten Methoden bestimmt werden. Mit einem Tensiometer wird die Gesamt-Oberflächenspannung gemessen. Mit einer Kontaktwinkelmessung auf einem rein dispersen Festkörper wird der disperse Anteil der Oberflächenspannung gemessen. Aus der Differenz von Gesamt-Oberflächenspannung und dispersem Anteil wird abschließend der polare Anteil berechnet.

3.2.4.1 Ringmethode

Die Ringmethode von Lecomte de Noüy ist eine verbreitete tensiometrische Methode, um die Oberflächenspannung von Flüssigkeiten zu bestimmen, Bild 3.6.

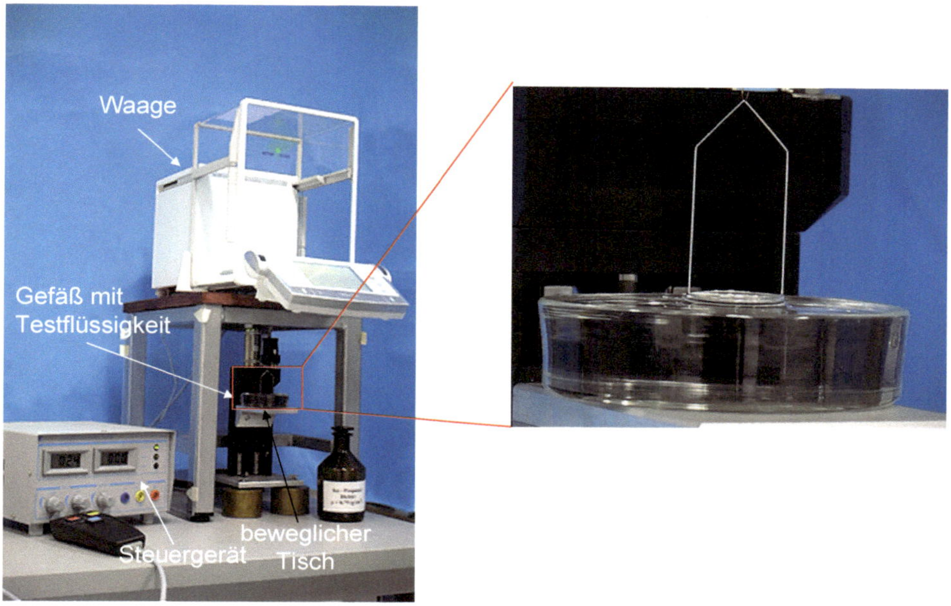

Bild 3.6 Tensiometrische Messapparatur für die Bestimmung der Oberflächenspannung von Flüssigkeiten (Eigenbau)
rechts: Detailaufnahme des Ringes

Ein waagerecht an einer Waage aufgehängter, zuvor durch Glühen in einer rußfreien Alkoholflamme gereinigter Platinring mit bekannten Abmessungen wird in die zu messende Flüssigkeit eingetaucht, die sich in einem Gefäß befindet. Bei langsamem Herausziehen des voll benetzten Ringes bildet sich eine Flüssigkeitslamelle aus. Die beim Reißen der Lamelle auftretende maximale Kraft wird gemessen.

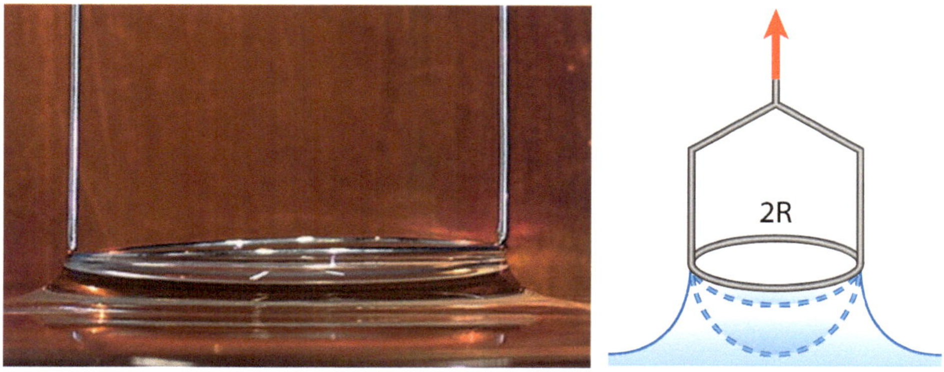

Bild 3.7 Ringabreiß-Methode zur Bestimmung der Oberflächenspannung von Flüssigkeiten

Die Oberflächenspannung ergibt sich nach Lecomte de Noüy:

$$\sigma_l = \frac{P}{4 \cdot \pi \cdot R} \cdot F = \frac{m \cdot g}{4 \cdot \pi \cdot R} \cdot F \tag{3.9}$$

mit: σ_l *- Oberflächenspannung der Flüssigkeit [mN/m]*
P *- maximale Kraft beim Herausziehen des Ringes [N]*
R *- Radius des Ringes [cm]*
m *- Masse der hochgezogenen Flüssigkeit [g]*
g *- Erdbeschleunigung [cm/s²]*
F *- Korrekturfaktor [-]*

Die sich ergebende Oberflächenspannung ist nur ein angenäherter Wert und muss noch korrigiert werden. Der Korrekturfaktor berücksichtigt das Gewicht der vom Ring angehobenen Flüssigkeit [8].

Korrekturfaktor

William D. Harkins und **Hubert F. Jordan** haben festgestellt, dass der Korrekturfaktor eine Funktion von R^3/V und R/r ist.

$$V = \frac{m}{\rho} \tag{3.10}$$

mit: V *- Volumen aufgehobener Flüssigkeit vor dem Abreiß von Ring [cm³]*
m *- Masse der aufgehobenen Flüssigkeit [g]*
ρ *- Dichte der Flüssigkeit [g/cm³]*
r *- Ringdrahtradius [cm]*

Der Korrekturwert wird anhand des Quotienten R^3/V und $R/$r aus den Tabellen von Harkins und Jordan entnommen. Der Tabellenwert ist mit dem nicht korrigierten Oberflächenspannungswert zu multiplizieren. Der Korrekturfaktor von Harkins und Jordan ist zu verwenden, wenn R^3/V zwischen 0,30 und 3,50 liegt.

Bei kleineren R^3/V als 0,30 wird der Korrekturfaktor nach der Formel von Zuidema und Waters und [14] berechnet.

$$F = 0{,}725 + \sqrt{\frac{0{,}01452 \cdot \sigma_l^*}{4(\pi \cdot R^2)^2 \cdot (\rho - \rho_u)} + 0{,}04534 - \frac{1{,}679}{R}} \tag{3.11}$$

mit: σ_l^* *- unkorrigierte Oberflächenspannung der Testflüssigkeit [mN/m]*
ρ_u *- Dichte der Umgebung (z. B. Luft; ρ Luft = 0,0012 g/cm³) [g/cm³]*

Falls R^3/V größer 3,50 ist, sind zur Berechnung der Oberflächenspannung die Tabellenwerte von Fox und Chrisman [2] zu verwenden.

Beispiel

Die Oberflächenspannung von Wasser wurde mit der Ringabreiß-Methode gemessen und mit dem Korrekturfaktor von Harkins und Jordan ausgewertet, Tabelle 3.10.

Tabelle 3.10 Oberflächenspannung von Wasser, Ringabreiß-Methode
σ_l - Oberflächenspannung ohne Korrektur*
F_{HJ} - Korrekturfaktor nach Harkins und Jordan

	M [g]	R [cm]	r [cm]	σ_l* [mN/m]	r [g/cm³]	R^3/V [-]	R/r [-]	F_{HJ} [-]	σ_l [mN/m]
Wasser	0,923006	0,9724	0,0182	74,1	0,995	0,99	53	0,935	69,3

3.2.4.2 Wilhelmy-Plättchen-Methode

Die nach ihrem Erfinder Wilhelmy (1863) benannte Methode basiert wie die Ringabreiß-Methode auf einer Kraftmessung.

Ein dünnes aufgerautes in einer Alkoholflamme ausgeglühtes Platin-Plättchen mit bekannten Abmessungen wird senkrecht auf eine Flüssigkeitsoberfläche aufgesetzt. Die zu messende Flüssigkeit bildet dabei eine am Plättchen haftende Lamelle. Bei der Eintauchtiefe 0 mm wird die Benetzungskraft P gemessen.

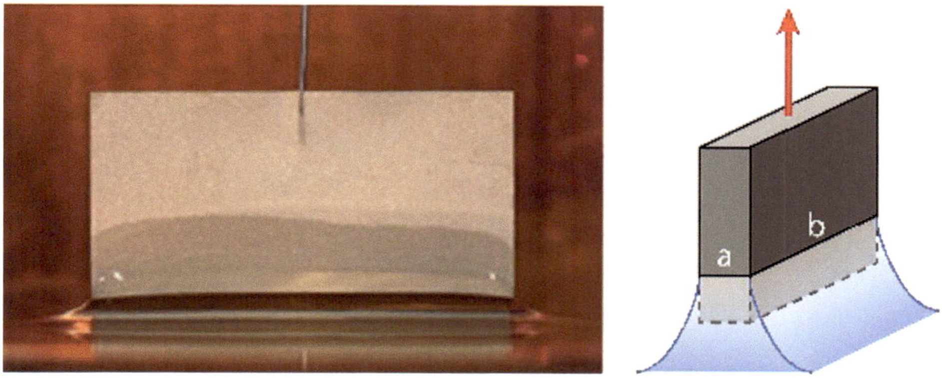

Bild 3.8 Wilhelmy-Plättchen-Methode zur Bestimmung der Oberflächenspannung von Flüssigkeiten

Die Oberflächenspannung nach der **Wilhelmy-Plättchen-Methode** wird aus der Kraft P berechnet:

$$\sigma_l = \frac{P}{2(a+b)} = \frac{m \cdot g}{2(a+b)} \tag{3.12}$$

mit: σ_l *- Oberflächenspannung der Flüssigkeit [mN/m]*
P *- gemessene Kraft [N]*
a, b *- Länge und Breite der Platte; 2(a+b): benetzende Linie [cm]*
m *- Masse der hochgezogenen Flüssigkeit [g]*
g *- Erdbeschleunigung [cm/s²]*

Beispiel

Mit der Wilhelmy-Plättchen-Methode wurde die Oberflächenspannung von Wasser gemessen. Die Tabelle 3.11 stellt das Ergebnis dar:

Tabelle 3.11 Oberflächenspannung von Wasser, Wilhelmy-Plättchen-Methode

	m [g]	g [cm/s²]	a [cm]	b [cm]	σ_l [mN/m]
Wasser	0,29053	980,665	0,0593	1,9638	72,4

3.2.4.3 Methode des hängenden Tropfens

Die Methode des hängenden Tropfens ist eine universelle Methode, um die Oberflächenspannung von Flüssigkeiten schnell zu bestimmen. Hierbei wird die Oberflächenspannung aus der Kontur eines hängenden Tropfens bestimmt.

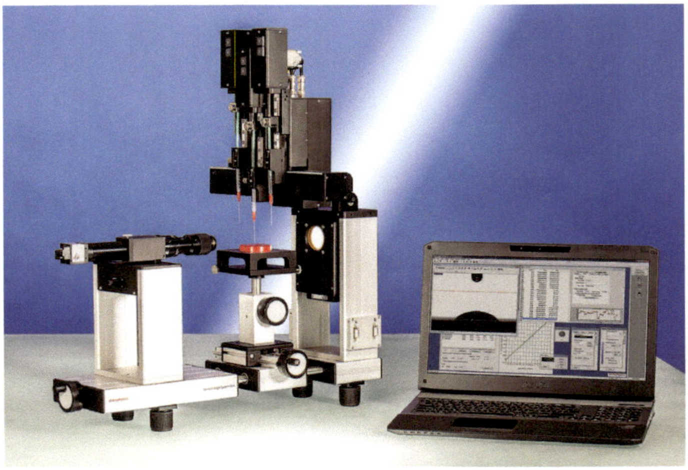

Bild 3.9 Oberflächenspannungsmessgerät OCA 20, Fa. DataPhysics, Filderstadt

Mit einem manuell oder elektronisch bewegten Spritzenmodul wird ein Tropfen aus einer Nadel dosiert. Der Tropfen bildet sich am unteren Ende der Dosiernadel. Er sollte so groß wie möglich sein, was bei langsamer und kontinuierlicher Dosierung einfach erreichbar ist.

Die Form des Tropfens wird hauptsächlich durch zwei Kräfte bestimmt (die Schwerkraft und die Oberflächenspannung). Die Tropfenform ist charakteristisch für den Gleichgewichtszustand der beiden Kräfte. Dieses Kräftegleichgewicht wird durch die Young-Laplace-Gleichung mathematisch exakt beschrieben.

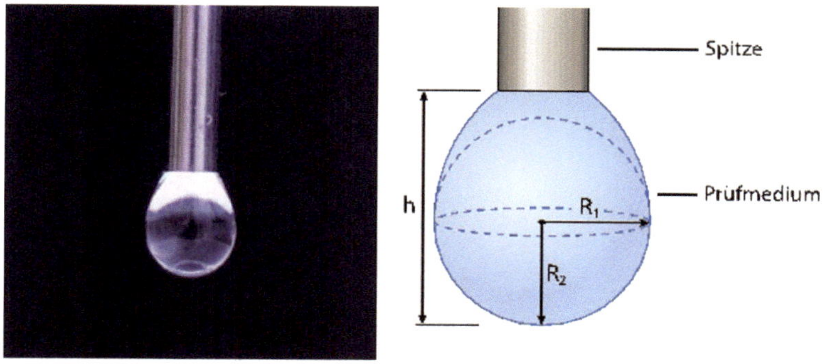

Bild 3.10 Hängender-Tropfen-Methode (Pendant-Drop) zur Bestimmung der Oberflächenspannung von Flüssigkeiten

Die Oberflächenspannung nach der Methode des hängenden Tropfens wird mit Hilfe der Young-Laplace-Gleichung berechnet [6].

$$\sigma_l \cdot \left(\frac{1}{R_1} + \frac{1}{R_2}\right) = \rho \cdot g \cdot h \qquad (3.13)$$

mit σ_l *- Oberflächenspannung der Flüssigkeit [mN/m]*
R_1, R_2 *- Hauptkrümmungsradien [m]*
ρ *- Dichte der Flüssigkeit [g/cm³]*
g *- Erdbeschleunigung [m/s²]*
h *- vertikale Höhe des Tropfens [m]*

Die Methode eignet sich zur Messung der Oberflächenspannung von Flüssigkeiten bei höheren Temperaturen. Die Messung wird in einer bis zu 400 °C erhitzten Messzelle durchgeführt. Um z. B. Abbaureaktionen an heißen Kunststoffschmelzen zu verhindern, kann die Messzelle mit inertem Gas gespült werden. Pendant-Drop-Messungen sind heutzutage auch bei höheren Temperaturen bis 400 bzw. 700 °C möglich, um Hochtemperaturschmelzen zu charakterisieren.

Beispiel

In Tabelle 3.12 ist die Oberflächenspannung von Wasser, die mit der Hängenden-Tropfen-Methode gemessen wurde, dargestellt.

Tabelle 3.12 Oberflächenspannung von Wasser, hängender Tropfen Methode

	ρ [g/cm^3]	σ_l [mN/m]
Wasser	0,9969	71,2

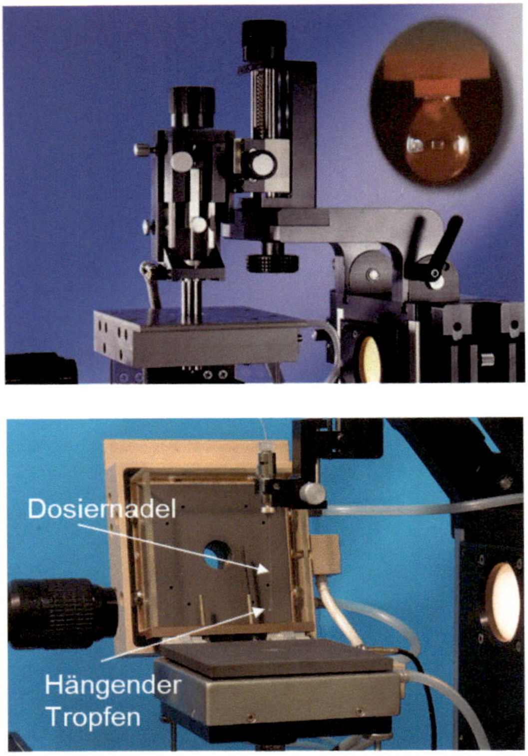

Bild 3.11 Nadelheizeinrichtung NHD 400 zur Messung der Oberflächenspannung von geschmolzenen Polymeren mit Tropfenkonturanalyse (oben) und optischen Kontaktwinkel (unten), Fa. DataPhysics Instruments, Filderstadt.

3.2.4.4 Lamellen-Methode

Mit der Lamellen-Methode lassen sich Oberflächenspannungen hochviskoser Medien schnell auch bei höheren Temperaturen bestimmen. Die Methode basiert wie die Pendant-Drop-Methode auf dem Kräftegewicht zwischen Oberflächenspannung und Schwerkraft.

Der Probebehälter muss vollständig gefüllt (leicht überfüllt) werden. Die Flüssigkeit soll die gesamte Oberfläche des Behälters überdecken und soll so eben wie möglich sein. Der kugelförmige Probekörper (Nadel) wird in Kontakt mit der Flüssigkeitsoberfläche gebracht. Es bildet sich dabei eine Flüssigkeitslamelle über die ganze Oberfläche aus.

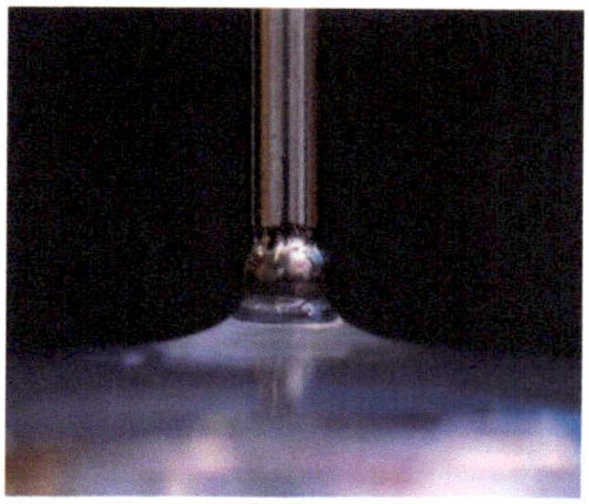
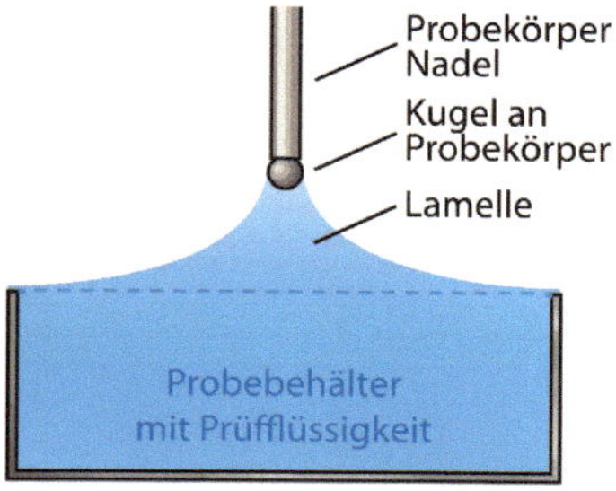

Bild 3.12 Lamellen-Methode zur Bestimmung der Oberflächenspannung von Flüssigkeiten und Polymerschmelzen

Basierend auf der Young-Laplace'schen-Gleichung kann die Oberflächenspannung der Flüssigkeit berechnet werden, wenn die Kontur der Lamelle, die Schwerkraft und die Dichte der Flüssigkeit bekannt sind.

Beispiel

Die Oberflächenspannung von Wasser, die mit der Lamellen-Methode gemessen wurde, stellt die Tabelle 3.13 dar:

Tabelle 3.13 Oberflächenspannung von Wasser, Lamellen-Methode
ρ - Dichte des Wassers
σ_l - Oberflächenspannung des Wassers

	ρ [g/cm^3]	σ_l [mN/m]
Wasser	0,9969	69,5

3.2.4.5 Einfluss auf die Struktur der Kunststoffe

Mit dem Metallstempel kann die Oberflächenspannung von Flüssigkeiten und hochviskosen Medien (z.B. Polymerschmelzen, Klebstoffe) bestimmt werden. Auf dem Stempel wird durch eine zentrale Bohrung die Flüssigkeit aufgebracht, die die ganze Oberfläche des Stempels benetzt und einen Tropfen ausbildet. Die Methode eignet sich für Messungen bei höheren Temperaturen [3], [4]. Zur Messung bei höheren Temperaturen sollte zur Vermeidung von Reaktionen zwischen dem Stempelmaterial und der Prüfflüssigkeit ein goldbeschichteter Metallstempel verwendet werden. Aus der Tropfenkontur und der Dichte der Flüssigkeit kann mit Hilfe der Young-Laplace-Gleichung die Oberflächenspannung der Flüssigkeit berechnet werden. Außer der Oberflächenspannung werden auch der Randwinkel und das Volumen des Tropfens gemessen, Tabelle 3.14.

Bild 3.13 Stempel-Methode zur Bestimmung der Oberflächenspannung von Flüssigkeiten und Polymerschmelzen

Die mit der Stempel-Methode gemessene Oberflächenspannung ist vom Randwinkel unabhängig. Sowohl bei Vergrößerung des Tropfens als auch bei Verkleinerung durch Absaugen werden die gleichen Oberflächenspannungswerte gemessen. Um Tropfen mit verschiedenen Winkeln zu bekommen, wurde in den Stempel ein Loch gebohrt und die Flüssigkeit von unten dosiert. Trotz unterschiedlicher Randwinkel ergibt sich praktisch stets der gleiche Wert für die Oberflächenspannung.

Das Stempelmaterial hat keinen Einfluss auf das Messergebnis.

Die Diagramme im Bild 3.14 stellen die Oberflächenspannungswerte von Glycerin nach Zudosierung bzw. Absaugen der Flüssigkeit dar. Die einzelnen Messpunkte entstehen durch jeweiliges Zudosieren oder Absaugen. Die Messung wurde mit dem unvergoldeten Metall- und dem Kunststoffstempel durchgeführt.

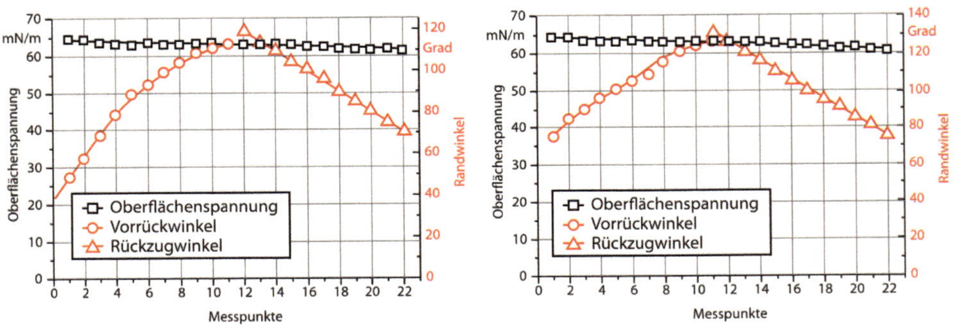

Bild 3.14 Oberflächenspannung von Glycerin in Abhängigkeit vom Randwinkel und dem Stempelmaterial
links: Metallstempel
rechts: Kunststoffstempel

Beispiel

Auf dem Stempel wurde die Oberflächenspannung von Wasser gemessen. Die Tabelle 3.14 stellt die Ergebnisse dar:

Tabelle 3.14 Oberflächenspannung von Wasser, Stempel-Methode
ρ *- Dichte des Wassers*
σ_l *- Oberflächenspannung des Wassers*
δ *- Randwinkel des Tropfens*
V *- Volumen des Tropfens*

	ρ [g/cm³]	σ_l [mN/m]	δ [°]	V [µl]
Wasser	0,9969	71,1	115,7	137,0

3.2.4.6 Vergleich der Testverfahren und der Testflüssigkeiten

Für die Bestimmung der Oberflächenspannung von Flüssigkeiten ist eine Vielzahl von Methoden verfügbar:

1. div. Medien inkl. Testflüssigkeiten bei RT: *Wilhelmy-Plättchen-Methode*
2. Testflüssigkeiten bei höheren Temperaturen: *Hängender-Tropfen-Methode*
3. div. Medien (ausschließlich Testflüssigkeiten) bei höheren Temperaturen: *Stempel-Methode*

Die wichtigsten Messflüssigkeiten sind Wasser, Glycerin und Formamid, da sie besonders bei höheren Oberflächenspannungen der Festkörper die Ausbildung eines Randwinkels gewährleisten. Ethanol ist eine Testflüssigkeit für sehr niedrige Festkörperoberflächenspannungen.

Tabelle 3.15 gibt eine Übersicht über die untersuchten Flüssigkeiten, deren Eigenschaften, Dichte und Viskosität sowie die gemessenen Oberflächenspannungen und die entsprechenden Literaturwerte.

Tabelle 3.15 Vergleich der Methoden zur Bestimmung der Oberflächenspannung von Flüssigkeiten bei 20 °C
1) mit dem Korrekturfaktor nach Harkins und Jordan [Diss. Kopczynska]
2) Bestimmung der Dichte nach Tauchkörperverfahren
3) Datenbank der Software des Gerätes OCA20, DataPhysics

Literaturwerte	Oberflächenspannung [mN/m]		
	Wasser	Glycerin	Ethanol
nach H. J. Busscher	72,1	62,7	-
nach J. R. Chen	72,8	63,4	-
nach F. M. Fowkes	-	-	22,1
nach A. Ohm	-	-	23,7
nach W. Rabel	72,3	65,2	-

Tabelle 3.15 Vergleich der Methoden zur Bestimmung der Oberflächenspannung von Flüssigkeiten bei 20 °C *(Fortsetzung)*
1) mit dem Korrekturfaktor nach Harkins und Jordan [Diss. Kopczynska]
2) Bestimmung der Dichte nach Tauchkörperverfahren
3) Datenbank der Software des Gerätes OCA20, DataPhysics

Literaturwerte	Oberflächenspannung [mN/m]		
	Wasser	Glycerin	Ethanol
Messmethoden			
Ringabreiß 1)	69,3 ± 0,1	61,4 ± 0,1	21,2 ± 0,1
Wilhelmy-Plättchen	72,4 ± 0,1	65,3 ± 0,1	22,9 ± 0,1
Hängender-Tropfen	72,7 ± 1,0	63,1 ± 0,5	22,2 ± 0,4
Stempel	73,0 ± 0,1	61,0 ± 0,1	22,0 ± 0,1
Lamelle	69,5 ± 1,5	62,5 ± 0,8	22,7 ± 0,5
Flüssigkeitseigenschaften			
Dichte 2) [g/cm³]	0,9982 ± 0,1	1,2612 ± 0,2	0,7891 ± 0,1
Viskosität 3) [mPa·s]	1,0020	1412,0000	1,1600

Zur Messung der Oberflächenspannungen fester Materialien in Abhängigkeit von der Temperatur benötigt man die temperaturanhängigen Kennwerte der Testflüssigkeit, besonders der Dichte und der Oberflächenspannung der Messflüssigkeit, Tabelle 3.16. Die Oberflächenspannungen wurden nach der Hängender-Tropfen-Methode bestimmt. Die Auswertung der Kennwerte erfolgt mittels der Young-Laplace-Gleichung, die bei den jeweiligen Verfahren angegeben ist. Die Dichten wurden der Literatur [11] entnommen.

Tabelle 3.16 Dichte und Oberflächenspannung von Testflüssigkeiten

Testflüssigkeit	Temperaturbereich T [°C]	Dichte ρ [g/cm³]	Oberflächenspannung σ_l [mN/m]
Wasser	20 - 90	$\rho = 0{,}99 + 3{,}44 \cdot 10^{-4}\,T + 1{,}41 \cdot 10^{-6}\,T^2$	$\sigma_l = 76{,}47 - 0{,}17\,T$
Glycerin	20 - 160	$\rho = 1{,}28 - 7{,}04 \cdot 10^{-4}\,T - 8{,}47 \cdot 10^{-22}\,T^2$	$\sigma_l = 65{,}69 - 0{,}09\,T$
Formamid	20 - 140	$\rho = 1{,}50 - 8{,}49 \cdot 10^{-4}\,T + 4{,}11 \cdot 10^{-8}\,T^2$	$\sigma_l = 61{,}17 - 0{,}11\,T$
Ethylenglycol	20 - 160	$\rho = 1{,}12 - 0{,}10 \cdot 10^{-2}\,T + 1{,}25 \cdot 10^{-6}\,T^2$	$\sigma_l = 49{,}30 - 0{,}08\,T$

Zusammenfassend ergeben sich für die verschiedenen Messmethoden zur Bestimmung der Oberflächenspannung von flüssigen Medien folgende Vor- und Nachteile, Tabelle 3.17:

Tabelle 3.17 Zusammenstellung der Messmethoden zur Bestimmung der Oberflächenspannung von Flüssigkeiten

	Messmethoden				
	Ringabreiß	Wilhelmy-Plättchen	hängender Tropfen	Stempel	Lamelle
Prüfmedien	niedrig und hochviskos	niedrig und hochviskos	niedrig und hochviskos	niedrig und hochviskos	niedrig und hochviskos
Kenntnis der Dichte	Notwendig (beim Korrekturverfahren)	nein (Vorteil!)	notwendig	notwendig	notwendig
Temperatur	≥ RT	≥ RT	RT -360 °C	RT -360 °C	RT -360 °C
Handhabung	einfach	einfach	Einarbeitung notwendig	Einarbeitung notwendig	Einarbeitung und Erfahrung notwendig
evtl. Messfehler	kaum	kaum	möglich durch: ▪ nicht ausreichende Bildschärfe ▪ mangelhafte Gerätekalibrierung	möglich durch: ▪ nicht ausreichende Bildschärfe ▪ mangelhafte Gerätekalibrierung	möglich durch: ▪ unzureichende Lamellenausbildung ▪ nicht ausreichende Bildschärfe ▪ mangelhafte Gerätekalibrierung
Dauer einer Messung	ca. 6 min (inkl. Ringreinigung)	ca. 4 min (inkl. Plättchenreinigung)	ca. 7 min (inkl. Gerätekalibrierung, Vorbereitung der Spritze)	ca. 5 min (inkl. Gerätekalibrierung)	ca. 10 – 15 min (inkl. Gerätekalibrierung)
Reinigungsaufwand	gering: 1 min Ringreinigung in Alkoholflamme	gering: 1 min Plättchenreinigung in Alkoholflamme	groß: ca. 30 min Reinigung der Spritze aufwendig (um den Aufwand zu minimieren, wird jeder Testflüssigkeit eine Spritze zugeordnet) ohne Spritzenreinigung kein Aufwand	sehr gering: < 1 min Reinigung des Stempels mit Aceton	sehr gering: 2 min Reinigung des Testkörpers und des Behälters mit Aceton

3.2.5 Messverfahren zur Oberflächenspannung von festen Kunststoffen

Die Oberflächenspannung von Festkörpern kann nicht direkt bestimmt werden. Dieses geschieht indirekt über eine Randwinkelmessung mit einer Flüssigkeit, deren Oberflächenspannung bekannt ist. Dabei ist darauf zu achten, dass sich ein klar erkennbarer Randwinkel bildet. Ein Randwinkel bildet sich nur aus, wenn die Oberflächenspannung der Messflüssigkeit größer als die des festen Substrats ist.

Nach D. Frese gilt diese Aussage als Daumenregel, aber nicht immer! Einfaches Beispiel: Wasser (72 mN/m) und Diiodmethan (51 mN/m) auf Glas: Wasser spreitet komplett, Diiodmethan bildet trotz kleinerer Oberflächenspannung einen messbaren Kontaktwinkel. Hier spielen polare und dispersive Anteile deutlich eine Rolle.

Die Vorgehensweise bzw. Anforderungen für die Bestimmung der Oberflächenspannung von Kunststoffen mittels der Messung des Kontaktwinkels (statischer, Vorrück-, Rückzugswinkel) am Liegenden-Tropfen sind im Folgenden aufgezeigt, Bild 3.15:

1. Beurteilung der Oberflächenbeschaffenheit (Kratzer, Inhomogenitäten) mit bloßem Auge,
2. Charakterisierung der Oberfläche der Proben durch Messung der Rauheit (x- und y-Richtung),
3. Reinigung der Oberflächen im Ultraschallbad (Wasser-Isopropanol-Lösung) und anschließende Trocknung im Vakuumofen,
4. Überprüfung der Eignung von Testflüssigkeiten für die Messung,
5. Kenntnis der Oberflächenspannung der verwendeten Testflüssigkeiten.

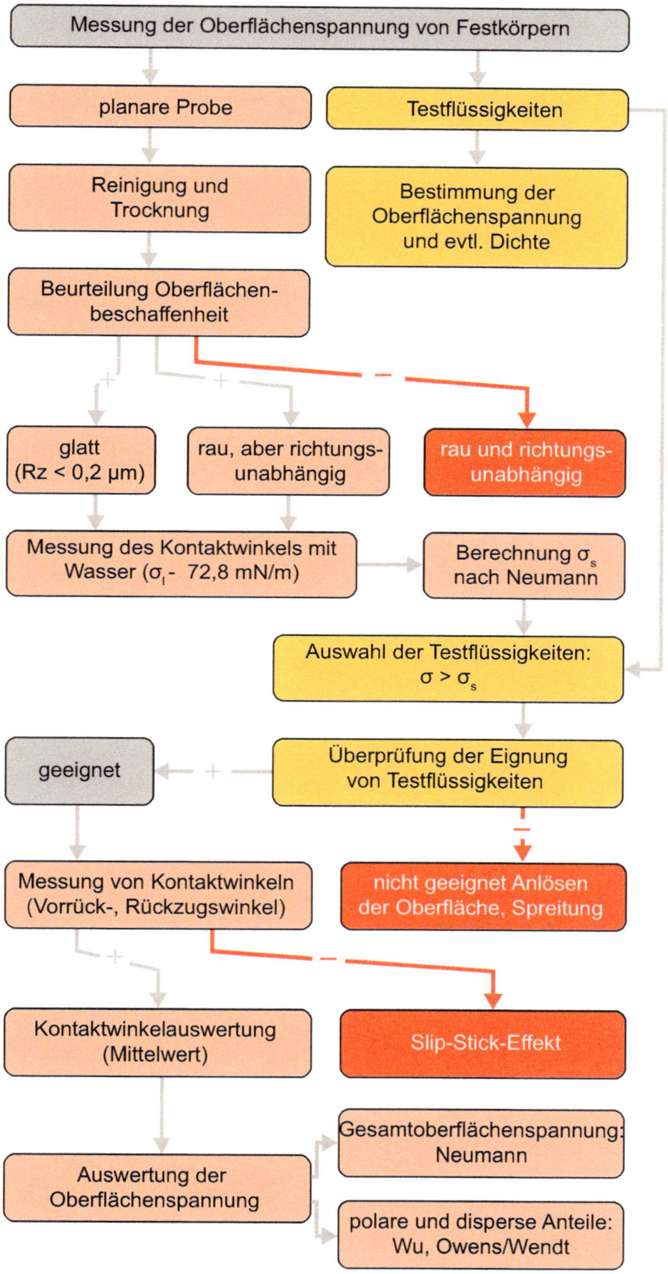

Bild 3.15 Vorgehensweise bei der Messung der Oberflächenspannung von Festkörpern, nach Kopczynska
σ_s: Oberflächenspannung des Festkörpers
σ_l: Oberflächenspannung der Flüssigkeit

3.2.5.1 Probleme bei der Messung

Bei der statischen Randwinkelmessung wird ein Tropfen auf den Festkörper aufgebracht und anschließend der Winkel zwischen Festkörper und Messflüssigkeit bestimmt. Die Oberflächenspannung von Festkörpern kann nicht direkt bestimmt werden. Dieses geschieht indirekt über eine Randwinkelmessung mit einer Flüssigkeit, deren Oberflächenspannung bekannt ist. Dabei ist darauf zu achten, dass sich ein klar erkennbarer Randwinkel bildet. Ein Randwinkel bildet sich nur aus, wenn die Oberflächenspannung der Messflüssigkeit größer als die des festen Substrats ist und deshalb der Tropfen einen endlichen Randwinkel $\delta > 0°$ ausbildet. Man unterscheidet zwischen dem statischen und dynamischen Winkel, sowie Vorrück- und Rückzugwinkel.

Der Randwinkel ändert sich kaum. Allerdings können Sedimentationseffekte, Verdunstung, Anlösen des Festkörpers und eine chemisch/physikalische Veränderung der Festkörperoberfläche zu einer Zeitabhängigkeit führen [12].

Bei der dynamischen Randwinkelmessung verbleibt die Kanüle im Tropfen. Die Flüssigkeit wird dabei stetig zudosiert bzw. abgesaugt. Wird das Volumen des Tropfens erhöht, so beginnt der Tropfen sich auf der Oberfläche auszubreiten. Während seiner fortschreitenden Bewegung wird der Kontaktwinkel gemessen. Dieser Winkel wird als Vorrückwinkel bzw. Fortschreitwinkel bezeichnet. Wird durch die Kanüle Flüssigkeit aus dem Tropfen abgesaugt, zieht sich der Tropfen zurück und bildet dabei einen Rückzugswinkel.

Beide Winkel kennzeichnen die Oberflächenbenetzung durch die Messflüssigkeit. Da das Vorrücken wie auch das Rückziehen der Flüssigkeit durch geometrische und andere Effekte auf der Oberfläche bestimmt wird, ergibt sich die „wahre" Oberflächenspannung des Substrats aus einem „wahren" Kontaktwinkel zwischen dem Vorrückwinkel und Rückzugswinkel, der aber nicht messtechnisch erfasst werden kann. Angestrebt wird die Messung eines „Gleichgewichtsrandwinkels" auf einer möglichst glatten Oberfläche.

> Bei manuellen Ablesungen ist die genaue Ablesung des Winkels deutlich von der messenden Person abhängig. In Zeiten von softwarebasierter Tropfenkonturanalyse und automatischer Dosierung und Positionierung von Tropfen und Spritze sind Messungen nutzerunabhängig geworden. [D. Frese]

Bei der Messung des Kontaktwinkels kann sowohl ein Vorrückwinkel als auch ein Rückzugswinkel gemessen werden. Es bilden sich also zwei unterschiedliche Winkel, welche die Oberflächenspannung von Festkörpern kennzeichnen, im Gegensatz zu dem schmelzflüssigen Zustand, in dem nur ein Wert gemessen wird (näheres Abschnitt 3.2.4). Die durchgeführten Messungen zeigten, dass der Young'sche Randwinkel (Gleichgewichtsrandwinkel) in der Nähe des Vorrückwinkels liegt aber in fast allen Fällen kleiner als der Vorrückwinkel ist.

Die Oberflächenspannung von Festkörpern wird nach verschiedenen Zustandsgleichungen (z.B. nach Neumann, Wu sowie Owens und Wendt) aus der Oberflächenspannung der Testflüssigkeit und dem Randwinkel berechnet, Tabelle 3.7.

Der Einfluss verschiedener Versuchsparameter auf die Oberflächenspannung ist in Tabelle 3.17 zusammengestellt:

Tabelle 3.18 Zusammenstellung der Einflüsse auf Kontaktwinkel und Oberflächenspannung
++ starker Einfluss, + Einfluss, 0 kein bzw. kaum Einfluss,
/ nicht untersucht bzw. nicht messbar

	Rauheit der Oberfläche	Temperatur	Morphologie	mech. Schwingung	Druck
Festkörper					
Vorrückwinkel	0 bis +	+	0	0	/
Rückzugswinkel	+ bis ++	++	0	0	/
Young'scher Winkel	/	/	/	/	+
Oberflächenspannung					
aus Vorrückwinkel	0 bis +	+	0	0	/
aus Rückzugswinkel	+ bis ++	++	0	0	/
aus Young'schem Winkel	/	/	/	/	+
Flüssigkeiten					
Oberflächenspannung	/	++	/	/	+

3.2.5.2 Liegender-Tropfen Methode

Bei der Liegender-Tropfen-Methode kann der Kontaktwinkel mit Hilfe der statischen oder dynamischen Messung ermittelt werden. Bei der statischen Messung bildet sich ein sog. Young'scher Winkel, der dem Vorrückwinkel entspricht. Bei der dynamischen Messung wird ein Vorrück- und Rückzugswinkel gemessen, Bild 3.16.

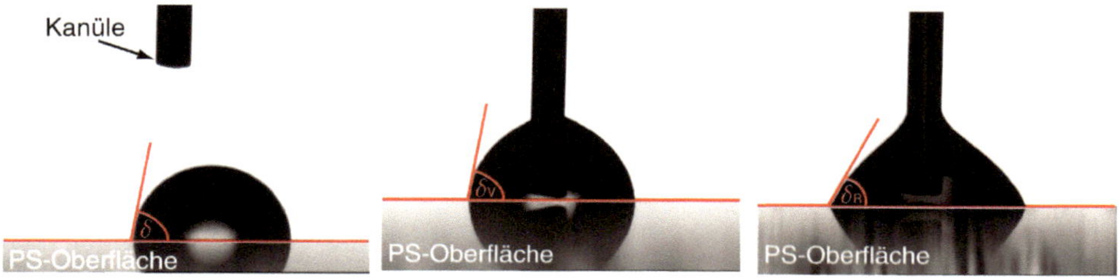

Bild 3.16 Ermittlung des Kontaktwinkels; Wassertropfen auf einer PS-Oberfläche
links: statische Messung des Young'schen Kontaktwinkels (δ)
mitte: dynamische Messung des Vorrückwinkels (δ_V)
rechts: dynamische Messung des Rückzugswinkels (δ_R)

Der auf der Probe liegende Tropfen der Testflüssigkeit wird von einer Seite mit einer diffusen Lichtquelle beleuchtet und die Kontur des Tropfens von der anderen Seite erfasst, Bild 3.16. Mit einer Software [9] können der statische oder der dynamische Randwinkel direkt mittels der Tangentenmethode gemessen werden. Bei der statischen Messung kann der Kontaktwinkel zusätzlich mit Hilfe der Young-Laplace-Methode aus der Kontur des Tropfens berechnet werden.

Bei reinen, homogenen Oberflächen sind der linke und rechte Kontaktwinkel des Testflüssigkeitstropfens gleich. Verschmutzungen bzw. Inhomogenitäten führen dazu, dass der Tropfen sich ungleichmäßig, z.B. asymmetrisch oder beim Vorrücken veränderlich ausbreitet, siehe Bild 3.17 (rechter Winkel).

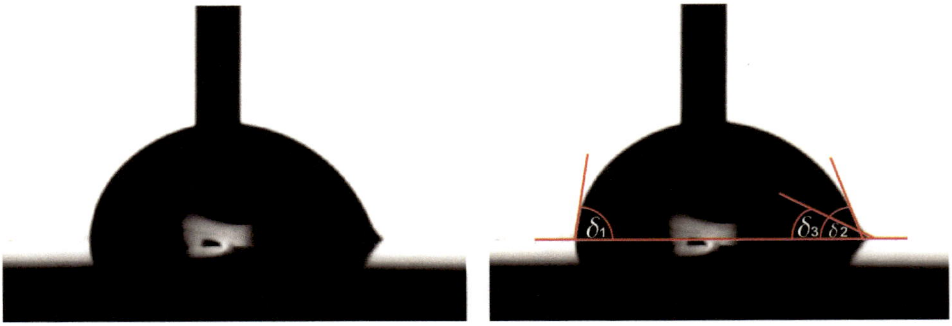

Bild 3.17 Wassertropfen (Vorrückwinkel) auf einer inhomogenen Phenolharz-Oberfläche $\delta_1 \neq \delta_2 \neq \delta_3$ ($\delta_1 = 83°$; $\delta_2 = 72°$; $\delta_3 = 31°$)

In diesem Fall ist nur der größere linke Randwinkel auswertbar. Eine Voraussetzung zur Messung des Randwinkels ist eine saubere, homogene und glatte Oberfläche

3.2.5.2.1 Manuelle Messung des Randwinkels

Mit dem Goniometer der Fa. Krüss ist die Messung von statischen oder dynamischen Randwinkeln am liegenden Tropfen möglich.

Die Apparatur besteht aus einem Mikroskop, einem Probentisch, einer Lichtquelle und einer Spritze mit Kanüle, Bild 3.18.

Ein Tropfen einer Testflüssigkeit wird über die Spitze auf die Substratoberfläche abgesetzt. Hierzu wird die Spritze der Kanüle knapp über der Oberfläche platziert. Dabei sollte sich die Kanüle nicht mittig im Sichtfeld der Messoptik, sondern etwas seitlich versetzt befinden, da sich der Tropfen zur Winkelablesung noch im Sichtfeld des Okulars befinden muss.

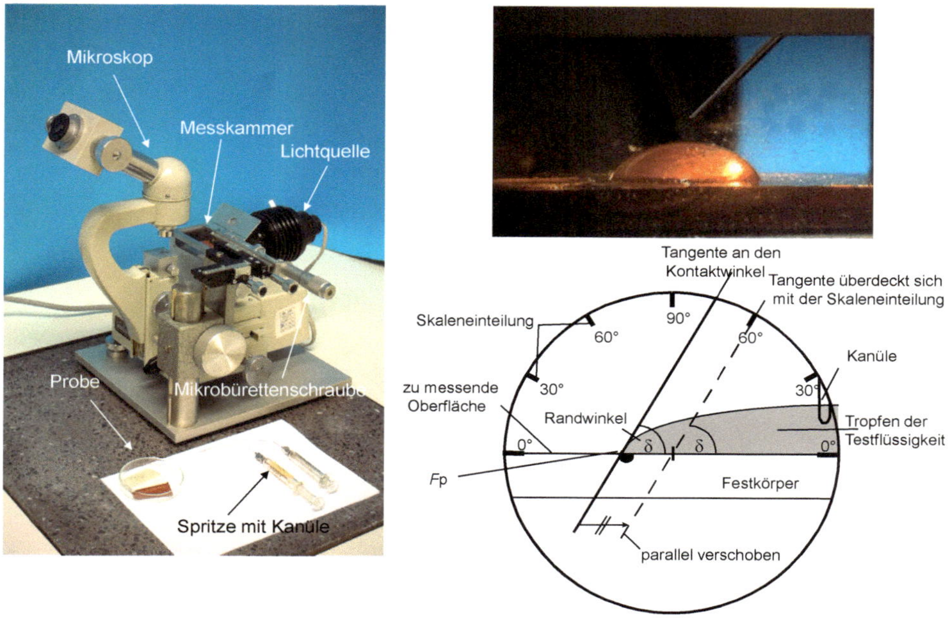

Bild 3.18 Randwinkelmessgerät DSA30 der Fa. Krüss, Hamburg
rechts: Messkammer mit Tropfen

Zunächst wird ein Tropfen von ca. 1 bis 2 mm Durchmesser auf die Oberfläche aufgebracht und durch Drehen der Mikrobürettenschraube kontinuierlich vergrößert bis ein Tropfendurchmesser von etwa 4 bis 5 mm erreicht wird. Nun wird die Flüssigkeitszufuhr gestoppt und unmittelbar der Vorrückwinkel gemessen. Der Randwinkel wird mittels einer an den Fußpunkt (Fp) gelegten Tangente bestimmt. Es wird direkt an der Skala im Okular des Mikroskops abgelesen, Bild 3.18.

Bei der Messung des Randwinkels ist zu berücksichtigen, dass dieser nur an einer Stelle gemessen werden kann. Es ist darauf zu achten, dass sich die Kanüle immer in der Mitte des Tropfens befindet, da bei ungleichmäßiger Tropfenausbreitung die Messwerte nicht repräsentativ sind. Wenn Stick/Slip-Effekte bei einer Flüssigkeit auftreten, dann ist die Flüssigkeit für diesen Werkstoff ungeeignet. (Wahrscheinlich ist die Ursache eher eine Rauhigkeit oder lokale Verunreinigung der Oberfläche.) Stick/Slip-Effekte kann man daran erkennen, dass sich der Flüssigkeitstropfen nicht kontinuierlich ausbreitet, sondern sich der Tropfen zunächst aufbläht, der Randwinkel größer wird und dann durch Verfließen abplattet.

Beispiel

Mit dem Goniometer wurden dynamisch Vorrück- und Rückzugs-Kontaktwinkel eines Wassertropfens auf dem PBT gemessen. Es wurden die Winkel nur an einer Seite des Tropfens gemessen. Die nach verschiedenen Verfahren verglichen mit Wasser gemessenen Kontaktwinkel und die nach verschiedenen Ansätzen ausgewerteten Oberflächenspannungen der PBT-Probe zeigen erhebliche Differenzen, Tabelle 3.19.

Tabelle 3.19 Kontaktwinkel von Wasser auf PBT-Probe

Testflüssigkeit	Kontaktwinkel δ [°]	
	Vorrückwinkel	Rückzugswinkel
Wasser	72,0 ± 2,6	38,5 ± 2,3

3.2.5.2.2 Automatische Bestimmung des Kontaktwinkels

Die **Methode des Liegenden-Tropfens** (Sessile-Drop-Methode) ist die Standardmethode, um Kontaktwinkel zu messen. Dabei wird ein auf der Probe liegender Tropfen der Testflüssigkeit von einer Seite mit einer diffusen Lichtquelle beleuchtet und von der anderen Seite die Form des Tropfens beobachtet. Der Tropfen sollte so klein wie möglich sein, weil kleine Tropfen am ehesten eine kugelförmige oder elliptische Kontur haben. Anderseits besteht die Gefahr der Deformation der Kontur durch die eingeführte Kanüle.

Bei der Verwendung eines elektronischen Spritzenmoduls kann die Dosierung des Tropfens im Dosierfenster erfolgen. Der Tropfen kann mit der gewünschten Größe (Volumen) dosiert werden [5].

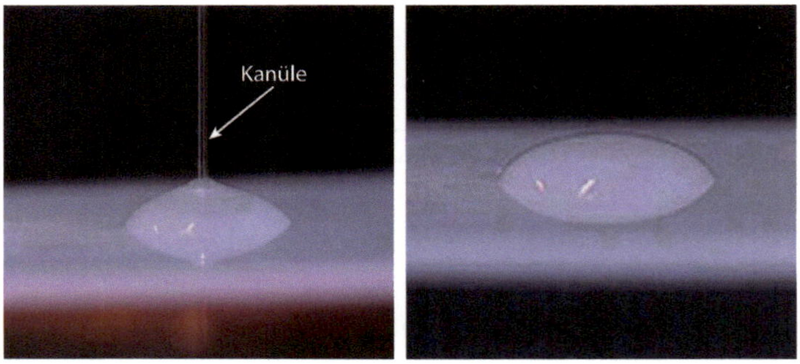

Bild 3.19 Liegende-Tropfen-Methode (Sessile-Drop) zur Bestimmung des Randwinkels
links: dynamische Randwinkelmessung
rechts: statische Randwinkelmessung

3.2.5.3 Steighöhenverfahren

3.2.5.3.1 Bestimmung des Kontaktwinkels von Festkörpern

Mit dieser Methode werden folgende Messwerte erfasst:

- statischer und dynamischer Kontaktwinkel:
  a. Tangenten-Methode → legt eine Tangente an den Tropfen
  b. Young-Laplace-Methode → aus der Kontur des Tropfens wird der Kontaktwinkel berechnet
- Bestimmung der Oberflächenspannung von Flüssigkeiten mittels Young-Laplace-Gleichung

Beispiel

Der Randwinkel zwischen dem Wassertropfen und PBT soll ermittelt werden. Mit Hilfe der Tangenten-Methode werden linker und rechter Randwinkel gemessen und es wird ein Mittelwert berechnet.

Tabelle 3.20 Kontaktwinkel eines Wassertropfens auf PBT-Probe, Tangenten-Methode

Testflüssigkeit	Kontaktwinkel (links)		Kontaktwinkel (rechts)		Kontaktwinkel (Mittelwert)	
	δ_V	δ_R	δ_V	δ_R	δ_V	δ_R
Wasser	81,9 ± 0,3	43,9 ± 1,5	82,3 ± 0,7	36,3 ± 1,2	82,1 ± 0,5	40,1 ± 1,1

Die Methode erlaubt, die Oberflächenspannung von Festkörpern zu charakterisieren. Es können Oberflächeninhomogenitäten eines Festkörpers über eine gewisse Länge analysiert werden.

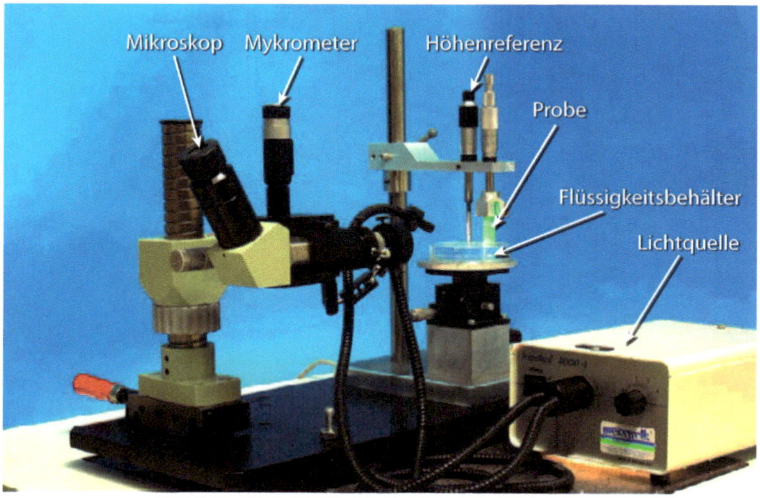

Bild 3.20 Steighöhenmessgerät – Eigenbau LKT

Mit dieser Methode wird die benetzte Oberfläche, im speziellen Fall die benetzte Höhe und der Benetzungsrandwinkel, über formale Beziehungen aus der Steighöhe bestimmt.

Beim Steighöhenverfahren wird der Festkörper in Folien- oder Plattenform senkrecht in eine Flüssigkeit eingetaucht. Dabei bildet sich ein ansteigender (oder bei fehlender Benetzung auch abfallender) Meniskus aus. Die Höhe der Oberfläche der Messflüssigkeit wird mittels einer sich spiegelnden Spitze gemessen. Sie ergibt sich als Mitte zwischen der Spitze und deren Spiegelung in der Flüssigkeit.

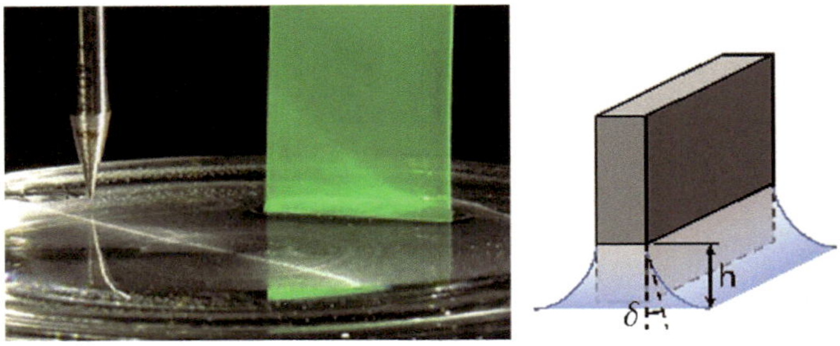

Bild 3.21 Methode zur Bestimmung des Kontaktwinkels, Steighöhenverfahren

Die Probe wird mit konstanter Vorschubgeschwindigkeit in die Flüssigkeit eingetaucht. Beim Eintauchen des Plättchens in das zu messende Substrat bildet sich der kaum zu messende Vorrückwinkel. Wird die Probe herausgezogen, bildet sich der gut zu messende Rückzugwinkel. Als die Steighöhe wird die Höhe abgelesen, die sich einstellt, wenn der Vorschub gestoppt wurde und keine neuen Bereiche benetzt werden.

Die Steighöhe wird optisch bestimmt und daraus der Kontaktwinkel δ berechnet:

$$\sin\delta = 1 - \frac{\rho \cdot g \cdot h^2}{2 \cdot \sigma_l}$$

mit: ρ *- Dichte der Testflüssigkeit [g/cm³]*
σl *- Oberflächenspannung der Testflüssigkeit [mN/m]*
g *- Erdbeschleunigung [m/s²]*
h *- Steighöhe an der Platte [mm]*

Beispiel

Mit dem Steighöhenverfahren wurde der Randwinkel, der beim Eintauchen der PBT-Probe in die Flüssigkeit (Wasser) bzw. beim Herausziehen entsteht, aus der Steighöhe an der Platte berechnet, Tabelle 3.21.

Tabelle 3.21 Bestimmung des Kontaktwinkels mit dem Steighöhenverfahren

Wasser	ρ [g/cm³]	σ_l [mN/m]	h [mm]	sin δ	δ [Grad]
Vorrücken	0,9972	71,9	0,4023	0,9890	81,5
Rückziehen	0,9972	71,9	1,4014	0,8664	60,1

3.2.5.3.2 Bestimmung des Kontaktwinkels von Pulvern

Die bekannten Methoden für die Bestimmung des Kontaktwinkels, wie z. B. die **Liegender-Tropfen-Methode** sind für pulverförmige Materialien nicht geeignet. Um diese Methoden anzuwenden, müssten aus dem Pulver zuerst Presslinge hergestellt werden. Dieses Vorgehen ist jedoch nicht bei allen Materialien möglich, z. B. bei Füllstoffen mit großer Härte wie Quarz und Glaskugeln (hier hilft vorsichtiges Sintern, ausreichend weit unter dem Schmelzpunkt!). In diesem Fall kann der Kontaktwinkel mittels der Steighöhenmethode gemessen werden. Das ist das einzige Verfahren, bei dem das Pulver in seiner ursprünglichen Form bleibt.

Der Aufbau ähnelt dem zur Bestimmung der Oberflächenspannung nach der Ringabreiß- und Wilhelmy-Plättchen-Methode. Das Pulver wird in Glasröhrchen, die am Ende mit einer Glasfritte verschlossenen und unten mit einem Filterpapier versehen sind, gefüllt (max. zu 2/3 des Volumens) [15]. Um verlässliche Werte zu erhalten, müssen mehrere Probenröhrchen hergestellt werden, wobei darauf zu achten ist, dass die Korngrößenverteilung, Packungsdichte und die Masse des Pulvers vergleichbar sind. Dies kann durch eine immer gleichbleibende Vorgehensweise beim Befüllen erreicht werden. Das Glasröhrchen mit Probenmaterial wird zunächst an einer Waage aufgehängt. Anschließend wird ein Gefäß mit der Testflüssigkeit von unten an das hängende Röhrchen herangeführt, Bild 3.22.

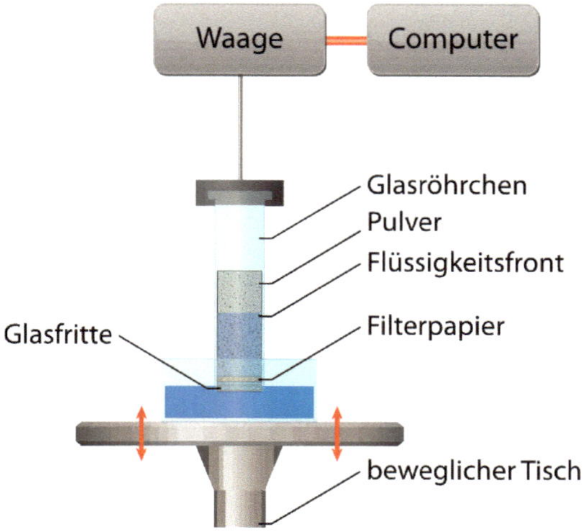

Bild 3.22 Schematischer Aufbau zur Kontaktwinkelmessung von Pulvern

Das untere Ende des Röhrchens soll dabei die Flüssigkeitsoberfläche nur leicht berühren. Die Flüssigkeit steigt zunächst in der Pulverprobe auf. Die elektronische Waage ermittelt die Gewichtszunahme (*m*) des Pulvers pro Zeiteinheit (*t*). Diese wird zunächst nur durch den viskosen Strömungswiderstand kontrolliert. Das Gewicht der aufgenommenen Flüssigkeit spielt zunächst keine Rolle. Die erhaltene Kurve wird durch Quadrieren des Masse-Wertes (m^2) linearisiert. Aus dieser Kurve wird die Steigung des linearen Anfangsbereichs bestimmt, Bild 3.23.

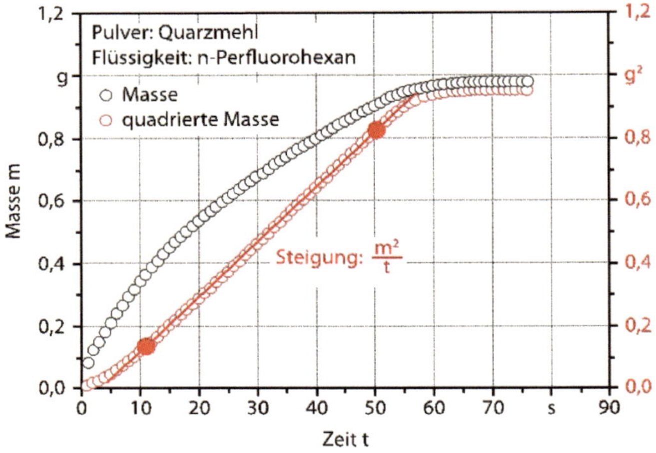

Bild 3.23 Beispiel für Gewichtszunahme von Quarzmehl mit n-Perfluorohexan in Abhängigkeit der Zeit und Ermittlung der Steigung im linearen Bereich zur Bestimmung der Kapillarkonstante *k*

Mit Hilfe der modifizierten Washburn-Gleichung wird der Kontaktwinkel, der zwischen Flüssigkeit und Pulver entsteht, berechnet [4].

$$\cos\delta = \frac{m^2}{t} \cdot \frac{\eta}{\rho^2 \cdot \sigma_l \cdot k} \qquad (3.14)$$

mit: δ - *Kontaktwinkel [°]*
m - *Masse der eindringenden Flüssigkeit [g]*
t - *Zeit, in der die Flüssigkeit eindringt [s]*
m^2/t - *Steigung [g^2/s]*
η - *Viskosität der Flüssigkeit [mPas·s]*
ρ - *Dichte der Testflüssigkeit [g/cm^3]*
σ_l - *Oberflächenspannung der Testflüssigkeit [mN/m]*
k - *Material- bzw. Kapillarkonstante [m^5]*

Die Bestimmung des Kontaktwinkels erfolgt mittels zweier Messungen. Die erste Messung ermöglicht die Bestimmung der Kapillarkonstante des Pulvers, Bild 3.22 Dazu muss eine vollständig benetzende Flüssigkeit, wie z. B.:

- n-Hexan (σ_l = 18,4 mN/m),
- n-Perfuorohexan (σ_l = 11,9 mN/m) oder
- n-Perfluorooctan (σ_l = 14,0 mN/m)

verwendet werden. Aufgrund der sehr niedrigen Oberflächenspannung und der Dispersivität der Messflüssigkeit ist der Kontaktwinkel zwischen der Flüssigkeit und dem Pulver 0°, damit ist cos (δ) = 1. Die Materialkonstante wird aus folgender Gleichung berechnet. Die Messungen wurden mit n-Perfluorohexan durchgeführt.

$$k = \frac{m^2}{t} \cdot \frac{\eta}{\rho^2 \cdot \sigma_l} \quad (3.15)$$

mit: k - *Material- bzw. Kapillarkonstante [m^5]*
m - *Masse des angesaugten n-Perfluorohexans [g]*
t - *Zeit, in der n-Perfluorohexan in das Pulver eindringt [s]*
m^2/t - *Steigung [g^2/s]*
η - *Viskosität des n-Perfluorohexans (1.6300) [mPas·s]*
ρ - *Dichte des n-Perfluorohexans (1,7672) [g/cm^3]*
σ_l - *Oberflächenspannung des n-Perfluorohexans (14,0) [mN/m]*

Nach der Bestimmung der Kapillarkonstanten werden die Messungen mit den eigentlichen Testflüssigkeiten durchgeführt. Da die einzelnen Kurven bzw. Kontaktwinkelwerte weniger reproduzierbar sind als beispielsweise bei der Bestimmung des Kontaktwinkels mit Hilfe der Liegender-Tropfen-Methode, sollten mit jeder Flüssigkeit mehrere Messungen (mind. drei pro Flüssigkeit), sowohl bei der Materialkonstantenbestimmung als auch bei der Messung des Kontaktwinkels, durchgeführt werden.

Die Kapillarkonstante beschreibt die Porosität des Pulvers.

3.2.6 Ermittlung der Oberflächenspannung von Körpern

Die Oberflächenspannung von Festkörpern kann ebenso wenig direkt gemessen werden wie die Grenzflächenspannung, somit ergeben sich in der Young'schen Gleichung zwei unbekannte Terme. Diese können durch Verwenden von zwei oder mehreren Messungen mit unterschiedlichen Messflüssigkeiten bestimmt werden. Voraussetzung ist, dass die Flüssigkeiten auf dem Substrat definierte Randwinkel $\delta > 0$ bilden und dass ihre Oberflächenspannungen bekannt sind.

Die Young'sche Gleichung lautet:

$$\sigma_s = \sigma_{sl} + \sigma_l \cdot \cos\delta \quad (3.16)$$

Eine weitere Möglichkeit besteht in der Verwendung von Zustandsgleichungen, die dadurch gekennzeichnet sind, dass die Grenzflächenspannung eliminiert wurde. Sie enthalten die Festkörperoberflächenspannung, die Oberflächenspannung der Messflüssigkeit und den Randwinkel. Grundsätzlich gilt, dass Oberflächenspannungen von Festkörpern höchstens auf die Stelle vor dem Komma einigermaßen sicher gemessen werden können. Die Zustandsgleichungen existieren nicht in expliziter Form, d. h. sie sind nicht nach der Festkörperoberflächenspannung aufgelöst.

Während Neumann nicht zwischen den polaren und dispersiven Anteilen der Oberflächenspannung im festen und flüssigen Zustand unterscheidet, differenzieren Fowkes, Owens, Wendt und Wu sehr wohl nach deren Anteilen. Obwohl die Differenzierung schon aufgrund der Tatsache interessant ist, dass bei den Nebenvalenzkräften von Kunststoffen zwischen polaren und dispersiven Kräften unterschieden wird und dieses bei Kontakt oder einer Verbindung mit einem anderen Partner naheliegt, genügen bei vielen Messungen und Beurteilungen die Gesamtwerte der Oberflächenspannungen, was viel Arbeit erspart.

Während für viele Messungen der Gesamtwert für die Oberflächenspannung genügt, kann es bei speziell modifizierten Oberflächen - z. B. mit polaren Gruppen versehenen Oberflächen - sinnvoll sein, zwischen polaren und dispersiven Anteilen zu unterscheiden.

Eine Aufspaltung der Oberflächenspannung in polare und dispersive Anteile nahmen erstmals Owens und Wendt vor:

$$\sigma = \sigma^d + \sigma^p \tag{3.17}$$

mit: σ^d - dispersiver Oberflächenspannungsanteil [mN/m]
σ^p - polarer Oberflächenspannungsanteil [mN/m]

Mittels der ursprünglichen Gleichung von Fowkes, die der „Gleichung des geometrischen Mittel" von Owens und Wendt entspricht:

$$(1 + \cos\delta)\sigma_l = 2((\sigma_s^d \sigma_l^d)^{\frac{1}{2}} + (\sigma_s^p \sigma_l^p)^{\frac{1}{2}}) \tag{3.18}$$

kann der dispersive Anteil der Festkörperoberflächenspannung σ^d bei Verwendung einer Testflüssigkeit mit bekanntem dispersiven und polaren Anteil der Oberflächenspannung ermittelt werden. Zur Bestimmung der dispersiven und polaren Anteile der Festkörperoberflächenspannung nach den Methoden des geometrischen oder harmonischen Mittels sind mindestens zwei Testflüssigkeiten erforderlich, womit das Gleichungssystem nach σ^d und σ^p gelöst werden kann. Voraussetzung ist, dass eine der beiden Testflüssigkeiten einen polaren Anteil aufweist.

Wählt man eine der Testflüssigkeit mit nur dispersivem Oberflächenspannungsanteil:

$$\sigma_{l1} = \sigma_{l1}^d \qquad \sigma_{l2} = \sigma_{l2}^d + \sigma_{l2}^p \tag{3.19}$$

so ergeben sich die Oberflächenspannungsanteile des Festkörpers nach der Gleichung des geometrischen Mittel zu:

$$\sigma_s^d = \frac{\sigma_{l1}^2(1+\cos\delta_1)^2}{4\sigma_{l1}^d} \tag{3.20}$$

$$\sigma_s^p = \frac{1}{4\sigma_{l2}^p}\left[\sigma_{l2}(1+\cos\delta_2) - 2\sqrt{\sigma_{l2}^d\sigma_s^d}\right]^2 \tag{3.21}$$

Die Basis der Zustandsgleichungen die nach dispersiven und polaren Anteilen unterscheidet ist die Gleichung von Fowkes:

$$\sigma_{sl} = \sigma_s + \sigma_l - 2(\sqrt{\sigma_s^d \bullet \sigma_l^d} + \sqrt{\sigma_s^p \bullet \sigma_l^p}) \tag{3.22}$$

Wobei Fowkes die heute als polar gekennzeichneten Anteile noch als „nicht dispersiv“ bezeichnete und hierfür Einflüsse und Wechselwirkungen von Wasserstoffbrücken, Säure-Basen und metallischer Natur einschloss, deren Bedeutung aber normalerweise vernachlässigt werden kann, zumal die Ergebnisse auch nennenswert streuen.

Zur Bestimmung der Oberflächenspannung von Festkörpern werden verschiedene Verfahren verwendet.

3.2.7 Oberflächenspannung fester Kunststoffe

3.2.7.1 Auswertung nach verschiedenen Zustandsgleichungen

3.2.7.1.1 Verfahren nach Neumann

Neumann et al. stellten Zustandgleichungen auf, mit denen die Oberflächenspannung von Festkörpern durch Messen des Randwinkels mit einer einzigen definierten Flüssigkeit bestimmt werden kann. Bei Verwendung mehrerer Testflüssigkeiten kann das arithmetische Mittel gebildet werden.

1. Zustandsgleichung nach Neumann I

$$\cos\delta = \frac{(0{,}015\sigma_s - 2)\sqrt{\sigma_s\sigma_l}}{\sigma_l(0{,}015\sqrt{\sigma_l\sigma_s} - 1)} \tag{3.23}$$

mit δ - Randwinkel [Grad]
σ_s - Oberflächenspannung von Festkörpern [mN/m]
σ_l - Oberflächenspannung von Flüssigkeit [mN/m]

2. Zustandsgleichung nach Neumann II

$$\cos\delta = -1 + 2\sqrt{\frac{\sigma_s}{\sigma_l}} \cdot e^{-\beta(\sigma_l - \sigma_s)^2} \tag{3.24}$$

mit β *- Konstante: 0,0001247 [m²/mJ]²*

Die Auswerteverfahren nach Neumann treffen keine Unterteilung nach dispersiven und polaren Anteilen und haben sich im praktischen Verfahren durchaus bewährt [5].

Anmerkung zur Bestimmung des Randwinkels [Prof. Jeltsch-Fricker]:

1. Bei der Herleitung der Formel für cos δ werden zwei empirische Ansätze und keine physikalischen Gesetze miteinander verbunden, was fragwürdig ist. Zumindest sollten die Parameterbereiche, für welche die empirischen Ansätze aufgrund von Messdaten aufgestellt worden waren, übereinstimmen.

2. Analysiert man die Funktion für cos δ in (2.3) für festes σ_l*, so zeigt sich, dass sie aus mathematischen bzw. physikalischen Gründen nur in einem Intervall* $\sigma_l^* < \sigma_s \leq \sigma_l$ *sinnvoll ist, wobei* σ_l^* *die zwischen 0 und* σ_l *liegende Nullstelle der Funktion ist (diese muss numerisch bestimmt werden). Am besten wäre wohl, die Funktion mit einem mathematischen Programm plotten zu lassen.*

3.2.7.1.2 Verfahren nach Owens und Wendt

Owens und Wendt stellten die „Gleichung des geometrischen Mittel“ auf:

$$\sigma_l(1+\cos\delta) = 2(\sqrt{\sigma_l^d \sigma_s^d} + \sqrt{\sigma_l^p \sigma_s^p}) \tag{3.25}$$

mit σ^d *- dispersiver Oberflächenspannungsanteil*
σ^p *- polarer Oberflächenspannungsanteil*

Mit der Gleichung aus Randwinkelmessungen an Flüssigkeitstropfen auf der Oberfläche fester Polymere werden sowohl die gesamte Oberflächenspannung des Festkörpers als auch die polaren und dispersiven Anteile bestimmt [7], [11]. Für die Auswertung sind mindestens zwei Flüssigkeiten notwendig.

3.2.7.1.3 Verfahren nach Wu

Im Gegensatz zu Owens und Wendt geht Wu von der sogenannten „Gleichung des harmonischen Mittels“ aus:

$$\sigma_l(1+\cos\delta) = 4\left(\frac{\sigma_l^d \sigma_s^d}{\sigma_l^d + \sigma_s^d} + \frac{\sigma_l^p \sigma_s^p}{\sigma_l^p + \sigma_s^p}\right) \tag{3.26}$$

Es ist auch hier zur Ermittlung der Oberflächenspannung notwendig, die Messung mit mindestens zwei Testflüssigkeiten durchzuführen. Dadurch erhält man wie bei der Auswertung nach Owens und Wendt außer der gesamten Oberflächenspannung des Festkörpers seine dispersiven und polaren Oberflächenspannungsanteile [1], [7].

3.2.8 Vergleich der Oberflächenspannungs-Messverfahren

3.2.8.1 Prüfflüssigkeiten

Die Oberflächenspannung von Wasser und Ethanol wurde mit den oben aufgeführten Messmethoden durchgeführt. Die Messungen fanden bei Raumtemperatur statt.

In Tabelle 3.22 sind die Oberflächenspannungswerte von Wasser und Ethanol, an LKT gemessen, aufgeführt.

Tabelle 3.22 Oberflächenspannung von Wasser und Ethanol
(1) *mit dem Korrekturfaktor nach Harkins und Jordan (siehe Dissertation Kopczynska)*

Flüssigkeit	Oberflächenspannung [mN/m]				
	Ring (1)	Wilhelmy-Plättchen	Hängender Tropfen	Lamelle	Stempel
Wasser	69,3 ± 0,1	72,4 ± 0,1	71,2 ± 1,0	69,5 ± 1,5	73,0 ± 0,1
Ethanol	21,2 ± 0,1	22,9 ± 0,1	22,2 ± 0,4	22,7 ± 0,5	22,0 ± 0,1

3.2.8.2 Feste Kunststoffe (verschiedene Auswerteverfahren)

Zur Messung der Oberflächenspannung von PBT werden Vorrück- und Rückzugwinkel ausgewertet. Die Messung wird mit Wasser (σ_l = 71,4 mN/m) und Formamid (σ_l = 58,2 mN/m) mittels dem Goniometer und dem Kontaktwinkelmessgerät OCA20 durchgeführt, während beim Steighöhenverfahren zusätzlich noch Ethylenglycol (σ_l = 48,0 mN/m) verwendet wird.

Die Tabelle 3.23 stellt die Ergebnisse zusammen:

Tabelle 3.23 Oberflächenspannung (Vorrück- und Rückzugswinkel von PBT)
σ_d: dispersiver Anteil, σ_p: polarer Anteil

	Auswertung	Oberflächenspannung [mN/m]	
		Vorrückwinkel	Rückzugswinkel
Goniometer (manuelle Messung des Kontaktwinkels)	*Neumann II*	38,4 ± 1,6	54,5 ± 5,7
	Owens/Wendt	33,4 σ^d: 22,5 σ^p: 15,2	57,3 σ^d: 14,6 σ^p: 42,7
	Wu	37,3 σ^d: 17,8 σ^p: 19,5	58,7 σ^d: 20,8 σ^p: 37,9
Kontaktwinkelmessgerät (automatische Messung des Kontaktwinkels)	*Neumann II*	33,9 ± 0,2	55,5 ± 3,4
	Owens/Wendt	29,6 σ^d: 21,9 σ^p: 7,8	56,8 σ^d: 21,1 σ^p: 35,6
	Wu	32,6 σ^d: 19,1 σ^p: 13,6	59,3 σ^d: 24,8 σ^p: 34,5
Steighöhenverfahren (manuelle Messung des Kontaktwinkels)	*Neumann II*	34,4 ± 1,5	45,8 ± 2,4
	Owens/Wendt	30,4 ± 0,9 σ^d: 22,5 ± 0,8 σ^p: 7,8 ± 0,4	41,5 ± 0,9 σ^d: 17,7 ± 0,5 σ^p: 23,9 ± 0,7
	Wu	31,5 ± 0,5 σ^d: 16,4 ± 0,4 σ^p: 15,1 ± 0,3	46,6 σ^d: 22,6 σ^p: 24,0

Es ist zu berücksichtigen, dass bei Auswertungen nach Owens/Wendt und Wu bei Messung mit zwei Testflüssigkeiten keine Standardabweichung berechnet wird. Um eine Standardabweichung berechnen zu können, sollten die Messungen mit mindestens drei Flüssigkeiten durchgeführt werden.

3.2.8.3 Kunststoffe im festen und flüssigen Zustand

Um die wahre Oberflächenspannung von Kunststoffen zu definieren, wurden Untersuchungen an Kunststoffen im festen und schmelzflüssigen Zustand (Thermoplasten, Kunststoffadditiv) bzw. flüssigen und ausgehärteten Zustand (Duroplaste) durchgeführt. Die Oberflächenspannung ist im festen und im flüssigen Zustand gleich bzw. bei Einfluss von Temperatur soll sie eine lineare Abhängigkeit zeigen. Die Messung des flüssigen Kunststoffs ergibt nur einen Wert, ist zuverlässiger und streut weniger, als die Messung mit dem Vorrück- bzw. Rückzugswinkel zur Ermittlung der Festkörperoberflächenspannung. Durch die Extrapolation der Ergebnisse war es möglich, die Abschätzung des wahren Wertes auch im festen Zustand vorzunehmen. Bei vielen untersuchten Materialien entspricht die wahre Oberflächenspannung der aus dem Vorrückwinkel berechneten. In einigen Fällen liegt sie zwischen der Oberflächenspannung aus dem Vorrück- und dem Rückzugswinkel. Da diese aber messtechnisch nicht erfassbar ist bzw. die Messung mit einem großen Aufwand verbunden ist, soll als wahre Oberflächenspannung die aus dem Vorrückwinkel errechnete verwendet werden.

3.2.8.3.1 Reaktionsharze im festen und flüssigen Zustand

Es wurden die Oberflächenspannungen von Epoxid- und UP-Harzen (Harz + Härter) im flüssigen und festen (ausgehärteten) Zustand gemessen. Der flüssige Zustand wurde mit der Ringabreiß-, der Wilhelmy-Plättchen, der Stempel- und der Lamellen-Methode gemessen. Die Oberflächenspannung der Harze im festen Zustand wurde aus dem Randwinkel berechnet, der mit der Tangenten-Methode gemessen wird. Die Messungen wurden mit dem Kontaktwinkelmessgerät OCA20 durchgeführt.

Bild 3.24 stellt die Oberflächenspannung von beiden Harzen im flüssigen und festen Zustand zusammen:

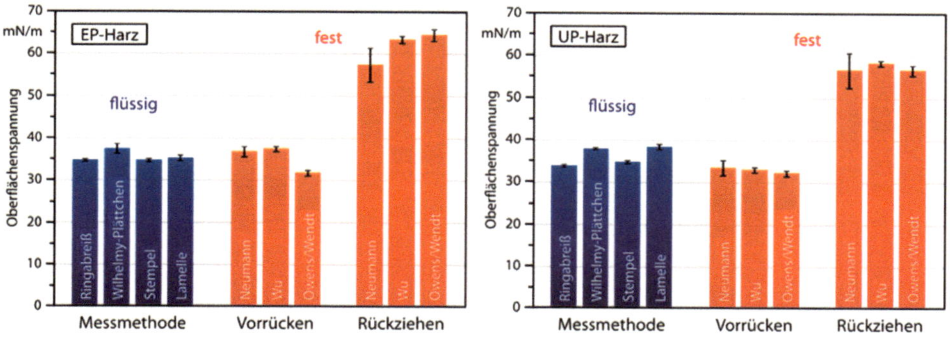

Bild 3.24 Oberflächenspannung von Harzen (Harz + Härter) im flüssigen und festen, ausgehärteten Zustand
links: EP-Harz
rechts: UP-Harz

Die aus Vorrückwinkeln berechneten Oberflächenspannungen von Harzen im flüssigen Zustand stimmen mit der Oberflächenspannung von Harzen im gehärteten festen Zustand gut überein.

3.2.8.3.2 Thermoplaste

Es wurde die Oberflächenspannung von PBT in Abhängigkeit der Temperatur gemessen.

Die Messung des Festkörpers (bis 150 °C) wurde mit der dynamischen Methode des liegenden Tropfens durchgeführt. Es wurden die dynamischen Vorrück- und Rückzugswinkel gemessen. Die Oberflächenspannung wurde nach der 2. Zustandsgleichung nach Neumann ausgewertet. *Testflüssigkeiten:* Wasser, Formamid, Glyzerin, Thioridiglycol.

Die Messungen von PBT-Schmelzen (205 °C bis 235 °C) erfolgten mit der Stempel-Methode. Die Dichtewerte von Schmelzen in Abhängigkeit der Temperatur wurden aus der Volumenfließrate MVR ermittelt.

Die Untersuchung fand in der temperierten Messzelle unter Stickstoffatmosphäre statt.

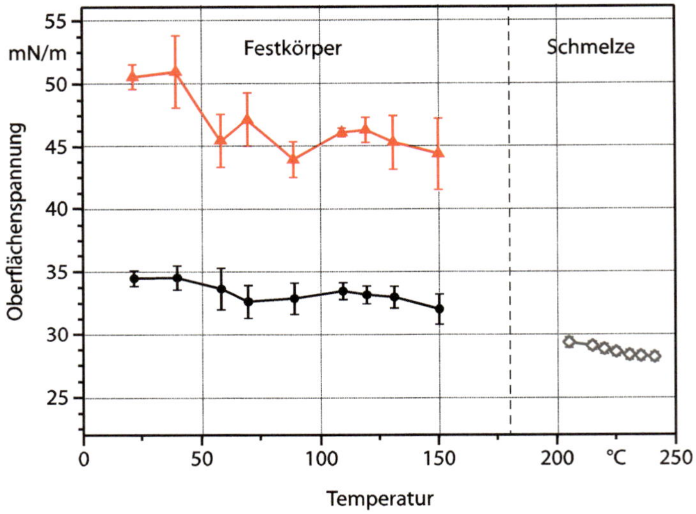

Bild 3.25 Oberflächenspannung von PBT im festen und schmelzflüssigen Zustand in der Abhängigkeit von der Temperatur, rot = Rückzug, schwarz = Vorrück

Eigene Untersuchungen zeigen, dass die Rauheit (Rz) im Bereich von ca. 0,2 bis 3 µm kaum Einfluss auf den Vorrückwinkel hat. Dagegen nimmt der Rückzugswinkel meist mit steigender Rauheit ab. Auf hydrophilen Oberflächen wie Polyamid 6 ist der Rückzugswinkel auch auf glatten Oberflächen sehr klein (< 20 °) und mit zunehmender Rauheit ist kaum eine Änderung zu erkennen. Auch auf den glatten Oberflächen (Rz < 0,2 µm) wurde eine Kontaktwinkelhysterese gemessen.

Ebenso haben die Sphärolithgröße z. B. durch Kristallisationsbeschleuniger bzw. die Morphologie der Oberfläche sowie mechanische Schwingungen keinen nennenswerten Einfluss auf die Oberflächenspannung. Die **Kontaktwinkelhysterese** ist von der adhäsiven Haftung abhängig, Bild 3.24. Die Oberflächenspannung der Schmelze Thermoplaste liegt zwischen den Werten für die Oberflächenspannungen im festen amorphen Zustand, die nach Vorrück- und Rückzugswinkel ausgewertet wurden.

Bild 3.25 und Bild 3.27 stellt die temperaturabhängige Oberflächenspannung von teilkristallinen Thermoplasten im flüssigen und festen Zustand dar. Bei teilkristallinen Materialien entspricht die wahre Oberflächenspannung dem Wert der Oberflächenspannung, die eher aus dem Rückzugswinkel berechnet wurde.

Die Messung der Oberflächenspannung des flüssigen Kunststoffs ergibt nur einen Wert, ist zuverlässiger und streut weniger als die aus Vorrück- bzw. Rückzugswinkel mit Testflüssigkeiten ermittelte Festkörperoberflächenspannung. Durch die Extrapolation der Ergebnisse war es möglich, die Abschätzung des wahren Wertes auch im festen Zustand vorzunehmen. Bei vielen untersuchten Materialien entspricht die wahre Oberflächenspannung der aus dem Vorrückwinkel berechneten. In einigen Fällen liegt sie zwischen der Oberflächenspannung aus dem Vorrück- und Rückzugswinkel. Da diese aber messtechnisch nicht erfassbar ist bzw. die Messung mit einem großen Aufwand verbunden ist, soll als wahre Oberflächenspannung die aus dem Vorrückwinkel verwendet werden.

Die Oberflächenspannung von Kunststoffen im festen und schmelzflüssigen Zustand nimmt mit steigender Temperatur ab.

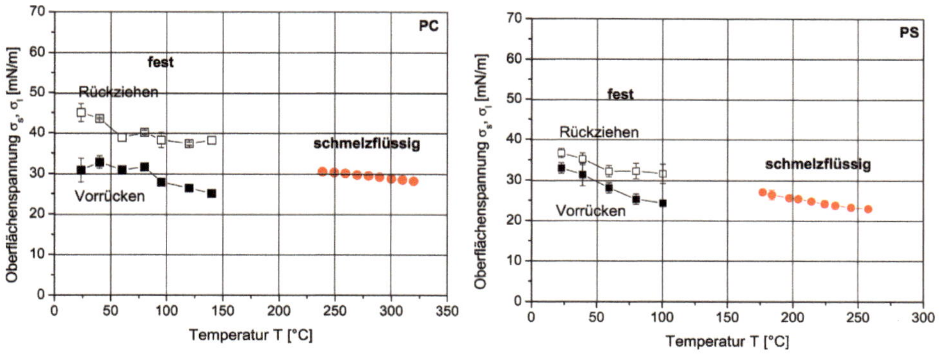

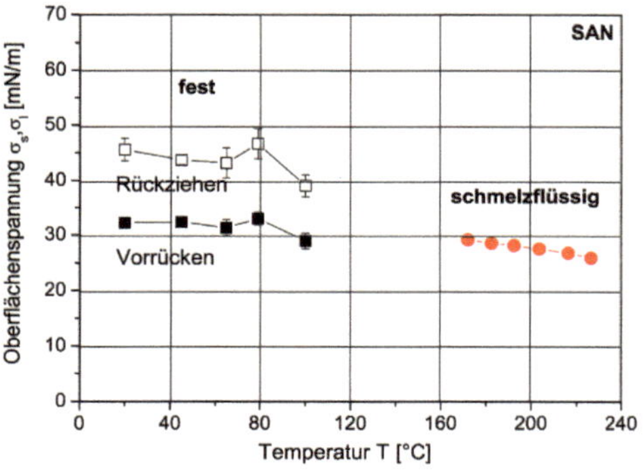

Bild 3.26
Oberflächenspannung von PC (oben links), PS (oben rechts) und SAN (unten) in Abhängigkeit von der Temperatur

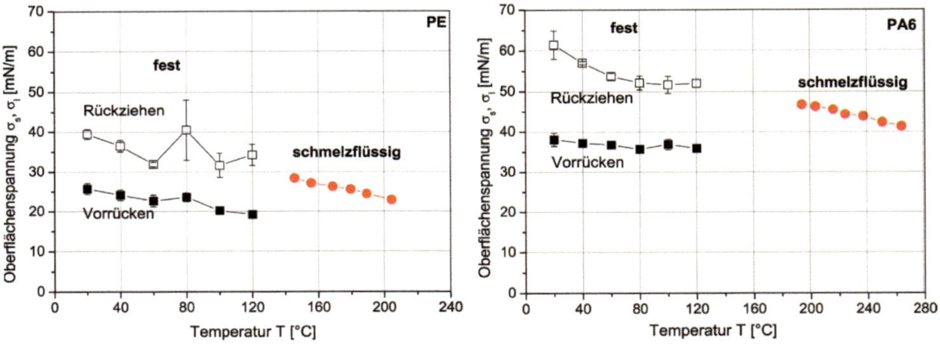

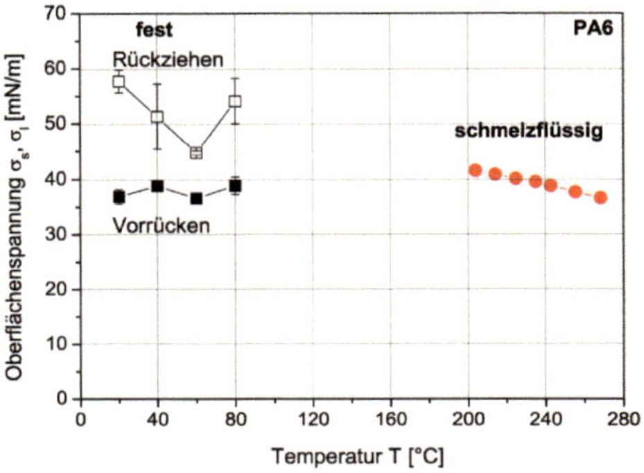

Bild 3.27
Oberflächenspannung von PBT (oben links), PA6 B3 (oben rechts) und PA6 B3S (unten) in Abhängigkeit von der Temperatur.

3.2.8.4 Statischer und Vor- und Rückzugs-Winkel im festen Zustand

Sowohl der Vorrückwinkel als auch der Rückzugswinkel haben eine große Bedeutung bei der Bestimmung der Oberflächenspannung. Der Vorrückwinkel liegt im Bereich des Young'schen Winkels und ist normalerweise etwas größer als dieser. Nur in Ausnahmefällen verhält es sich umgekehrt. Dieser Unterschied ist auf die Dosiergeschwindigkeit der Testflüssigkeiten zurückzuführen. Deswegen soll diese möglichst gering sein (≤ 0,6 µl/s). Einen Vergleich zwischen dem Young'schen Winkel, dem Vorrück- und Rückzugswinkel von verschiedenen Testflüssigkeiten auf einer PP-Oberfläche (Probe aus PP mit Glashohlkugeln) stellt Bild 3.28 dar.

Der Rückzugswinkel ist deutlich kleiner als die beiden anderen Winkel, wobei bei diesem unpolaren Material auch die **Kontaktwinkelhysterese** sehr klein ist.

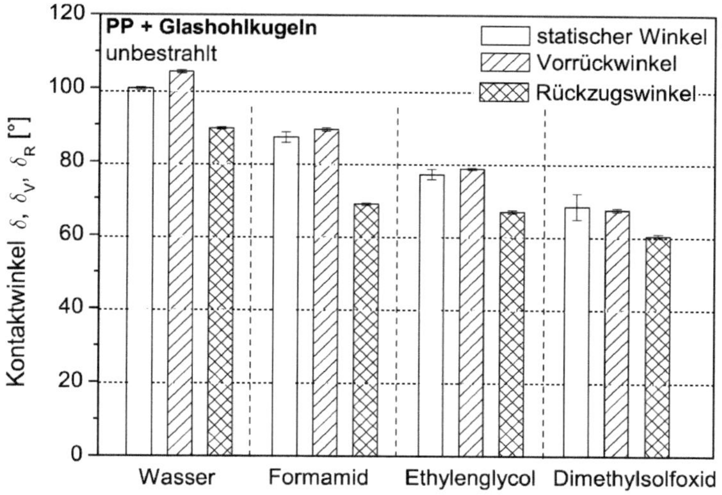

Bild 3.28 Vergleich zwischen dem statischen (Young'schen) und den dynamischen Vorrück- und Rückzugswinkeln auf unbestrahler PP-Oberfläche

Bei dem gleichen, elektronenbestrahlen Material ändert sich der Vorrückwinkel kaum, der Rückzugswinkel nimmt dagegen ab, Bild 3.29.

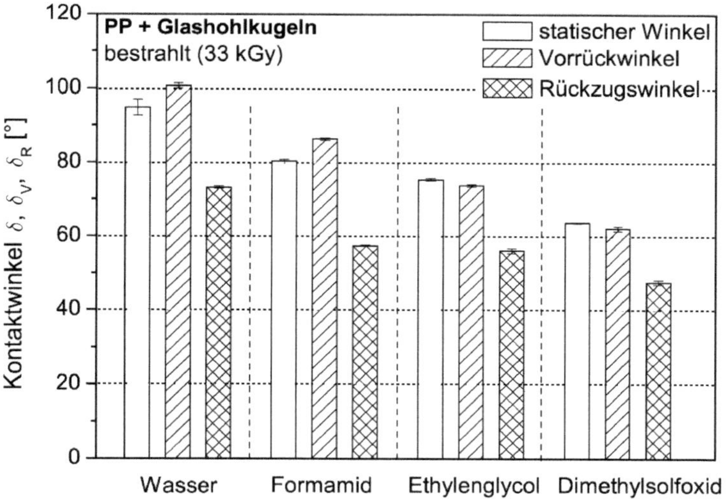

Bild 3.29 Vergleich zwischen dem statischen (Young'schen) und den dynamischen Vorrück- und Rückzugswinkeln auf mit Elektronen bestrahlter PP-Oberfläche

Die aus den Winkeln berechneten Oberflächenspannungen zeigten, dass durch die **Elektronenbestrahlung** die Oberflächenspannung und besonders deren polare Anteile steigen. Weiterhin nimmt die im Zugversuch ermittelte Bruchspannung nach der Bestrahlung zu. Die Oberflächenspannung, die aus dem Vorrück- und Rückzugswinkel berechnet wurde, wurde etwas genauer betrachtet. Der ermittelte Unterschied zwischen den beiden Werten zeigte eine Übereinstimmung mit der gemessenen Zugfestigkeit der Proben.

Bei der Probe aus PP und Quarzmehl wurde durch die Bestrahlung eine stärkere Festigkeitssteigerung erreicht als bei der aus PP und Glashohlkugeln. Dem entspricht ein größerer Unterschied zwischen den beiden Oberflächenspannungen aus dem Vorrück- und dem Rückzugswinkel, Tabelle 3.24.

Tabelle 3.24 Vergleich der Festigkeit und der Oberflächenspannung von un- und bestrahlten Proben

[1] *Unterschied zwischen der Oberflächenspannung aus dem Rückzugswinkel (σ_R) und der Oberflächenspannung aus dem Vorrückwinkel (σ_V)*

PP + Füllstoff		Festigkeit σ [N/mm^2] nach Neumann	Oberflächenspannungsunterschied [1] $\sigma_R - \sigma_V$ [mN/m]		
			nach Wu	nach Owens/Wendt	
Quarzmehl	unbestrahlt	23,6 ± 0,2	8,1	4,5	3,4
	mit 33 kGy bestrahlt	32,2 ± 0,2	14,8	17,0	14,4
Glashohlkugeln	unbestrahlt	22,9 ± 0,1	7,3	6,2	1,6
	mit 33 kGy bestrahlt	24,5 ± 2,0	12,0	13,2	6,0

Diese Erkenntnisse erlauben festzustellen, dass die Kenntnis des Rückzugswinkels und seine Größe eine wichtige Rolle bei den Haftungsvorgängen spielen, da die Änderung des Kontaktwinkels mit einer Steigerung der adhäsiven Haftung und der Festigkeit einhergeht. Diese Erkenntnis ist von großer Bedeutung im Bereich des Lackierens, Klebens und Montagespritzgießens, aber auch bei allen anderen Anwendungen, bei denen die Haftung von Bedeutung ist.

Bei der statischen Messung der Oberflächenspannung und bei der Bestimmung der Oberflächenspannung mittels **Testtinten**, die oft industriell eingesetzt werden, wird keine Aussage zu der Größe des Rückzugswinkels gegeben. Damit sind die Informationen zur adhäsiven Haftung unvollständig.

Der Rückzugswinkel hängt mit der **Rauheit der Oberfläche** zusammen. Mit zunehmender Rauheit nimmt dieser ab. Der Vorrückwinkel ändert sich dabei kaum. Um die wahre Oberflächenspannung von Kunststoffen zu definieren, wurden Untersuchungen an Kunststoffen im festen und schmelzflüssigen Zustand (Thermoplasten, Kunststoffadditiven) bzw. flüssigen und ausgehärteten (Duroplaste) durchgeführt. Die Oberflächenspannung ist im festen und im flüssigen Zustand gleich bzw. soll bei Einfluss von Temperatur eine lineare Abhängigkeit zeigen. Die Messung des flüssigen Kunststoffs ergibt nur einen Wert, ist zuverlässiger und streut weniger als die mit dem Vorrück- bzw. Rückzugswinkel zur Ermittlung der Festkörperoberflächenspannung.

3.3 Normen

DIN EN 828 (1998)	Klebstoffe – Benetzbarkeit – Bestimmung durch Messung des Kontaktwinkels und der kritischen Oberflächenspannung fester Oberflächen
DIN EN 14210 (2004)	Grenzflächenaktive Stoffe Bestimmung der Grenzflächenspannung von grenzflächenaktiven Lösungen mittels Bügel- oder Ringverfahren
DIN EN 14370 (2004)	Grenzflächenaktive Stoffe – Bestimmung der Oberflächenspannung
DIN EN 15802 (2009)	Erhaltung des kulturellen Erbes – Prüfmethoden – Messung des statischen Kontaktwinkels
DIN ISO 1409 (2008)	Kunststoffe/Kautschuk – Polymerdispersionen und Kautschuklatices (natürliche und synthetische) – Bestimmung der Oberflächenspannung mit der Ringmethode
DIN ISO 8296 (2008)	Kunststoffe – Folien und Bahnen – Bestimmung der Benetzungsspannung
ISO 304 (1985)	Grenzflächenaktive Stoffe – Bestimmung der Oberflächenspannung durch Aufziehen flüssiger Filme
ISO 2456 (1986)	Grenzflächenaktive Stoffe – als Lösungsmittel für Prüfungen verwendetes Wasser – Anforderungen und Prüfverfahren
ISO 6889 (1986)	Grenzflächenaktive Stoffe – Bestimmung der Grenzflächenspannung durch Hochziehen von Flüssigkeitsfilmen
ISO 9101 (1987)	Grenzflächenaktive Stoffe – Bestimmung der Grenzflächenspannung – Tropfenvolumen-Methode
ASTM-D 3825 (2009)	Bestimmung der dynamischen Oberflächenspannung nach dem Blasen-Verfahren

3.4 Verwendete Literatur

[1] Bauer, E., Brinkmann, Osswald, T.A., Schmachtenberg, E., Saechtling – Kunststoff Taschenbuch, 30. Auflage, Carl Hanser Verlag, München, 2007

[2] Chrisman, C., Fox, H.W., The Ring Method of Measuring Surface Tension for high Density and low Surface Tension, J. Physical Chemistry 56 (1952) S. 284/88

[3] Ehrenstein, G.W., Kolb, R., Bestimmung der Einflussgrößen auf die Oberflächenspannung thermoplastischer Polymeren, Interner Bericht, Lehrstuhl für Kunststofftechnik Universität Erlangen

[4] Grundke, K., Jenschke, W., Michel, S., Uhlmann, P., Wulf, M., A new Method for the simultaneous Determination of Surface Tension and Density of Polymer Melts, J. Physical Chemistry 1 (1999), S. 3899 - 3903

[5] Kramer, E., Schmitter, A., Stabilisierung von Kunststoffen in: Thermische Einsatzgrenzen von Technischen Kunststoffbauteilen (Hrsg. G.W. Ehrenstein und S. Pongratz), Springer VDI Verlag GmbH, Düsseldorf, 1998

[6] Neumann, A.W., Spelt, J.K., Applied Surface Thermodynamics Marcel Dekker, Inc., New York, 1996

[7] N.N. VDI-Richtlinie 3822-Blatt 1 Schadensanalyse: Grundlagen, Begriffe, Definitionen VDI-Verlag, Berlin, 1984

[8] N.N. DIN 53914: Prüfung von Tensiden, Bestimmung der Oberflächenspannung, 1997

[9] N.N. Betriebsanleitung, DataPhysics OCA-Serie Filderstadt, 2001

[10] Owens, D.K., Wendt, R.C., Estimation of the Surface Free Energy of Polymers, J. Applied Science 13 (1969), S. 1741 - 1747

[11] Perry, H.R., Chemical Engineers' Handbook, McGraw-Hill, New York, 1963

[12] Schulze, D., Pulver und Schüttgüter – Fließeigenschaften und Handhabung, Springer Verlag, Berlin, 2006

[13] Tilger, R., Weidner, H., Alterungsvorhersagen bei Kunststoffen – Charakterisierung von Alterungszuständen, Kunststoffe 70 (1980) 12, S. 837 - 844

[14] Waters, G.W.J., Zuidema, H.H., Ring Method for the Determination of Interfacial Tension Industrial and Engineering, Chemistry 13 (1941) 5 S. 312/13

[15] Gericke, S., Oberflächenmodifizierung von Lactose mit überkritischem CO_2, Dissertation, Rheinische Universität, Bonn, 2003

- DataPhysics Instruments GmbH D 70794 Filderstadt, Raiffeisenstrasse 34, Internet: *www.dataphysics.de*
- Ehrenstein, G.W., Polymerwerkstoffe, 2. Auflage, Carl Hanser Verlag, München, 1999, Nürnberg, 2002
- Erhard, G., Zum Reibung- und Verschleißverhalten von Polymerwerkstoffen, Diss. Universität Karlsruhe, 1980
- Häfer, M., Kontaktwinkelmessung: Methoden zur Bestimmung der Oberflächenspannung von Festkörpern, Krüss GmbH, 8/1993
- Gröschel, Chr., Zum Umformen endlosfaserverstärkter Thermoplaste mittels Gasdruck, Diss. Universität Erlangen, Kunststofftechnik, 2017
- Harkins, D., Jordan, H.F., A Method for the Determination of Surface and Interfacial Tension from the Maximum Pull on a Ring, J. American Chemical Society 2 (1930) S. 1751/72
- Hejda, F., Kousal, J., Solar, P., Surface Free Energy Determination by Contact Angle Measurement – a Comparison of Various Approaches WDS'10 Proceedings of Contributed Papers, Part III; 25 - 30, 2010

- Kämpf, G., Industrielle Methoden der Kunststoffcharakterisierung, Carl Hanser Verlag, München, 1996
- Kopczynska, A., Ehrenstein, G. W., Oberflächenspannung von Kunststoffen – Messmethoden am LKT, Sonderdruck – Lehrstuhl für Kunststofftechnik, Universität Erlangen
- Kopczynska, A., Oberflächenspannungsphänomene bei Kunststoffen – Bestimmung und Anwendung, Dissertation, Universität Erlangen, 2008
- Krüger, R., Potente, H., Bedeutung polarer und dispersiver Oberflächenspannungsanteile von Plastomeren und Beschichtungsstoffen für die Haftfestigkeit von Verbundsystemen; Z. Farbe und Lack 2 (12978) S. 7274
- Krüss GmbH, Wissenschaftliche Laborgeräte; Borsteler Chaussee 85, 22453 Hamburg Internet: *www.kruess.de*
- Kwok, D. Y., Neumann, A. W. J., Contact Angle Measurement and Contact Angle Interpretion Advances in Colloid and Interface Science 81 (1999), S. 167 – 249 Kunststofftechnik
- Lax, E., Lechner, M. D., Synowietz, C., Taschenbuch für Chemiker und Physiker Physikalisch-chemische Daten, Springer Verlag, München, 1992
- Motzet, S., Stampfer, S., Ehrenstein, G. W., Bestimmung der Oberflächenspannung von Kunststoffen mit dem Steighöhenverfahren, Studienarbeit, Lehrstuhl für Universität Erlangen-Nürnberg, 2002
- Müller, A., Einfärben von Kunststoffen, Carl Hanser Verlag, München, 2002
- N. N., DIN EN 14379 Grenzflächenaktive Stoffe – Bestimmung der Oberflächenspannung, 2004
- Salmang, H., Scholze, H., Keramik, Springer Verlag, Berlin, 1982
- Wu, S., Polymer Interface and Adhesion, Marcel Dekker, Inc., New York, 1996

4 Praktische Anwendungen zur Oberflächenspannung

Mit Dr.-Ing. Agnieszka Kopczynska

4.1 Polare und dispersive Anteile

Während Neumann die Unterteilung der Oberflächenspannungswerte der untersuchten Werkstoffe in polare und dispersive Anteile nicht für sinnvoll hält, werden sie von Wu, Wendt und Owens durchaus getrennt gemessen und am Beispiel eines PTB's als Summe zusammengefasst $\sigma = \sigma^d + \sigma^p$, Tabelle 3.24 in Kapitel 3. Auf gleiche Weise für PA6 und PC, Klebstoff und Bestückelemente, unbehandelt und plasmabehandelt abgeleitete Grenzflächenspannungen und Adhäsionsarbeiten sind in Tabelle 4.1 und Tabelle 4.2 zusammengestellt. Die Grundbeziehung zwischen der Oberflächenspannung des Substrats σ_s und der adhäsiv benetzenden Komponente σ_l mit dem cos des sich bildenden Randwinkel δ mit der Grenzflächenspannung γ_{sl} zwischen Substrat und Benetzung verzichtet ebenfalls auf die Trennung in polare und dispersive Anteile. Diese Beziehung wird als Young'sche Gleichung bezeichnet und ist die Basis für die Auswertung von Benetzungen.

Da nur die Benetzungsflüssigkeits-Oberflächenspannung σ_l und der Randwinkel δ direkt messbar sind, bleiben zwei Unbekannte – die Grenzflächenspannung γ_{sl} und die Festkörpersubstratspannung σ_s –, sodass immer zwei Messungen mit unterschiedlichen Flüssigkeitsoberflächenspannungen durchgeführt werden müssen.

4.2 Durchstrahlklebverbindungen mit/ohne Plasmabehandlung

Um den Einfluss der Festkörperoberflächenspannung auf die Adhäsionsarbeit und die Haftfestigkeit zu überprüfen, wurden zwei unterschiedliche Kunststoffe, PA 6 (BG70) und PC (2800) mit unterschiedlichen Oberflächenspannungen (s. Tabelle 4.1) ausgewählt und mittels photoinitiiert schnellhärtendem UV-EP-Klebstoff mit elektronischen Bauteilen (SOL 16M) verklebt. Als UV-Lichtquelle wurde eine Quecksilberdampf-Kurzbogenlampe (HBO200W/-4) verwendet.

Die Oberflächenspannung der Festkörper wurde mit der Liegender-Tropfen-Methode über den Kontaktwinkel (Vorrück- und Rückzugswinkel) des Testflüssigkeitstropfens auf der Oberfläche der Materialien von Substrat und Bestückteil ermittelt. Die Oberflächenspannung der Testflüssigkeit wurde mit der Stempel-Methode (siehe Abschnitt 3.2.4.5) gemessen. Die Polarität wurde nach der Zustandsgleichung von Owens und Wendt und Wu berechnet.

Um die Haftung zwischen dem Bestückteil (Substrat) und dem Klebstoff zu verbessern wurden die Bestückelemente mit einer rotierenden Open-Air-Plasmadüse vorbehandelt. Die Oberflächenspannungswerte der Substrate vor und nach der Behandlung des Klebstoffs und des Bestückteils sind in Tabelle 4.1 zusammengestellt.

Tabelle 4.1 Oberflächenspannung und Polarität von Komponenten
Testflüssigkeiten bei PA6 und PC: Wasser (72,8 mN/m), Glycerin (62,7 mN/m), Formamid (58,2 mN/m), Ethylenglycol (48,0 mN/m); beim plasmabehandelten Bestückelement wurden nur Wasser und Glycerin verwendet
d: dispersiver Anteil; p: polarer Anteil

Auswerteverfahren	Oberflächenspannung σ [mN/m]				
	PA6	PC	Bestückelement		Klebstoff
			unbehandelt	behandelt	
Young-Laplace	–	–	–	–	38,4
Neumann	36,4	30,5	15,9	52,7	–
Wu	35,0	27,3	15,0	55,0	
	σ^d: 21,8	σ^d: 17,0	σ^d: 11,7	σ^d: 23,8	σ^d: 24,4
	σ^p: 13,2	σ^p: 10,2	σ^p: 3,3	σ^p: 31,2	σ^p: 14,0
Owens/Wendt	33,2	28,3	13,5	52,0	
	σ^d: 27,2	σ^d: 25,1	σ^d: 11,7	σ^d: 17,3	σ^d: 25,1
	σ^p: 6,0	σ^p: 3,2	σ^p: 3,3	σ^p: 34,7	σ^p: 13,3

Vor dem Durchstrahlungsprozess wurden die Substratmaterialien und Bestückteile mit Isopropanol gereinigt und getrocknet. Den Durchstrahlprozess stellt Bild 4.1 dar.

Bild 4.1 Verklebungsprozess mittels Durchstrahlverklebung
links: Klebstoffdosierung; mitte: Bestückung: rechts: Durchstrahlung

Um die Haftfestigkeit der Verbunde zu charakterisieren, wurde nach der Verklebung der Proben nach DIN EN 582 der Stirnzugversuch durchgeführt. Die Grenzflächenspannungswerte, der Spreitungsdruck und die Adhäsionsarbeit als Oberflächenspannungskennwerte sowie die Haftfestigkeit als reales Ergebnis zwischen Klebstoff und Fügeteil sowie Klebstoff und Bestückelement sind in Tabelle 4.2 zusammengestellt.

Tabelle 4.2 Adhäsionsarbeit und Haft-Zugfestigkeit bei Verklebung eines Bestückelementes (SOL16M, TopLine, USA-Garden Grove) auf PA6 und PC

	Auswerte-verfahren	ermittelt zwischen: Substrat/Klebstoff		ermittelt zwischen: Bestückelement/Klebstoff
		PA6	PC	
Grenzflächenspannung γ_{sr} [mN/m]	Neumann	0,1	0,5	3,4
	Wu	0,2	2,0	6,6
	Owens/Wendt	1,5	3,5	5,8
Spreitungsdruck p_{sp} [mN/m]	Neumann	-2,1	-7,9	10,9
	Wu	-3,6	-12,2	10,0
	Owens/Wendt	-6,7	-13,6	7,8
Adhäsionsarbeit W_{ad} [mN/m]	Neumann	74,7	68,4	87,7
	Wu	70,1	63,7	86,8
	Owens/Wendt	73,2	63,2	84,6
Haftfestigkeit σ_z [N/mm²]	-	3,2	1,7	Bruch zwischen dem Substrat und Klebstoff

Mit der Änderung der Substratoberflächenspannung bei gleichbleibender Klebstoffoberflächenspannung wurde die Adhäsionsarbeit geändert. Mit zunehmender Adhäsionsarbeit nimmt die Haftung weit überproportional zu.

Im Stirnabzugversuch trat das Versagen meistens zwischen der Klebschicht und dem Bestückelement auf. Das unbehandelte Bestückelement hatte eine niedrigere Oberflächenspannung als der Klebstoff und außerdem eine geringere Polarität. s. Tabelle 4.1. Durch die Plasmabehandlung ist die Oberflächenspannung und besonders deren polarer Anteile des Bestückelementes deutlich gestiegen. Die Oberflächenspannungswerte und Adhäsion zwischen Klebstoff und Fügeteil sowie Klebstoff und Bestückelement sind in Tabelle 4.3 zusammengestellt.

Inwieweit die separaten polaren Anteile der Oberflächenspannung gegenüber einer Gesamtsicht der Oberflächenspannung wirklich relevant sind, ist nicht definitiv nachgewiesen.

Tabelle 4.3 Oberflächenspannung und Adhäsionsarbeit zwischen Fügeteil, Klebstoff und Bestückelement
σ_l Klebstoff < σ_s Fügeteil, es findet aber keine Spreitung des Klebstoffs auf der Bestückelementoberfläche statt, weil die Grenzflächenspannung groß ist

	Auswerte-verfahren	ermittelt zwischen: Fügeteil/Klebstoff	ermittelt zwischen: Bestückelement/Klebstoff	
			unbehandelt	behandelt
Kontaktwinkel	Tangenten-Methode	35,9	51,2	33,2*)
Grenzflächenspannung γ_{sr} [mN/m]	Neumann	0,1	7,9	3,4
	Wu	0,2	11,1	6,6
	Owens/Wendt	1,5	8,1	5,8
Spreitungsdruck p_{sp} [mN/m]	Neumann	-2,1	-30,4	10,9
	Wu	-3,6	-34,5	10,0
	Owens/Wendt	-6,7	-33,0	7,8
Adhäsionsarbeit W_{ad} [mN/m]	Neumann	74,7	46,4	87,7
	Wu	73,2	42,3	86,8
	Owens/Wendt	70,1	43,8	84,6

Der Verbund versagt zwischen Bestückelement und Klebstoff. Dem entspricht die Adhäsionsarbeit zwischen Fügeteil und Klebstoff, die größer ist als zwischen Bestückelement und Klebstoff. Außerdem ergibt sich zwischen Bestückelement und Klebstoff eine hohe Grenzflächenspannung, was auch ein Grund für eine schlechte Haftung ist.

Nach der Plasmabehandlung der Oberfläche des Bestückteils wurde bemerkt, dass die Klebstoffreste an dieser Oberfläche anhaften. Die Benetzung wurde verbessert, der Spreitungsdruck ist gestiegen und die Haftung wurde erhöht, Bild 4.2.

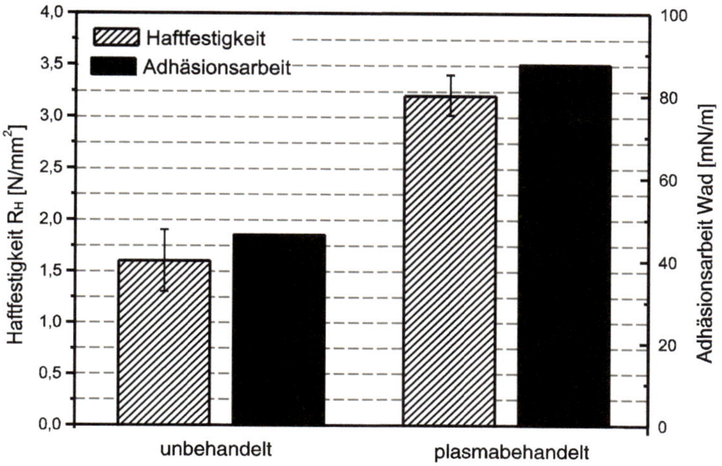

Bild 4.2 Haftfestigkeit bei Verklebung des Bestückelements auf dem Fügeteil (PA6) und Adhäsionsarbeit [nach Dupré und Neumann] ohne und nach Plasmabehandlung

■ 4.3 Montageklebung PBT/TPU mit und ohne Plasmabehandlung

Zur Verbesserung der Haftung zwischen unterschiedlichen Thermoplasten wird der Kontaktbereich mit Plasma in normaler Atmosphäre während des Spritzgießvorganges behandelt, Bild 4.3. Damit soll die Feinreinigung und Adhäsion verbessert werden.

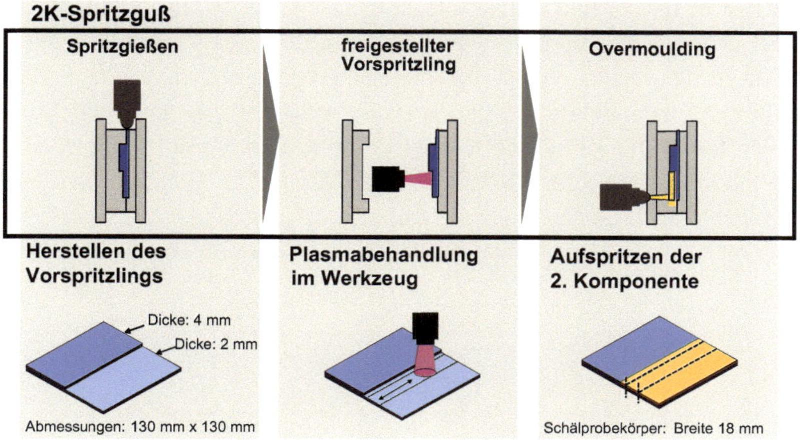

Bild 4.3 Einzelne Schritte der Plasmavorbehandlung beim Montagespritzgießen

Tabelle 4.4 Untersuchte Werkstoffe und Plasmaparameter
a: Abstand der Düse zu Werkstoffoberfläche;
v: Verfahrgeschwindigkeit der Plasma-Düse

Materialkombination		Plasmaparameter	
1. Komponente	2. Komponente	*a*	*v*
PBT (Pocan B1505)	TPU (Desmopan 385S) (TPU1)	10 mm	16 m/min
PBT (Pocan B1505)	TPU (Elastollan S60A15 SPF) (TPU2)		

In Tabelle 4.4 sind die Versuchskomponenten dargestellt, mit denen die Verbundfestigkeit von < 1 N/mm (praktisch keine Haftung) bis auf sehr gute Haftwerte zwischen 7 bis 11 N/mm steigern, Bild 4.4.

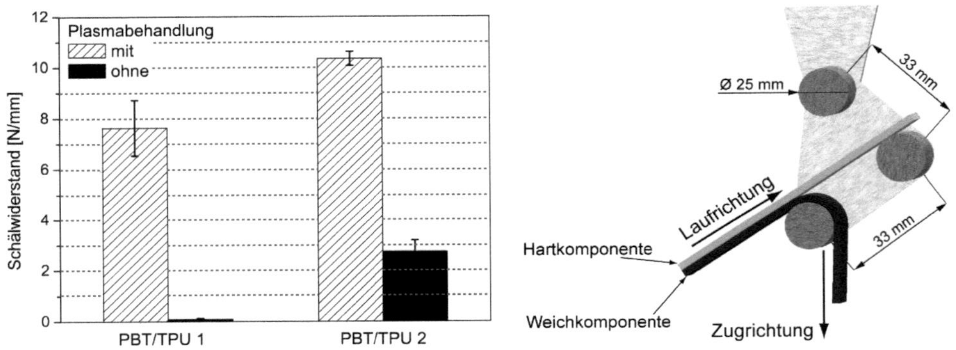

Bild 4.4 Schälwiderstand der Verbunde nach DIN EN 14379 aus PBT (erste Komponente) und TPU 1/TPU 2 (zweite aufgespritzte, weiche Komponente)

Durch die deutliche Erhöhung der Oberflächenspannung werden sowohl die adhäsive Haftung (Adhäsionsarbeit) und die Benetzung (Spreitungsdruck) erhöht, Tabelle 4.5. Kennzeichnend für die Plasmabehandlung ist die deutliche Zunahme der polaren Anteile. Da durch die Plasmabehandlung eine sehr gute Benetzung bis hin zur Spreitung erreicht wurde, war nur die Bestimmung des statischen Kontaktwinkels mit der Liegenden-Tropfen-Methode möglich, mit der auch Proben mit aktivierter Oberfläche gemessen werden können. Als Messflüssigkeiten dienten Wasser (72,8 mN/m) und Formamid (58,2 mN/m) und bei den unbehandelten Proben zusätzlich Ethylenglycol (48,0 mN/m).

Tabelle 4.5 Oberflächenspannung von PBT-Vorspritzlingen vor und nach einer Plasmabehandlung
σ^d: polarer Anteil; σ^p: dispersiver Anteil der Oberflächenspannung

Oberflächenspannung des Vorspritzlings σ_{PBT} [mN/m]	Auswertung nach	PBT vor Plasmabehandlung	PBT nach Plasmabehandlung
	Neumann	39,1 ± 0,7	54,2 ± 0,3
	Wu	37,8 ± 0,7	54,3 ± 2,8
		σ^d: 26,6 ± 0,6	σ^d: 37,4 ± 2,2
		σ^p: 11,2 ± 0,4	σ^p: 16,9 ± 1,7
	Owens/Wendt	40,3 ± 2,4	54,7 ± (-)
		σ^d: 36,3 ± 2,3	σ^d: 41,7 ± (-)
		σ^p: 4,0 ± 0,6	σ^p: 13,0 ± (-)

Da die Oberflächenspannung des Vorspritzlings durch die Plasmabehandlung erhöht wird, die Oberflächenspannung des aufgespritzten TPUs aber gleich bleibt, wird der Kontaktwinkel kleiner, wodurch der Spreitungsdruck steigt, sodass sich die Benetzung während des Aufspritzens verbessert. Deutlich ist das beim Kontaktwinkel beim Formamid zu sehen, der nach der Plasmabehandlung von 55° auf 21,4° abnimmt, Bild 4.5. Beim Ethylenglykol ergäbe sich eine vollständige Benetzung der behandelten Probe.

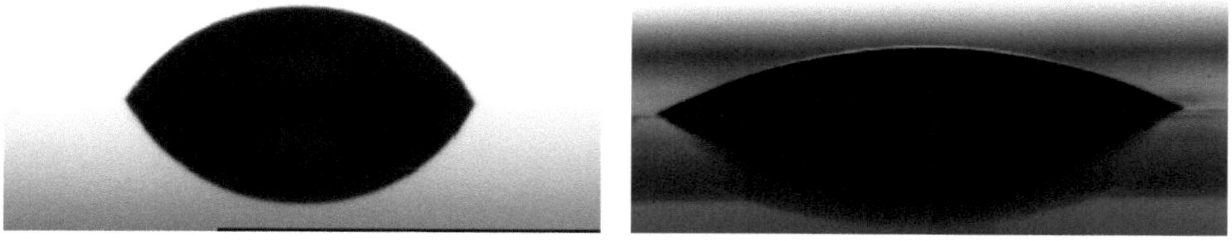

Bild 4.5 Einfluss der Plasmabehandlung auf die Benetzung (Formamidtropfen auf PBT-Oberfläche)
links: PBT unbehandelt, rechts: PBT mit Plasma behandelt

Tabelle 4.6 Oberflächenspannung [nach Neumann] Adhäsionsarbeit [nach Dupré und Neumann] und Spreitungsdruck einer PBT/TPU-Kombination
1) Auswertung des statischen Kontaktwinkels

Verbund		PBT	TPU1	PBT	TPU2
$PBT_{unbehandelt}$/TPU	Oberflächenspannung [1] (σ_s [mN/m])	39,1 ± 0,7	21,0 ± 1,4	39,1 ± 0,7	33,2 ± 0,7
	Adhäsionsarbeit (W_{ad} [mN/m])	55,0		71,7	
	Spreitungsdruck (p_{Sp} [mN/m])	13,0		5,3	
$PBT_{plasmabehandelt}$/TPU	Oberflächenspannung [1] (σ_s [mN/m])	54,3 ± 2,8	21,0 ± 1,4	54,3 ± 2,8	33,2 ± 0,7
	Adhäsionsarbeit (W_{ad} [mN/m])	58,8		80,3	
	Spreitungsdruck (p_{sp} [mN/m])	16,8		13,9	

In Tabelle 4.6 sind die resultierenden Einflüsse der Plasmabehandlung auf die Oberflächenspannung, die Adhäsionsarbeit und den Spreitungsdruck zusammengefasst. Die deutlich erhöhte Festigkeit kennzeichnet der Schälwiderstand auf Bild 4.5.

■ 4.4 Bauelemente – Klebstoff – Substrat

Bild 4.5 veranschaulicht den Einfluss der Oberflächenspannungssituation eines Dreikomponentensystems mit zwei Grenzflächen, zum einen zwischen Substrat und Klebstoff und zum anderen zwischen Klebstoff und einem elektronischen Bauelement. In diesem Fall kam es zum Bruch zwischen dem elektronischen Bauelement und dem Substrat (hier PA 6 GF 30). Nach der Messung der Oberflächenspannung wurde festgestellt, dass die Adhäsionsarbeit zwischen dem Substrat und dem Klebstoff höher ist als zwischen dem Bauelement und dem Klebstoff. Um die Adhäsionsarbeit zwischen dem Bauelement und dem Klebstoff zu verbessern, wurden die Bauelemente mit Plasma behandelt.

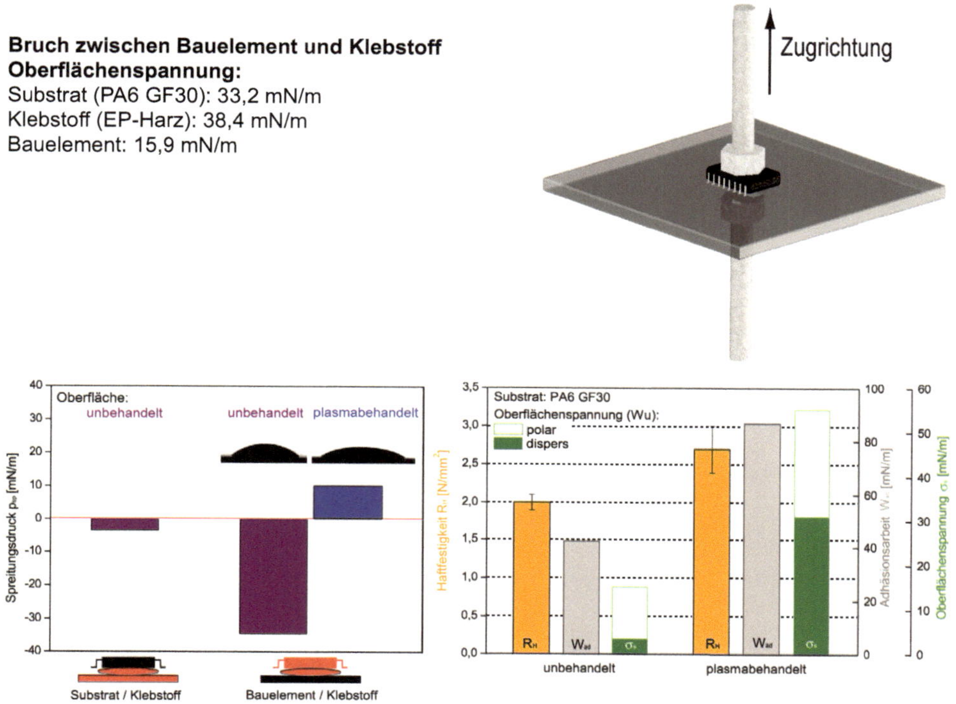

Bild 4.6 Zusammenhänge zwischen Spreitungsdruck, Oberflächenspannung, Adhäsion und Festigkeit beim Kleben
links: *Spreitungsdruck zwischen Substrat (PA6 GF30)/Klebstoff und Bauelement/Klebstoff*
rechts: *Festigkeit, Adhäsionsarbeit und Grenzflächenspannung zwischen Bauelement/Klebstoff*

Durch die Plasmabehandlung wurde zum einen die Benetzbarkeit verbessert (der Spreitungsdruck erhöht), weiterhin wurde die Oberflächenspannung und, was noch wichtiger ist, die Polarität erhöht. Als Ergebnis wurde eine Steigung der Festigkeit gemessen, was gut mit der berechneten Adhäsionsarbeit korreliert.

■ 4.5 Gerade vollständige Benetzung nach Zisman

Die Oberflächenspannung einer flüssigen Komponente, die beim Benetzen gerade den Festkörper benetzt, bezeichnet man als kritische Oberflächenspannung der Benetzung. In diesem Fall ist die Grenzflächenspannung gleich null und die sich aus den Oberflächenspannungen ergebende Trennwirkung am geringsten.

Zur Ermittlung der optimalen Oberflächenspannung, bei der die Flüssigkeit die Festkörperoberfläche gerade benetzt, wird mit verschiedenen Testflüssigkeiten ein Tropfen aufgebracht und der sich bildende Randwinkel gemessen. Cos δ wird über der Oberflächenspannung aufgetragen und die Oberflächenspannung bestimmt, bei der cos $\delta = 1$ wird.

Dabei sind folgende Phänomene zu berücksichtigen [1]:

1. die Messwerte zeigen eine deutliche Streuung, wobei die Ergebnisse für cos $\delta = 1$ noch mehr streuen, als die in der Literatur angegebenen Flüssigkeitsoberflächenspannungen,
2. bei zu benetzenden Festkörpern mit hoher Oberflächenspannung stehen nur wenige Testflüssigkeiten zur Verfügung,
3. die Oberflächenrauheit des Festkörpers hat nur einen geringen Einfluss.

Die kritische Oberflächenspannung $\sigma_{l\ crit}$ ergibt sich nach Bild 4.7 für PMMA zu 38 mN/m. Eine Flüssigkeit mit dieser Oberflächenspannung würde also zu einer vollständigen Benetzung führen und keine Grenzflächenspannung aufweisen. Die kritische Oberflächenspannung ist die Festkörperoberflächenspannung.

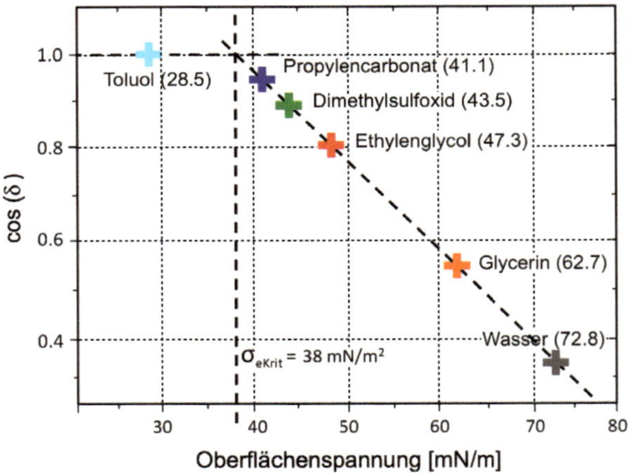

Bild 4.7 Zisman-Auftragung zur Bestimmung der kritischen Oberflächenspannung von PMMA

4.6 Gleit-Reib-Verhalten

Die Gleitreibungszahl μ setzt sich aus einer adhäsiven μ_{ad} und einer deformativen μ_{def} Komponente zusammen:

$$\mu = \mu_{ad} + \mu_{def} \tag{4.1}$$

Die adhäsive Komponente wird durch die Adhäsionskräfte zwischen den Reibungspartnern bestimmt, während die deformative Komponente im Wesentlichen durch die Rauheit beeinflusst wird.

Das bedeutet, dass bei einer niedrigen Oberflächenrauheit die polaren Gruppen eines Kunststoffs stärker adhäsive Bindungen zu dem polaren Stahl ausbilden. Das heißt, je polarer ein Kunststoff ist, umso höher ist die Gleitreibungszahl bei geringer Oberflächenrauheit. Nimmt die Oberflächenrauheit dagegen zu, erweist sich der Werkstoff mit der geringsten nichtelastischen Verformungskomponente und der gleichzeitig höchsten Streckgrenze als der Werkstoff mit der niedrigsten Reibungszahl.

Eine ähnliche Wirkung kann die Zugabe eines polaren Schmieröls bewirken. Bei unpolaren Kunststoffen führt die Zugabe von Schmieröl gegenüber einer technisch trockenen Reibung zu einer erhöhten Reibungszahl, während bei raueren Stahlpartnern die Reibungszahl aufgrund der Schmiereffekte reduziert wird. Umgekehrt wird bei einem stark polaren Kunststoff die Reibungszahl durch Zugabe eines Öls bei überwiegend adhäsiver Reibung reduziert, während sie bei deformativer Reibung z. T. sogar zunimmt. Daraus ist zu folgern, dass bei sehr glatten Reibpartnern und unpolaren Kunststoffen ein unpolares Schmiermittel vorteilhaft ist, während bei stark polaren Kunststoffen ein polares Öl vorteilhaft sein kann, Bild 4.8 und Bild 4.9.

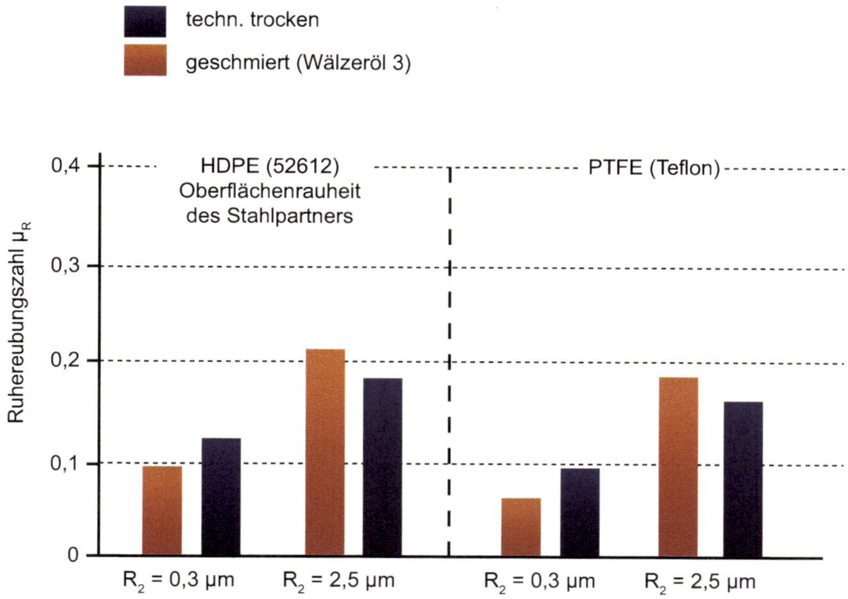

Bild 4.8 Ruhe-Reibungszahlen von unpolaren Kunststoffen gegen Stahl 100 Cr 6. p = 0,29 N/mm² [Erhard]
techn. trocken und geschmiert mit Wälzeröl 3

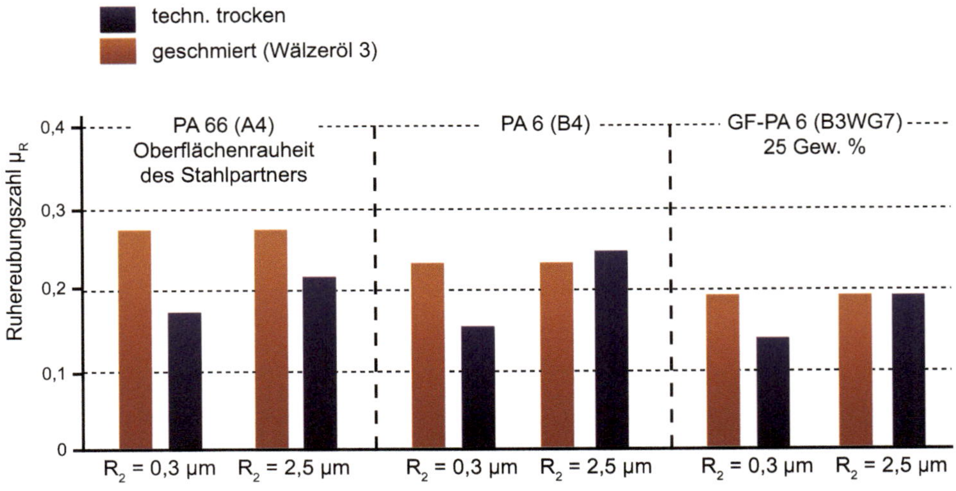

Bild 4.9 Ruhe-Reibungszahlen von stark polaren Kunststoffen gegen Stahl 100 Cr 6.
p = 0,29 N/mm^2
techn. trocken und geschmiert mit Wälzeröl 3

Bei überwiegend adhäsiven Reibbedingungen ist daher die Gleitreibungszahl stark von der Adhäsionsarbeit abhängig, Bild 4.8. Bei der Reibung von Kunststoffen auf Kunststoffen ist wegen des niedrigen E-Moduls der deformative Reibungsanteil von vornherein gering. Die Gleitreibungszahl wird weitgehend durch die Adhäsionsarbeit W_{ad} bestimmt:

$$\mu = 0{,}12 + 4{,}8 \cdot 10^{-6} e^{0{,}13 \cdot W_{ad}} \tag{4.2}$$

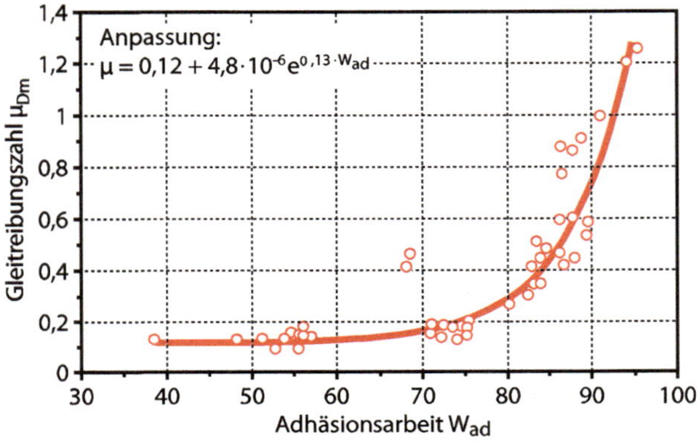

Bild 4.10 Gleitreibungszahl μ_{Dm} als Funktion der Adhäsionsarbeit W_{ad} verschiedener Kunststoff/Kunststoff-Paarungen und empirische Anpassung [Erhard]

Bei einer Fülle von Kunststoffen wurden verschiedene Kunststoffe/Kunststoffpaarungen untersucht und die Gleitreibungszahl über der Adhäsionsarbeit aufgetragen. Dabei ergibt sich ein typischer Verlauf, der durch eine e-Funktion gut angenähert werden kann. Die Gleitreibungszahl bei der Reibung Kunststoff gegen Kunststoff kann daher mit ausreichender Genauigkeit aus den Oberflächenspannungen der einzelnen Partner vorherberechnet werden.

4.7 Lack und Kunststoff

Beim Trennen von adhäsiven Verbindungen wird dann ein Maximum an Energie gewonnen, wenn beide Partner eine weitgehend gleiche Oberflächenspannung aufweisen. Dieses gilt besonders für die polaren Anteile der Oberflächenspannung. Das heißt, eine optimale Haftung sollte erreicht werden, wenn die aufzuwendende Energie der Grenzflächenspannung möglichst gering ist, was der Fall ist, wenn die polaren Oberflächenspannungsanteile beider Haftpartner gleich bzw. ihr Verhältnis gleich 1 ist, Bild 4.11 [2].

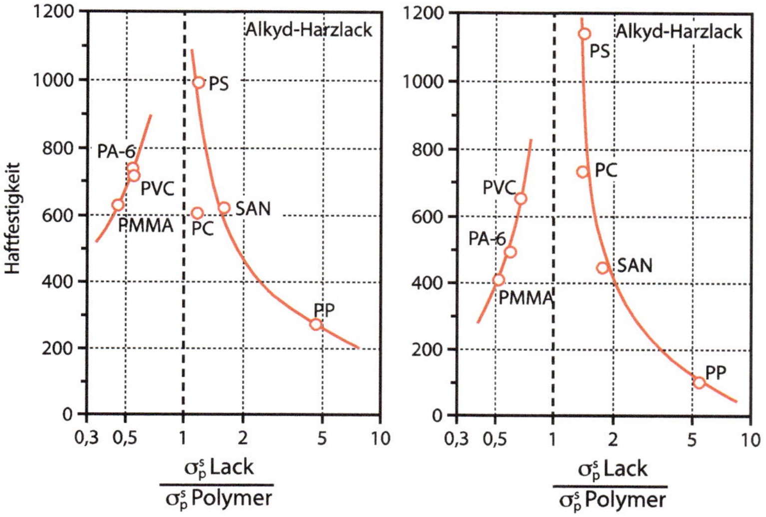

Bild 4.11 Haftfestigkeit als Funktion der polaren Oberflächenspannungsanteile beim Alkyd-Harzlack und beim Akrylat-Harzlack auf verschiedenen Thermoplasten [Potente]

Flüssigkeitstropfen können unter dem Einfluss eines Temperaturgradienten in einer Richtung auf einer ebenen Unterlege wandern. Die Bewegung verläuft hierbei von der wärmeren Zone zur kälteren.

Wird ein symmetrischer Tropfen gleichmäßig von der Unterseite her erwärmt, so nimmt der Randwinkel unter Beibehaltung der Symmetrie ab, wird er abgekühlt, so nimmt der Randwinkel zu und es kann bei Überschreiten eines kritischen Randwinkels δ_{krit} zu einem Auseinanderfließen des Tropfens kommen. Dieses Verhalten beruht auf der veränderten Oberflächenspannung, die mit sinkender Temperatur zunimmt, und der Strömung von den wärmeren zu den kälteren Bereichen innerhalb des Tropfens, die zu einer Zirkulation führt, solange sich kein thermisches Gleichgewicht eingestellt hat (ähnlich Marangoni-Konvektion).

Liegt ein Temperaturgradient entlang der Unterlage vor, so wird sich aufgrund dieser Effekte ein unsymmetrischer Tropfen ausbilden, Bild 4.12. Die größere Oberflächenspannung des Flüssigkeitstropfens und der Drehsinn der Zirkulation vergrößern den Randwinkel δ_k im kalten Bereich der Unterlage, während der Randwinkel δ_w im warmen Bereich abnimmt. Wird im kalten Bereich der kritische Randwinkel δ_{krit} überschritten, so beginnt der Tropfen an dieser Stelle auszufließen. Wird die warme Begrenzungslinie nachgezogen, so bewegt sich der Tropfen wegen der Zirkulation gleichsam rollend in die Kälte.

Bild 4.12 Verformung eines ursprünglich symmetrischen Tropfens (Randwinkel δ) aufgrund eines Temperaturgradienten in der Unterlage
δ_w, δ_k – Randwinkel der wärmeren und kälteren Tropfenzone
δ_{krit} – kritischer Randwinkel

■ 4.8 Kommunizierende Luftblase

Es werden eine kleine und eine große Luftblase (bzw. Seifenblase) miteinander verbunden. Zunächst sei die Verbindung geschlossen, die Blasen behalten ihre Größe bei. Nun wird die Verbindung geöffnet, man kann beobachtet, dass die große Blase vergrößert und die kleine verkleinert wird.

Beispiel

Die eine Kugel hat den doppelt so großen Radius wie die andere. Wenn das Volumen der großen Kugel um 10 % zunimmt, um wie viel % nimmt dann das Volumen der kleinen Kugel ab bzw. um wie viel % nimmt die Oberfläche der großen Kugel zu und die Oberfläche der kleinen Kugel ab. Warum verschwindet die kleinere Kugel?

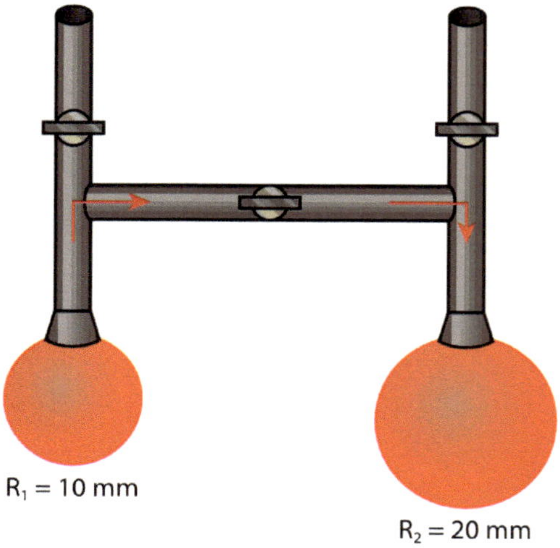

Bild 4.13
Darstellung des Verfahrens der kommunizierenden Luftblase

Das Volumen und die Oberfläche der Kugel werden nach den folgenden Formeln berechnet:

$$V = \frac{4}{3}\pi R^3 \tag{4.3}$$

$$O = 4\pi R^2 \tag{4.4}$$

mit V - *Volumen der Kugel [mm³]*
O - *Oberfläche der Kugel [mm²]*
R - *Radius der Kugel [mm]*

Wenn das Volumen der großen Kugel um 10 % vergrößert wird, vergrößert sich ihre Oberfläche um 329,6 mm² (+ 6,6 %). Gleichzeitig verkleinert sich die Oberfläche der kleinen Kugel um 826,4 mm² (- 65,8 %), d. h. die Summe der Oberflächen beider Kugeln verkleinert sich insgesamt um 496,8 mm² (- 7,9 %) und bei gleicher Oberflächenspannung dementsprechend auch die potentielle Energie. Dementsprechend ist es energetisch günstig, wenn die kleinere Kugel verschwindet, weil beim Verkleinern der kleineren Kugel mehr Oberfläche verschwindet als beim korrespondierenden Vergrößern der großen Kugel entsteht.

4.9 Mischung unterschiedlicher Schmelzen

Oberflächen- bzw. Grenzflächenspannungen haben signifikanten Einfluss auf das Verhalten von Kunststoffschmelzen, die während der Verarbeitung im Kontakt zueinander stehen. Insbesondere bei Verarbeitungsverfahren, bei denen keine relevanten externen Kräfte (Druck, Scherung, ...) auf die Schmelze wirken, können diese Einflüsse beobachtet werden. Ein Beispiel hierfür ist das Rotationsformen, bei dem pulverförmige Kunststoffe Verwendung finden.

Eine Prozessvariante des Rotationsformens, bei der Grenzflächenspannungen zwischen Polymerschmelzen eine relevante Rolle spielen, stellt hierbei das Herstellen mehrschichtiger Bauteile aus haftungsinkompatiblen Werkstoffen durch das Einbringen einer mehrphasigen Zwischenschicht dar. Im Rotationsformen können mehrschichtige Bauteile durch die sequentielle Zugabe von Werkstoffen hergestellt werden. Neben einphasigen Werkstoffschichten können auch Mischmaterialien durch die Zugabe von Pulvermischungen hergestellt werden. Im Folgenden wird unter Zuhilfenahme dieses Ansatzes eine mehrphasige Zwischenschicht aus PE und TPU verwendet, um zwei Schichten dieser Werkstoffe zu verbinden.

Die hierfür verwendeten Pulver sind in Bild 4.14 dargestellt, in der auch die Partikelgrößenverteilung der beiden Systeme aufgeführt ist. Aufgrund des Vermahlens der Werkstoffe weisen die Pulverpartikel keine sphärischen Formen auf.

Bild 4.14 Pulverwerkstoffe für das Rotationsformen
links: TPU (Elastollan SP9305), (volumetrisch)
rechts: PE (Lupolen 4021 K RM Powder)

Tabelle 4.7 Angaben zur Pulvergröße

	PE	TPU
D 10 [µm]	176	55
D 50 [µm]	376	196
D 90 [µm]	627	346

Eine vergleichende Darstellung der Viskositäten über den Temperaturbereich von 160 °C bis 220 °C ist in Bild 4.15 dargestellt. Über den gesamten Temperaturbereich zeigt das TPU eine deutlich niedrigere Viskosität als das PE. Im Bereich der Verarbeitungstemperatur der nachfolgend aufgeführten Rotationsformexperimente (200 °C) weist das PE eine komplexe Viskosität von 1103 Pa s, das TPU eine komplexe Viskosität von 208 Pa s Sekunden auf.

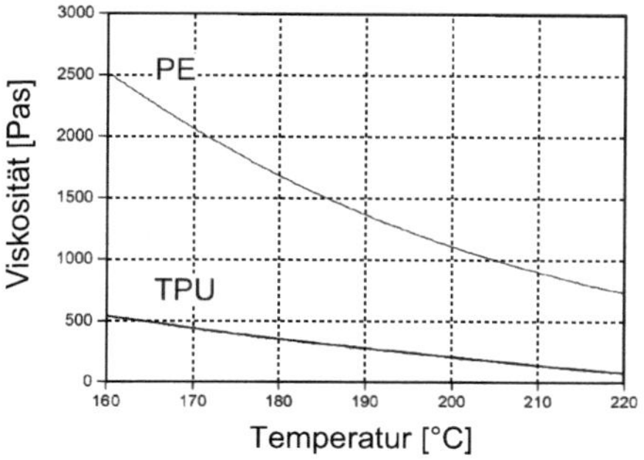

Bild 4.15
Viskosität der betrachteten Werkstoffe

Die Oberflächenspannung des Polyethylens bei 200 °C (Verarbeitungstemperatur) liegt bei 23,1 mN/m und damit um 5,7 mN/m niedriger als der korrespondierende Kennwert des TPU bei 200 °C (28,8 mN/m). Das bedeutet, dass TPU eine stärkere Tendenz zur Verringerung der Oberfläche hat als das PE, da damit ein höherer Energiegewinn verbunden ist. Allerdings wird die Verformung des PE durch die deutlich höhere Viskosität behindert, Bild 4.15.

Eine Gegenüberstellung des mechanischen Verhaltens beider Werkstoffe ist nachfolgend gegeben. Das TPU weist wesentlich höhere Bruchdehnungen als das PE auf, die dabei erreichte Maximalspannung liegt in einem vergleichbaren Bereich. Entsprechend ist die Steifigkeit des PE wesentlich höher als die des TPU.

Tabelle 4.8 Gegenüberstellung der mechanischen Eigenschaften der verwendeten Werkstoffe

Werkstoff	PE	TPU
Bruchdehnung [%]	102	702
Maximalspannung [N/mm²]	17,5	14,1
Spannung bei 5 % Dehnung [N/mm²]	16,4	3,1

Die gemeinsame Zugabe der in Bild 4.16 dargestellten Pulver innerhalb dieser Zwischenschicht führt zu einer spezifischen Phasengrenze, Bild 4.17. Hinterschneidungen und mesoskopische Verschlaufungen zwischen beiden Werkstoffen können auftreten. Zu beobachten sind stets abgerundete Phasengrenzen zwischen beiden Werkstoffen. Aufgrund von Grenzflächenspannungseffekten, während beide Werkstoffe schmelzförmig vorliegen, kommt es zu einem Abrunden der Phasengrenze. Dies führt dazu, dass die Phasengrenzen, trotz der Verwendung nicht sphärischer Partikel keine feinen Strukturierungen aufweisen. Aufgrund von Oberflächenspannungseffekten bildet sich zudem eine glatte innere Oberfläche der Schmelze aus, die keinen Kontakt zum Werkzeug hat.

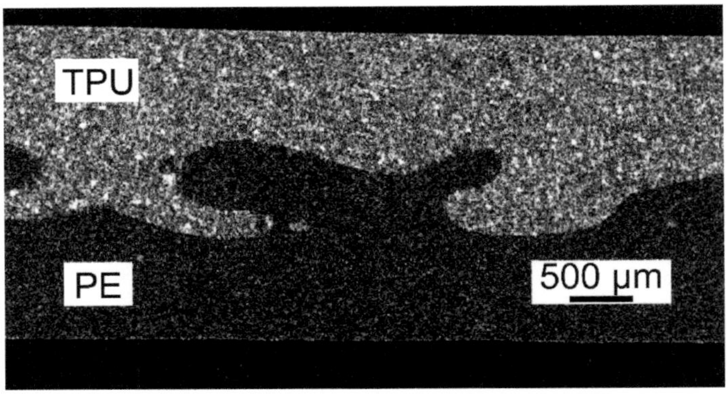

Bild 4.16 Computertomographische Analyse eines rotationsgeformten PE-TPU Verbundes mit mehrphasiger Zwischenschicht, Verarbeitungstemperatur 200 °C, Haltezeit bei Verarbeitungstemperatur: 900 sec [M. Löhner]

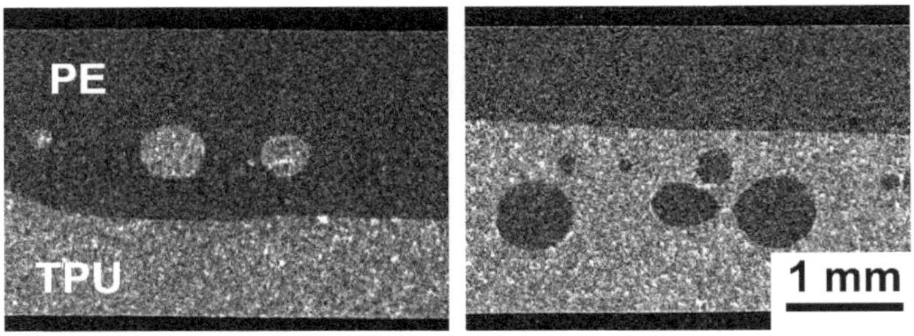

Bild 4.17 Computertomographische Analyse zweier rotationsgeformter PE-TPU Verbunde mit mehrphasiger Zwischenschicht, Verarbeitungstemperatur 200 °C, Haltezeit bei Verarbeitungstemperatur: 900 sec [M. Löhner]
links: 80 Vol.-% PE in Zwischenschicht
rechts: 20 Vol.-% PE in Zwischenschicht

Der Effekt der Abrundung von Phasengrenzen in der Schmelze ist insbesondere auch bei Einschlüssen eines Partikels in einer umgebenden Schmelzephase zu beobachten. Durch die angesprochene Grenzflächenspannung zwischen zwei in der Schmelze befindlichen Polymeren kommt es zu einem starken Abrunden dieser Einschlüsse. Bei Aufbauten analog zu dem in Bild 4.16 dargestellten, kommt es insbesondere bei ungleichen Volumenanteilen in der Zwischenschicht zu Einschlüssen eines Werkstoffs in einer umgebenden Phase, Bild 4.17. Es kommt hierbei zu einer beinahe vollständigen Abrundung der eingeschlossenen Partikel.

Setzt man den in Bild 4.18 dargestellten Mehrschichtverbund einer Schälbelastung aus, kommt es zu einer Verklammerung beider Werkstoffe aufgrund deren Hinterschneidungen und mesoskopischen Verschlaufungen. Innerhalb der mehrphasigen Zwischenschicht bildet sich somit eine auf mechanischer Adhäsion basierende Verbundfestigkeit aus. Auf die Hinterschneidungen wirkt bei Schälbeanspruchung auf den Verbund eine Zugbelastung. Dies führt zu einer Deformation, im vorliegenden Fall insbesondere in der TPU Komponente, und zu einem lokalen Versagen im Bereich der Hinterschneidungen.

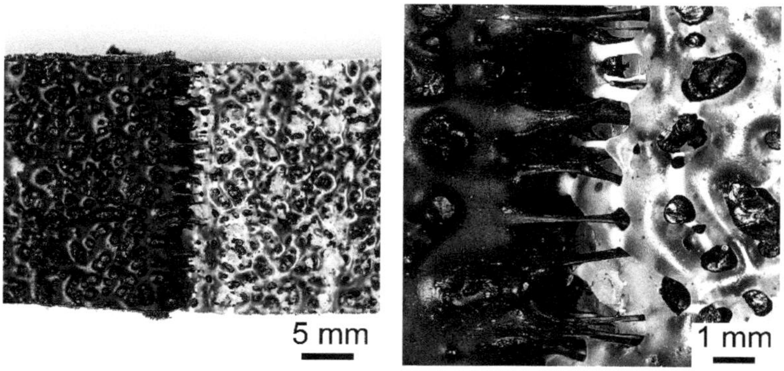

Bild 4.18 Rotationsgeformter Mehrschichtverbund mit mehrphasiger Zwischenschicht unter Schälbelastung, PE-TPU, TPU bildet die schwarz eingefärbte Komponente [M. Löhner]
links: Übersicht
rechts: Detail

Rasterelektronenmikroskopische Aufnahmen der Bruchflächen bestätigen dieses Verhalten, Bild 4.19. Während über große Flächen, an denen die Werkstoffe im direkten Kontakt standen, Anzeichen für ein rein adhäsives Versagen zu erkennen sind, weisen sphärische/elliptische Verformungen und entsprechende Bruchspiegel auf formschlüssiges Versagen hin. In diesen Bereichen kommt es zu kohäsivem Versagen der Grundwerkstoffe im Bereich von Hinterschneidungen und Verschlaufungen.

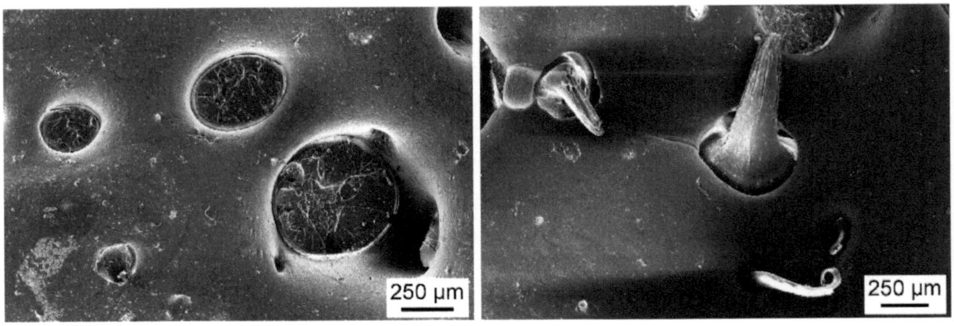

Bild 4.19 REM Aufnahmen der Bruchflächen rotationsgeformter Mehrschichtverbund mit mehrphasiger Zwischenschicht nach Schälbelastung, PE-TPU Verbund [M. Löhner]
links: PE Schicht, kohäsives Versagen im TPU
rechts: TPU-Schicht, kohäsives Versagen im PE

In Abhängigkeit unterschiedlicher Parameter kommt es bei oben beschriebenem Ansatz zu einer Ausprägung unterschiedlicher Verbundfestigkeiten. Die Zusammensetzung der Zwischenschicht stellt hierbei eine maßgebliche Größe dar. Bei einer spezifischen volumetrischen Zusammensetzung der Werkstoffe bildet sich ein Maximum der Verbundfestigkeit aus. Im betrachteten Beispiel liegt dieses bei 60 Vol.-% TPU in der mehrphasigen Zwischenschicht. Für sehr unausgeglichene Werkstoffanteile in der Zwischenschicht kann mit dem beschriebenen Ansatz keine relevante Verbundfestigkeit erreicht werden, Bild 4.20.

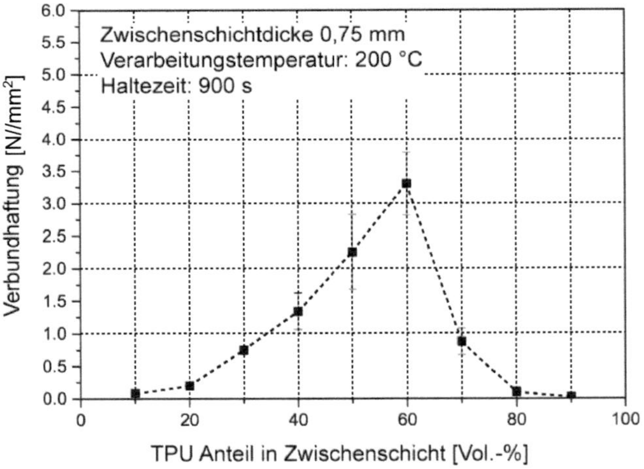

Bild 4.20 Verbundfestigkeit (Schälbelastung in Anlehnung an DIN EN ISO 11339) in Abhängigkeit der Zwischenschichtzusammensetzung

Neben dem Werkstoffanteil in der Zwischenschicht zeigte auch die Verarbeitungstemperatur einen relevanten Einfluss auf die Verbundfestigkeit. Aufgrund von Grenzflächenspannungseffekten kommt es hier zu einem Abrunden der Phasengrenze, was letztendlich auch zu einem Entmischen führt. Höhere Verarbeitungstemperaturen begünstigen diese Entmischung aufgrund der oben beschriebenen Reduktion der Viskosität. Der Einfluss der Verarbeitungstemperatur auf die Verbundfestigkeit des betrachteten Systems ist in Bild 4.21 dargestellt.

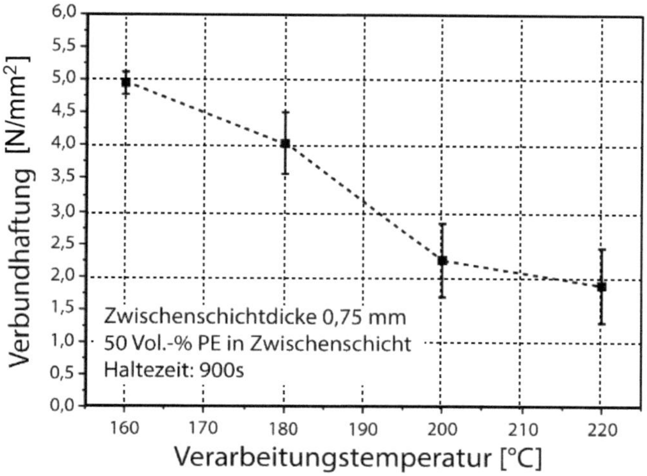

Bild 4.21 Verbundfestigkeit (Schälbelastung in Anlehnung an DIN EN ISO 11339) in Abhängigkeit der Verarbeitungstemperatur

■ 4.10 Hochgefüllte Kunststoffe

Hochgefüllte Kunststoffe verhalten sich oft spröde und brechen bei niedrigen Beanspruchungen. Dieses Verhalten weist darauf hin, dass zwischen dem Matrixmaterial und dem Füllstoff eine zu geringe Haftung besteht. Durch die Zugabe von geeigneten Haftvermittlern kann die Haftung zwischen Füllstoff und Matrix verbessert werden. Bild 4.22 stellt den Einfluss des Haftvermittlers auf die Anbindung zwischen dem Matrixmaterial (Epoxidharz) und dem Füllstoff (Glashohlkugeln) dar.

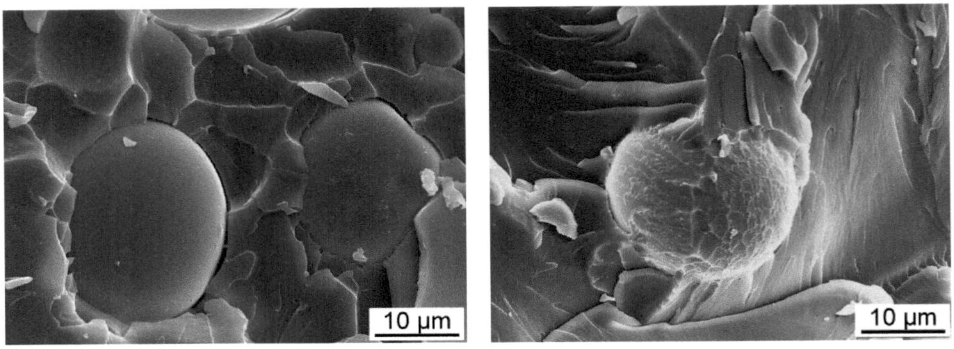

Bild 4.22 Einfluss des Haftvermittlers (Silan) auf die Matrix-Füllstoff Anbindung; Bruchfläche: EP-Harz + Glashohlkugeln (30 Vol-%)
links: ohne Haftvermittler
rechts: mit Haftvermittler

Bei der Zugabe von Additiven in die Kunststoffe bzw. um die Füllstoffe wird unterschieden zwischen:

In-situ-Additivierung:

Diese Additivierung wird direkt während der Compoundherstellung realisiert. Somit kann die Additivierung bei kleineren Materialmengen im Kunststoff-Kneter mit Drehmomenterfassung und bei größeren Mengen im Doppelschneckenextruder durchgeführt werden.

Ex-situ-Additivierung:

In dieser Behandlungsmethode werden Additive auf den Füllstoff bzw. in das Polymer mit Hilfe eines diskontinuierlichen Mischers zugegeben.

Die Ex-situ-Additvierung, auch als direkte Behandlungsmethode genannt, ermöglicht eine definierte und reproduzierbare Oberflächenbehandlung der Füllstoffe bzw. Kunststoffgranulate.

Typische Additive sind in Tabelle 4.9 zusammengestellt.

Tabelle 4.9 Untersuchte Additive
1) Herstellerangabe; Beginn der Fließens nach DIN ISO 2176

Additive	Name, Firma	Art	Form	Tropfpunkt 1)
Fließhilfe	Licowax E, Fa. Clariant	Esterwachs	fest	79 bis 83 °C
Haftvermittler	Dynasylan 1122, Fa. Evonik-Degussa	Aminosilan	flüssig	–
Dispergierungsmittel	Tegopren 6875, Fa. Evonik-Goldschmidt	Siloxan	flüssig	–

Da die Oberflächenspannung bei der Benetzung- und adhäsiven Haftungs-Problematik vor allem bei höheren Temperaturen eine große Rolle spielt, wurde der Einfluss der Temperatur auf die Oberflächenspannung der Additive und des Kunststoffes untersucht, Bild 4.23.

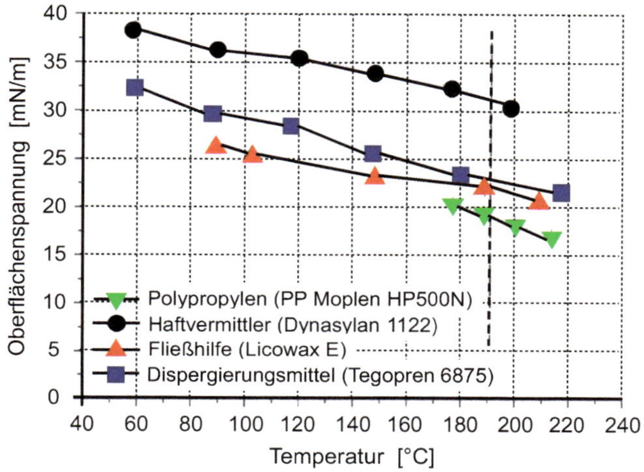

Bild 4.23 Einfluss der Temperatur auf die Oberflächenspannung der Additive und der Matrix, Verarbeitungstemperatur: 190 °C

Die Oberflächenspannung wurde mit der Stempel-Methode gemessen. Die durchgeführten Messungen haben gezeigt, dass die Oberflächenspannungen von der Fließhilfe und vom Dispergierungsmittel im Verarbeitungsbereich (190 °C) etwa gleich und niedriger sind, als die vom Haftvermittler. Durch die Zugabe von beiden Additiven werden deswegen die Fließfähigkeit und die Benetzbarkeit verbessert. Die Oberflächenspannung vom Matrixmaterial ist etwas niedriger als die Oberflächenspannungen von der Fließhilfe und vom Dispergierungsmittel. Dank der niedrigen Oberflächenspannung des Kunststoffs kommt es zu guter Benetzung zwischen dem PP und der Füllstoffe. Die Füllstoffe besitzen höhere Oberflächenspannungen als der Kunststoff. Um die Eignung der Additive für die Verarbeitung (Extrudieren und Spritzgießen) zu bestimmen, wurde ihre thermische Stabilität mit Hilfe der Thermogravimetrischen Analyse getestet. Haftvermittler und Fließhilfe sind bis ≈ 100 °C stabil, das Dispergierungsmittel bis 200 °C.

Als Matrixmaterial wurde PP verwendet, Tabelle 4.10.

Tabelle 4.10 Eigenschaften von Polypropylen
[1] *laut Hersteller*
[2] *gemessen mit Stempelmethode*

Matrixmaterial	Dichte[1] bei 20 °C [g/cm³]	Schmelzbereich[1] *T* [°C]	Zersetzungstemperatur[1] *T* [°C]	E-Modul[1] [N/mm²]	Oberflächenspannung [2] σ_1 [mN/m]
Polypropylen (PP Moplen HP500N, Fa. Basell)	0,90	160 - 163	> 300	1550	36,9 - 0,09 * T T = 180/210 °C

Die Oberflächenspannung von PP wurde mit der Stempel-Methode mit dem OCA20-Gerät und die des Quarzmehls mittels des Steighöhenverfahrens mit dem Tensiometer gemessen. Die Messung des mit Fließhilfe behandelten Quarzmehls war, aufgrund sehr schlechter Benetzung des Materials mit den Testflüssigkeiten, nicht möglich.

$$\sigma_{sl} = \sigma_l + \sigma_s - 2\sqrt{\sigma_s \sigma_l} \cdot e^{\beta(\sigma_l - \sigma_s)^2} \tag{4.5}$$

Der Spreitungsdruck, der die Neigung zur Benetzung des Festkörpers kennzeichnet, wird mit Hilfe der folgenden Gleichung berechnet:

$$p_{Sp} = \sigma_s - \sigma_l - \sigma_{sl} \tag{4.6}$$

Eine vollständige Spreitung tritt ein, wenn der Spreitungsdruck ≥ 0 ($\upsilon = 0$) ist.

Für die Berechnung der Adhäsionsarbeit wurde die Dupré Gleichung in Verbindung mit der Gleichung von Neumann verwendet:

$$W_{ad} = 2\sqrt{\sigma_s \sigma_l} \cdot e^{\beta(\sigma_l - \sigma_s)^2} \tag{4.7}$$

Für eine gute adhäsive Haftung (Adhäsionsarbeit) ist eine kleine Grenzflächenspannung und ein größerer Spreitungsdruck ($p_{Sp} \geq 0$) vorteilhaft. Bild 4.24 stellt den Einfluss der Behandlung von Quarzmehl mit Haftvermittler und Dispergierungsmittel auf die mechanischen Eigenschaften der Prüfkörper aus PP und Quarzmehr und die Adhäsionsarbeit, die Grenzflächenspannung sowie den Spreitungsdruck dar.

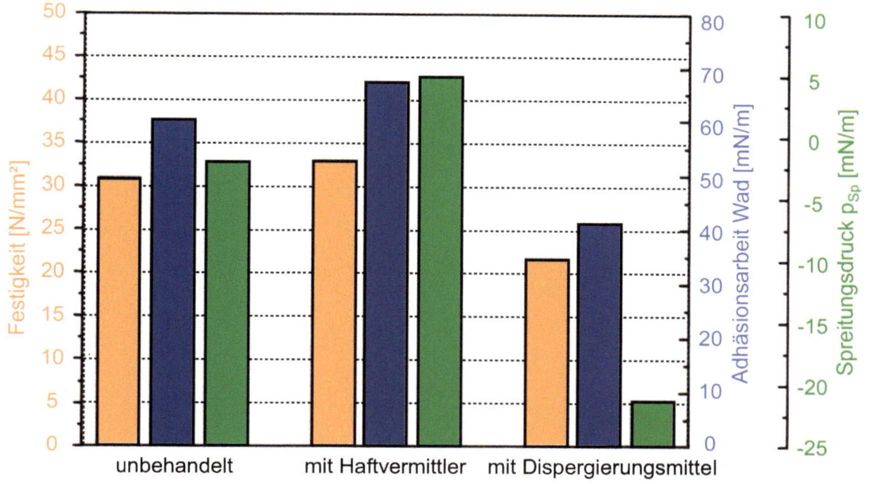

Bild 4.24 Einfluss der Behandlung mit Additivierungs-Mischer von Quarzmehl mit Haftvermittler und Dispergierungsmittel auf die mechanischen Eigenschaften der Prüfkörper aus PP und Quarzmehl sowie die Adhäsionsarbeit, die Grenzflächenspannung und den Spreitungsdruck. *Die Festigkeit korreliert sehr gut mit den aus den Oberflächenspannungen berechneten Werten.*

■ 4.11 Silikone

Silikone haben eine vergleichsweise niedrige Oberflächenspannung und damit eine erhöhte Benetzungsfähigkeit. Die am Si-Atom befindlichen Methylgruppen schirmen die partiell ionischen Si-O-Si-Bindungen nach außen hin nahezu perfekt ab und bewirken eine extrem niedrige Oberflächenspannung, PDMS 21 bis 22 mN/m, Polyphenylmethylsiloxan 26 mN/m, Polydimethylsiloxan bei 295 K = 22 °C bei Viskosität > 100 $mm^2\ s^{-1}$ ~ 21 mN/m.

Generell zeigt die Erfahrung, dass bei Oberflächenspannungen kleiner 15 mN/m die Berechnung nach Wu deutlich besser passt. Von daher würden wir auch eher von den 13 mN/m nach Wu, als dem korrekten Wert ausgehen. Dataphysics meint, dass die Silikonöle nahezu vollständig dispers sind und ab M100 eine Oberflächenspannung um die 19 bis 20 mN/m aufweisen.

Bei der Verwendung von Silikonölen als Hydrauliköle sind zu Beginn Flugzeuge abgestürzt, weil die verwendeten Dichtungen gegen diese neuen verwendeten Hydrauliköle mit ihrer geringen Oberflächenspannung und damit hohen Benetzungsfähigkeit nicht genug abdichteten. Andererseits zeichnen sich Silikonöle durch eine stabile Viskosität über einen großen Temperaturbereich aus.

Wenn Messungen nach der Owens/Wendt-Methode für einen Silkonkautschuk insgesamt 8,05 mN/m (6,57 dis. und 1,47 pol.) und nach Wu insgesamt 13,2 mN/m (10,2 dis und 3 pol) ergeben, gemessen mit Wasser, Ethylen-Glykol und Diiodomethan), bestätigen sie die Zweifel an einer zuverlässigen Messungsmöglichkeit. Für Silikonöl selbst werden 19 bis 20 mN/m für die Methode des hängenden Tropfens angegeben.

4.12 Normen

DIN EN 828 (1998)	Klebstoffe – Benetzbarkeit – Bestimmung durch Messung des Kontaktwinkels und der kritischen Oberflächenspannung fester Oberflächen
DIN EN 14210 (2004)	Grenzflächenaktive Stoffe Bestimmung der Grenzflächenspannung von grenzflächenaktiven Lösungen mittels Bügel- oder Ringverfahren
DIN EN 14370 (2004)	Grenzflächenaktive Stoffe – Bestimmung der Oberflächenspannung
DIN EN 15802 (2009)	Erhaltung des kulturellen Erbes – Prüfmethoden – Messung des statischen Kontaktwinkels
DIN ISO 1409 (2008)	Kunststoffe/Kautschuk – Polymerdispersionen und Kautschuklatices (natürliche und synthetische) – Bestimmung der Oberflächenspannung mit der Ringmethode
DIN ISO 8296 (2008)	Kunststoffe – Folien und Bahnen – Bestimmung der Benetzungsspannung
ISO 304 (1985)	Grenzflächenaktive Stoffe – Bestimmung der Oberflächenspannung durch Aufziehen flüssiger Filme
ISO 2456 (1986)	Grenzflächenaktive Stoffe – als Lösungsmittel für Prüfungen verwendetes Wasser – Anforderungen und Prüfverfahren
ISO 6889 (1986)	Grenzflächenaktive Stoffe – Bestimmung der Grenzflächenspannung durch Hochziehen von Flüssigkeitsfilmen
ISO 9101 (1987)	Grenzflächenaktive Stoffe – Bestimmung der Grenzflächenspannung – Tropfenvolumen-Methode
ASTM-D 3825 (2009)	Bestimmung der dynamischen Oberflächenspannung nach dem Blasen-Verfahren

4.13 Verwendete Literatur

[1] Hejda, F., Kousal, J., Solar, P., Surface Free Energy Determination by Contact Angle Measurement – a Comparison of Various Approaches WDS'10 Proceedings of Contributed Papers, Part III; 25 – 30, 2010

[2] Perry, H.R., Chemical Engineers' Handbook, McGraw-Hill, New York, 1963

- Bauer, E., Brinkmann, Osswald, T.A., Schmachtenberg, E., Saechtling – Kunststoff Taschenbuch, 30. Auflage, Carl Hanser Verlag, München, 2007
- Chrisman, C., Fox, H.W., The Ring Method of Measuring Surface Tension for high Density and low Surface Tension, J. Physical Chemistry 56 (1952), S. 284/88
- DataPhysics Instruments GmbH, D 70794 Filderstadt, Raiffeisenstrasse 34, Internet: *www.dataphysics.de*
- Ehrenstein, G.W., Polymerwerkstoffe, 2. Auflage, Carl Hanser Verlag, München, 1999
- Ehrenstein, G.W., Kolb, R., Bestimmung der Einflussgrößen auf die Oberflächenspannung thermoplastischer Polymeren, Interner Bericht, Lehrstuhl für Kunststofftechnik, Universität Erlangen-Nürnberg, 2002
- Erhard, G., Zum Reibung- und Verschleißverhalten von Polymerwerkstoffen, Diss. Universität Karlsruhe, 1980, *www.kunststoffe.de*
- Gericke, S., Oberflächenmodifizierung von Lactose mit überkritischem CO_2, Dissertation, Rheinische Universität Bonn, 2003
- Gleich, H., Zusammenhang zwischen Oberflächenenergie und Adhäsionsvermögen von Polymerwerkstoffen am Beispiel von PP und PBT und deren Beeinflussung durch die Niederdruck-Plasmatechnologie, Diss. Universität Duisburg-Essen, 2004
- Gröschel, Chr., Zum Umformen endlosfaserverstärkter Thermoplaste mittels Gasdruck, Diss. Universität Erlangen, Kunststofftechnik, 2017
- Grundke, K., Jenschke, W., Michel, S., Uhlmann, P., Wulf, M., A new Method for the simultaneous Determination of Surface Tension and Density of Polymer Melts, J. Physical Chemistry 1 (1999), S. 3899 – 3903
- Häfer, M., Kontaktwinkelmessung: Methoden zur Bestimmung der Oberflächenspannung von Festkörpern, Krüss GmbH, 8/1993
- Harkins, D., Jordan, H.F., A Method for the Determination of Surface and Interfacial Tension from the Maximum Pull on a Ring, J. American Chemical Society 2 (1930) S. 1751/72
- Kämpf, G., Industrielle Methoden der Kunststoffcharakterisierung, Carl Hanser Verlag, München, 1996
- Kopczynska., A., Ehrenstein, G.W., Oberflächenspannung von Kunststoffen – Messmethoden am LKT, Sonderdruck – Lehrstuhl für Kunststofftechnik, Universität Erlangen
- Kopczynska, A., Oberflächenspannungsphänomene bei Kunststoffen – Bestimmung und Anwendung, Dissertation, Universität Erlangen, 2008
- Kramer, E., Schmitter, A., Stabilisierung von Kunststoffen, in: Thermische Einsatzgrenzen von Technischen Kunststoffbauteilen (Hrsg. G.W. Ehrenstein und S. Pongratz), Springer VDI Verlag GmbH, Düsseldorf, 1998
- Krüger, R., Potente, H., Bedeutung polarer und dispersiver Oberflächenspannungsanteile von Plastomeren und Beschichtungsstoffen für die Haftfestigkeit von Verbundsystemen, Z. Farbe und Lack 2 (12978) S. 7274
- Krüss GmbH, Wissenschaftliche Laborgeräte; Borsteler Chaussee 85, 22453 Hamburg Internet: *www.kruess.de*

- Kwok, D.Y., Neumann, A.W.J., Contact Angle Measurement and Contact Angle Interpretion, Advances in Colloid and Interface, Science 81 (1999), S. 167 – 249
- Lax, E., Lechner, M.D., Synowietz, C., Taschenbuch für Chemiker und Physiker, Physikalisch-chemische Daten, Springer Verlag, München, 1992
- Löhner, M., Experimental Studies on the Bonding Strength and Drummer, D. Fracture Behavior of Incompatible Materials Bonded by Mechanical Adhesion in Multi-layer Rotational Molding, Journal of Polymers 2016; Article ID 5768453
- Motzet, S., Stampfer, S., Ehrenstein, G.W., Bestimmung der Oberflächenspannung von Kunststoffen mit dem Steighöhenverfahren, Studienarbeit, Lehrstuhl für, Universität Erlangen-Nürnberg, 2002
- Müller, A., Einfärben von Kunststoffen, Carl Hanser Verlag, München, 2002
- Neumann, A.W., Spelt, J.K., Applied Surface Thermodynamics, Marcel Dekker, Inc., New York, 1996
- N.N. VDI-Richtlinie 3822-Blatt 1, Schadensanalyse: Grundlagen, Begriffe, Definitionen, VDI-Verlag, Berlin, 1984
- N.N. DIN 53914: Prüfung von Tensiden, Bestimmung der Oberflächenspannung, 1997
- N.N. Betriebsanleitung, DataPhysics OCA-Serie, Filderstadt, 2001
- N.N. DIN EN 14379: Grenzflächenaktive Stoffe – Bestimmung der Oberflächenspannung, 2004
- Owens, D.K., Wendt, R.C., Estimation of the Surface Free Energy of Polymers, J. Applied Science 13 (1969), S. 1741 – 1747
- Salmang, H., Scholze, H., Keramik, Springer Verlag, Berlin, 1982
- Schulze, D., Pulver und Schüttgüter – Fließeigenschaften und Handhabung, Springer Verlag, Berlin, 2006
- Tilger, R., Weidner, H., Alterungsvorhersagen bei Kunststoffen – Charakterisierung von Alterungszuständen, Kunststoffe 70 (1980) 12, S. 837 – 844
- Wu, S., Polymer Interface and Adhesion, Marcel Dekker, Inc., New York, 1996
- Waters, G.W.J., Zuidema, H.H., Ring Method for the Determination of Interfacial Tension Industrial and Engineering, Chemistry 13 (1941) 5, S. 312/13

5 Spannungsrisse in Kunststoffen

Die wenigen statistisch gesicherten Analysen weisen schon darauf hin, dass die Spannungsrissbildung der größte Schadensverursacher bei Kunststoffteilen im Gebrauch ist. Um die Rentabilität zu steigern, versuchen Verarbeiter sehr häufig die Produktion zu beschleunigen. Das geht oft einher mit höherer Belastung (Druck und Temperatur) des Materials, gekennzeichnet durch Reduzierung des Molekulargewichts (fließt schneller) und schnelleres Füllen des Werkzeugs (stärkere Orientierung der Makromoleküle). Äußerlich sieht man nichts. Vorausgesetzt man hat den richtigen Kunststofftyp ausgewählt, wovon man ausgehen kann, so führen diese nicht so einfach definierbaren Fehlbehandlungen besonders häufig zur Spannungsrissempfindlichkeit.

5.1 Spannungsrisse oder Crazes

Unter Spannungsrissbildung (environmental stress cracking = ESC) oder Crazing versteht man nach Kausch nahezu geradflächig begrenzte Materialbereiche, die sich unter Krafteinwirkung nach einer Induktionszeit, dann aber spontan senkrecht zur größten Zugspannung öffnen.

5.1.1 Verschiedene Craze-Formen und deren Bildung

Unter Crazes oder Spannungsrissen versteht man im Gegensatz zu Rissen die rissähnliche, gradflächige Aufweitung von überwiegend amorphen Strukturen unter Bildung von Fibrillen zwischen nahezu ebenen, leicht keilförmig zueinander verlaufenden Begrenzungsflächen mit und ohne Einwirkung von lösenden Chemikalien, aber immer unter Wirkung von Zugspannungen, Bild 5.1. Dieses können Last- und Eigenspannungen sein. Ohne diese mechanische Belastung findet bei eindringenden Lösungsmitteln allenfalls ein Quellvorgang statt.

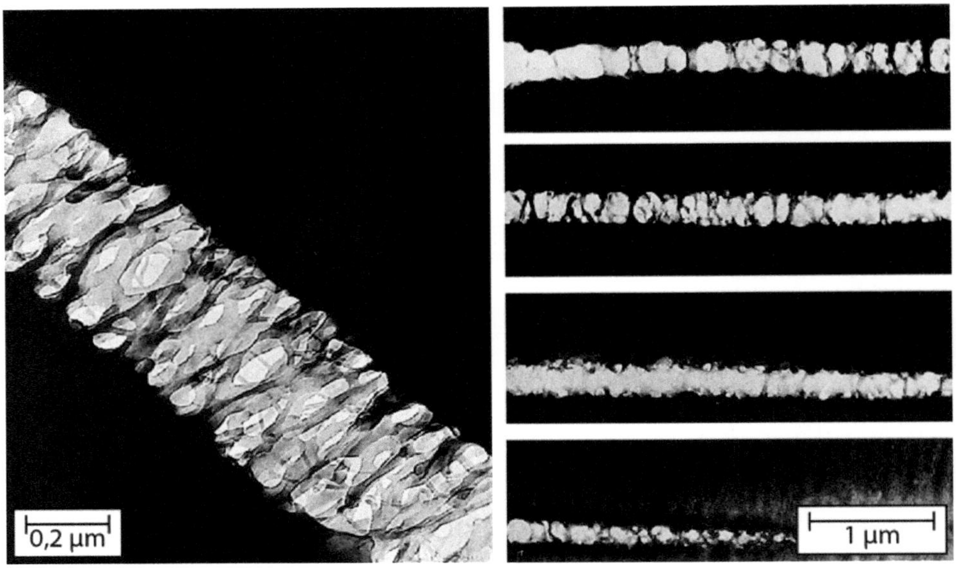

Bild 5.1 Spannungsrissstruktur [1] [2]
links: *Schnitt durch einen Spannungsriss in PS*
rechts: *Verlauf eines Spannungsrisses senkrecht zur Oberfläche (Elektronenmikroskopische Aufnahme von Dünnschnitten)*

Der Durchmesser der Fibrillen beträgt einige 10 nm (der Durchmesser eines einzelnen PE-Moleküls beträgt ca. 0,1 nm), die Länge der Fibrillen und damit die Aufweitung bis zu 20 µm. Zwischen den um 100 bis 400 % verstreckten Fibrillen befinden sich Hohlräume von 10 bis 20 nm. Die Tiefe der Spannungsrisse beträgt einige zehntel mm, ihre Länge liegt im mm- bis cm-Bereich, Bild 5.2.

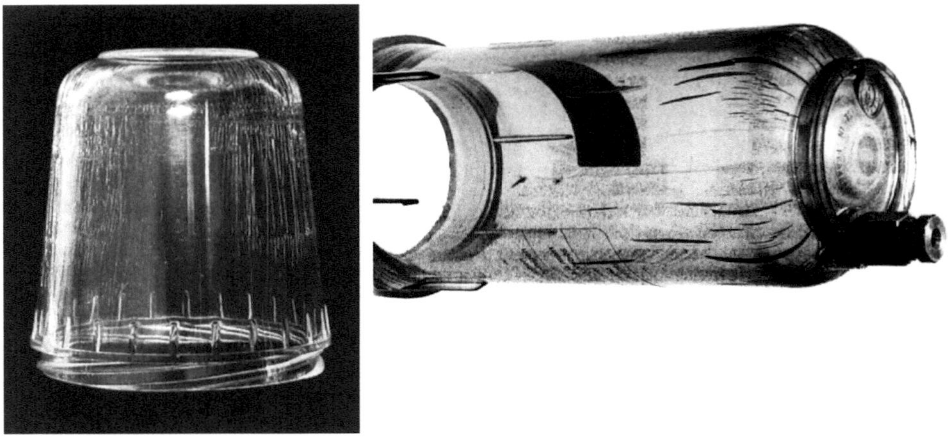

Bild 5.2 Spannungsrisse an einer Filtertasse aus SAN nach 10 min in Toluol-Propanol (1:5)

Spannungsrissbildung (Crazing) beschreibt die Bildung von nahezu geradflächig begrenzten besonderen Materialbereichen, die sich unter Krafteinwirkung nach einer Induktionszeit, dann aber spontan senkrecht zur größten Zugspannung öffnen. Es handelt sich normalerweise nicht um Korrosion. ■

Die Entwicklung der Crazes ist ebenso wie der Bruchvorgang selbst zeitabhängig. Es ist offensichtlich eine gewisse Entwicklungsphase notwendig.

Bei der Lagerung im spannungsrissfördernden Medium (ohne äußerer Krafteinwirkung) führen die Orte höchster Zugeigenspannungen senkrecht zu deren Richtung zu Crazes. Dies kann bei der Schadensanalyse hinsichtlich des Verarbeitungsprozesses und der Gebrauchstauglichkeit des Fertigteils nur qualitativ beurteilt werden. Je nach Höhe der Eigenspannungen und Wirksamkeit häufig komplexer Medien tritt nach mehr oder weniger langer Zeit die Spannungsrissbildung auf, Bild 5.2 und Bild 5.9.

Es ist zwischen der Spannungsrissbildung, ausgehend von der Materialoberfläche (häufig unter Einwirkung von Medien) und einer medienfreien Spannungsrissbildung, z. B. im Inneren von kautschukmodifizierten Styrolcopolymerisaten, zu unterscheiden. Oberflächen-Spannungsrisse entstehen senkrecht zu oberflächennahen Zugspannungen in Form von Last- und/oder Eigenspannungen. Die innere Spannungsrissbildung beginnt aufgrund eines mehrachsigen Zugspannungszustandes, der dadurch gekennzeichnet ist, dass er unmittelbar am chemisch fest gebundenen Übergang Kautschuk/-Hartphase in der Hartphase am höchsten ist und zu einer Aufweitung des Molekülverbundes unter überwiegend mehrdimensionaler Zugbeanspruchung führt, Bild 5.3 und Bild 5.4.

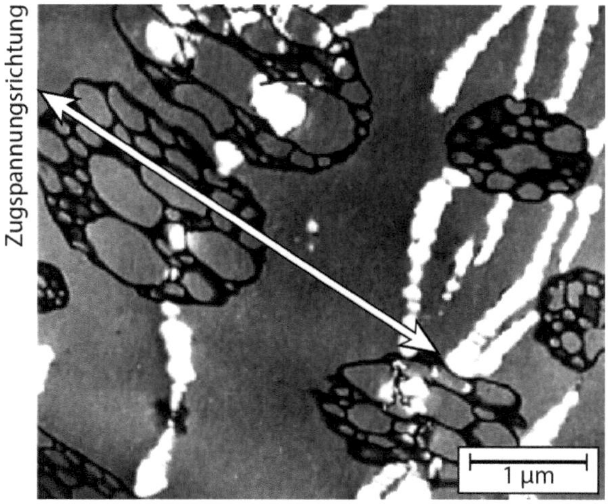

Bild 5.3 Innere Spannungsriss in einem schlagfesten Polystyrol (SB) mit Angabe der Zugspannungsrichtung *(TEM-Aufnahme)*

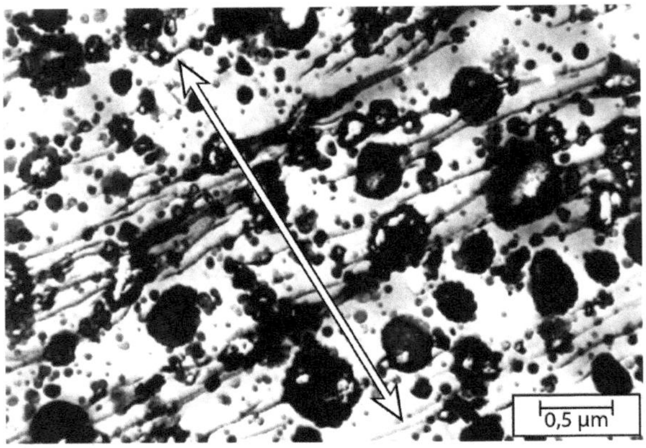

Bild 5.4 Spannungsriss in Acryl-Butadien-Styrol (ABS) durch mehrachsigen Spannungszustand mit bevorzugter Zugspannung ohne Medieneinfluss ausgelöst [2] *(TEM-Aufnahme)*

Spannungsrisse werden aber auch an Hohlräumen und an nicht gebundenen Teilchen bei Spannungserhöhung beobachtet, wenn sich besonders ein mehrachsiger, überwiegend Zug-Spannungszustand ergibt.

Die Volumenaufweitung verbunden mit der Crazebildung durch einen mehrachsigen Spannungszustand funktioniert nur wegen der festen chemischen Bindung des Kautschuks an die polymere Hartphase. Vergleichbare Mechanismen z. B. bei PVC funktionieren wegen der fehlenden festen Bindung nicht.

Das sich an den entstehenden ebenen Begrenzungsflächen brechende Licht lässt diese Spannungsrisse als weiße Brüche erscheinen, weshalb man auch von einem „Weißbruch" spricht.

Die Bildung der Spannungsrisse mit starker Fibrillenbildung ist mit einer hohen irreversiblen lokalen Energieaufnahme verbunden, die wegen der sehr großen Anzahl an Fibrillen zu hoher mechanischer Zähigkeit führt. Während PS und SAN normalerweise spröde brechen, bewirken die chemisch gebundenen Kautschukpartikel in SB und ABS/ASA ein duktiles, zähes Versagen.

Die Fibrillenbildung setzt eine molekulare Aufweitung der Struktur voraus. Diese Beweglichkeit der Makromoleküle wird bei oberflächenbezogenen Spannungsrissen durch eindiffundierende Medien deutlich erhöht, die die physikalischen zwischenmolekularen Bindungen lockern. Dies kann senkrecht zu den Makromolekülen leichter geschehen, da dort physikalische Bindungen überwiegen.

Durch die zwischen die Makromoleküle eindringenden und die intermolekularen Bindungen herabsetzenden Netzmittel (niedrigere Oberflächenspannung)

- sinkt die rissauslösende Spannung,
- vermindert sich die Zahl der Spannungsrisse um ein bis zwei Größenordnungen,
- steigt die Wachstumsgeschwindigkeit der Risse erheblich,

- werden die Spannungsrisse bei gleicher Spannungsgeschichte länger und tiefer als ohne Netzmittel,
- wird durch Weichmachung an der Rissspitze dort die molekulare Entschlaufung erleichtert,
- kann es aber auch oberflächlich zu Quellungen kommen, die vorhandene Zugeigenspannungen abbauen und Druckeigenspannungen aufbauen können.

Über die Wirkung von gasförmigen Substanzen auf die Spannungsrissbildung ist wenig bekannt. Feuchtigkeit und Kohlendioxid in der Luft wirken allerdings spannungsrissfördernd.

Die **Spannungsrissbildung ist normalerweise keine Korrosion**, wie das bei der Spannungsrisskorrosion bei Metallen der Fall ist, da die Kunststoffe nur sehr selten chemisch angegriffen oder verändert werden. Zusätzliche chemische Angriffe sind nicht auszuschließen, sind aber für die Spannungsrissbildung von untergeordneter Bedeutung.

Der mehrachsige Zugspannungszustand führt quasi zu einer Erweichung der betroffenen Hartphase. Werden die molekularen Bindung der Komponenten, Matrix und Kautschukphase, z. B. durch UV-Strahlen geschädigt und versprödet, ist die hohe Zähigkeit nicht mehr gegeben.

Viele kleine Kautschukteilchen bedeuten, dass an vielen Stellen zugleich die zur Craze-Bildung notwendige Spannung aufgebracht werden muss, sodass die Streckgrenze daher besonders hoch liegt. Es entstehen viele kleine Crazes. Gleichzeitig treffen die Crazes sehr viel schneller wieder auf Kautschukpartikel, sodass die Bruchdehnung der Gesamtsubstanz kleiner bleibt. Zudem tritt wegen der vielen Kerbwirkungen verstärkt eine Scherbelastung mit Scherbändern auf. Das verstreckte Volumen und damit die Arbeitsaufnahme ist geringer als bei den größeren Kautschukpartikelchen. Man spricht von einem hochfesten, halbschlagzähen ABS.

Bei volumenbezogener Spannungsrissbildung wird die Beweglichkeit durch die Volumenaufweitung aufgrund des mehrachsigen Zugspannungszustands bewirkt. Große Kautschuk-Partikel bewirken eine schnellere und größere, aber zahlenmäßig geringere Anzahl von Spannungsrissen. Die Folge ist eine höhere Festigkeit, aber geringere Zähigkeit, Bild 5.5.

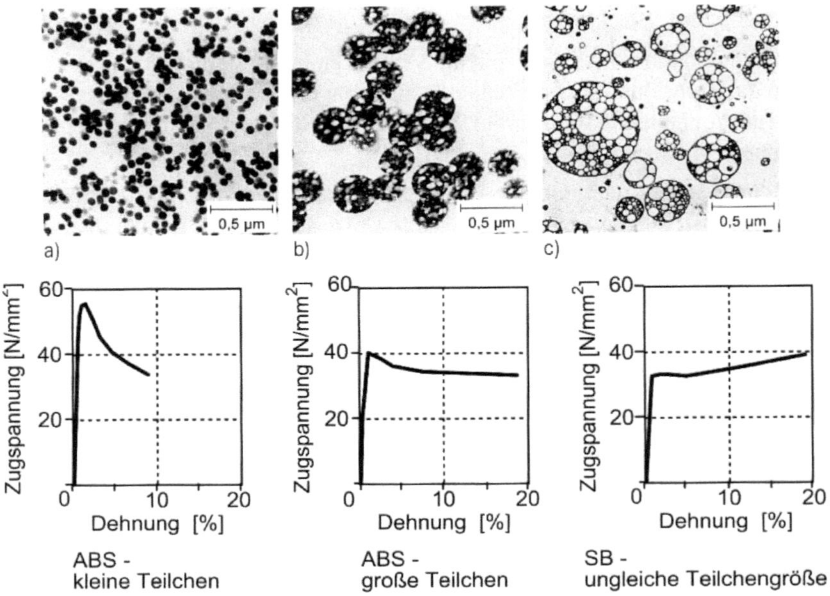

Bild 5.5 Einfluss der Kautschukpartikelgröße auf das Verformungsverhalten [2] *(TEM-Aufnahme)*

Die Spannungsrisslänge auf der Oberfläche strebt bei gegebenen Belastungs- und Umgebungsbedingungen jeweils einem von der Höhe der auftretenden Zugspannungen und gegebenenfalls vom einzuwirkenden Netzmittel abhängigen Endwert zu, sodass immer einander ähnelnde Spannungsrisse beobachtet werden.

Hohe Zugbelastungen führen schnell zu vielen, aber kurzen Crazes, mit abnehmender Spannung nimmt die Zahl der Crazes ab, sie werden aber zunehmend länger.

Der Spannungsriss selbst weist einen deutlich erniedrigten Elastizitätsmodul, eine hohe Bruchdehnung und eine hohe mechanische Dämpfung auf. In Bild 5.6 sind für die unverstreckte Polymersubstanz und für den Spannungsriss eines Polycarbonats (PC) der zeitabhängige Elastizitätsmodul, der sog. Kriechmodul, bei einer Spannung von 44 N/mm^2 dargestellt. Die Werte für das unverstreckte Material sind mehr als viermal so hoch wie die für den Spannungsriss, der außerdem eine deutlich höhere Kriechneigung zeigt. Spannungsrisse bilden somit lokale Entlastungen in einem Zug-Spannungsfeld. Die Aufweitung der Spannungsrisse bei einer steigenden Belastung erfolgt nicht durch Umwandlung von weiterem Kunststoff in Spannungsrisse, sondern durch Dehnung der bereits vorhandenen Fibrillen.

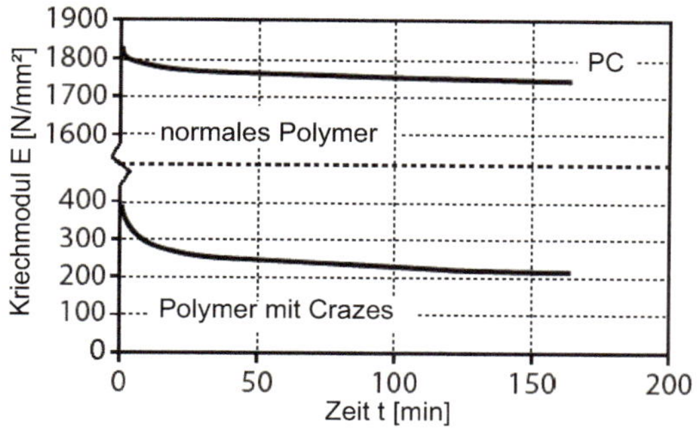

Bild 5.6
Kriechmodul von PC mit Spannungsrissen und nicht verstrecktem Polycarbonat (PC) bei einer Zugspannung von 44 N/mm² in Abhängigkeit von der Zeit [3]; siehe auch lin-log-Vergleich Bild 5.10 und Bild 5.11

5.1.2 Wirkung von Spannungsrissen

Bild 5.7 zeigt einen aufreißenden Spannungsriss. Die Rissbildung kann in der Mitte der Fibrillen, aber auch an den Randbereichen erfolgen.

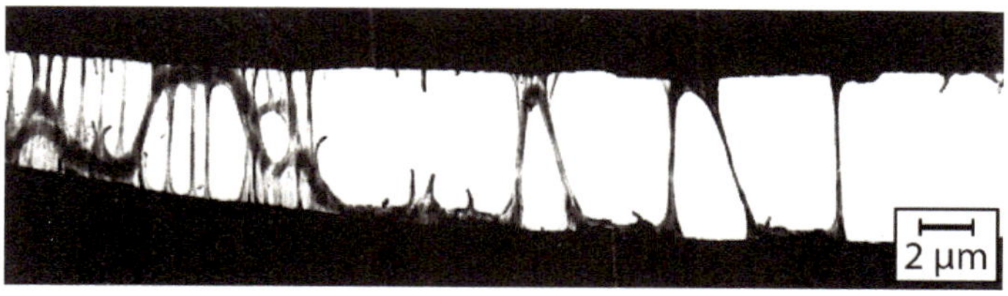

Bild 5.7 Aus einem Spannungsriss entstehender Crack (Riss) [9]
(Elektronenmikroskopische Aufnahme)

Da Spannungsrisse mechanische Schwachstellen bilden, führen sie bei erneuter Belastung zu einer Abnahme des Arbeitsaufnahmevermögens (Fläche unter dem Spannungs-Dehnungs-Diagramm) des Kunststoffs, wie Bild 5.8 für PMMA erkennen lässt.

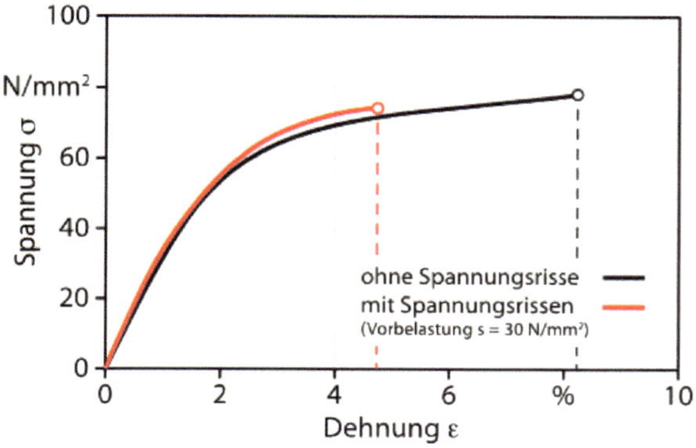

Bild 5.8
Spannungs-Dehnungs-Diagramm von Polymethylmetacrylat (PMMA) mit und ohne Spannungsrissen bei 23 °C [4]

Zum Vergleich wurden die Spannungs-Dehnungs-Diagramme mit und ohne Spannungsrissbildung aufgetragen. Die Spannungsbildung der mit Spannungsrissen behafteten Probe wurde durch eine längere statische Vorlast bei 30 N/mm^2 erzeugt, wodurch sich Molelkülorientierungen ergaben, Bild 5.8.

Neben der fibrillären kann es auch zu einer folienförmigen Spannungsrissbildung kommen, wenn sich bei einem gleichmäßigen Dehnungsvorgang an der Oberfläche folienförmige Verstreckungen auf einer Unterlage mit den Kennzeichen eines verformungsarmen Gewaltbruchs ergeben. Bild 5.9 zeigt einen geöffneten Spannungsriss in Polystyrol mit einer ebenen Bruchfläche und einzelnen, duktil gezogenen Folien und Fäden.

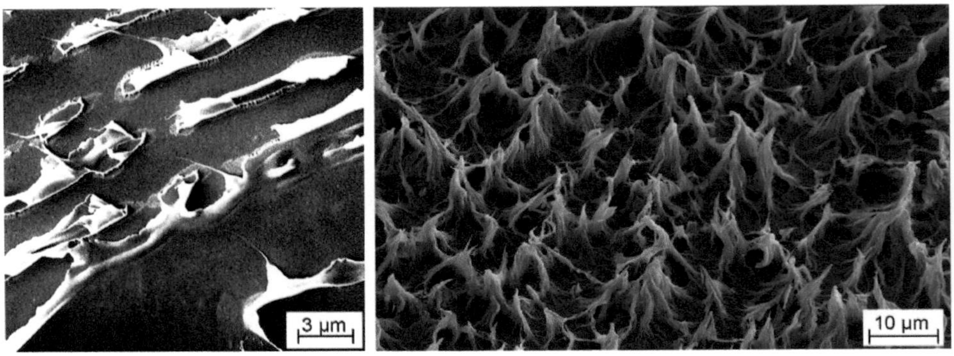

Bild 5.9 Geöffneter Spannungsriss
links: in PS mit überwiegend folienförmigen Verstreckungen [10]
rechts: in PEHD starke Fibrillierung ähnlich bei Lösemitteleinfluss

Die Bildung von Spannungsrissen, besonders die Entschlaufung und Verstreckung der Makromoleküle, kann auf verschiedene Art behindert und damit die Spannungsrissbeständigkeit verbessert werden, und zwar durch Vernetzungen und Kurzkettenverzweigungen,

- Erhöhung des Molekulargewichts,
- Erhöhung und Verfeinerung der Kristallinität,
- Versteifung der Kettensegmente,
- Strahlenvernetzung der amorphen Bereiche,
- geringere Benetzungs- und Diffusionsfähigkeit des Mediums,
- Erniedrigung der Kettenbeweglichkeit durch Temperatursenkung,
- Verringerung des freien Volumens durch langsame Abkühlung,
- Senkung von Zugeigenspannungen in der Oberfläche.

Üblicherweise werden die Schadenslinien, die das Auftreten von Crazes kennzeichnen, halb- oder doppeltlogarithmisch aufgetragen. Das lässt eher ein zeitabhängiges Auftreten der Erscheinungen vermuten. Trägt man die Kurven jedoch doppeltlinear auf, zeigt sich, dass die größten Effekte sich gleich am Anfang ergeben und eine deutliche Abhängigkeit von den wirkenden Zug(eigen)spannungen ergeben. Die Crazes entstehen zunächst schnell, entspannen die Oberfläche und bilden sich dann nur noch langsam.

Die Bildung und das Wachstum der Spannungsrisse (Crazes) kann in drei Abschnitte eingeteilt werden: Vorspannungsrissbildung, Spannungsrissbildung mit Fibrillen (auch Crazes genannt) und Übergang in Rissbildung (Cracks) mit völliger Trennung der betroffenen Oberflächen oder Wachstumsstopp.

Die Spannung, bei der ein erster Spannungsriss mit bloßem Auge sichtbar wird, wird nicht ganz korrekt „Riss"-Spannung genannt. Sie steigt mit der Dehngeschwindigkeit und nimmt mit steigender Temperatur ab. Die Zeit vom Anlegen der Spannung bis zur Bildung des Spannungsrisses wird als Induktionszeit bezeichnet.

Ist die auftretende Zugspannung (Eigen- und/oder Lastspannung) hoch, wird an mehr Schwachstellen in der Oberfläche die zur Spannungsrissbildung notwendige Spannungshöhe erreicht. Es bilden sich viele kleine Spannungsrisse, weil an vielen Stellen die kritische Spannung erreicht wird. Bei niedriger Spannung bilden sich dementsprechend weniger Spannungsrisse, die dann mit der Belastungszeit länger wachsen, bis die gleiche Entspannung an der Kunststoffoberfläche erreicht ist wie bei vielen kleinen Spannungsrissen.

Bild 5.10 zeigt die Zeitdehnlinien von Polymethylmetacrylat (PMMA). Bei hoher Zugbeanspruchung ergeben sich bereits nach kurzer Belastungszeit viele kleine Spannungsrisse.

Je niedriger die Beanspruchung ist, umso länger dauert es bis zur Bildung von Spannungsrissen. Bei relativ hohen Spannungen bestimmt die Festigkeit des Kunststoffs überwiegend die Spannungsrissbildung, im mittleren und niedrigen Spannungsbereich tritt die Wirkung der Chemikalien stärker in Erscheinung.

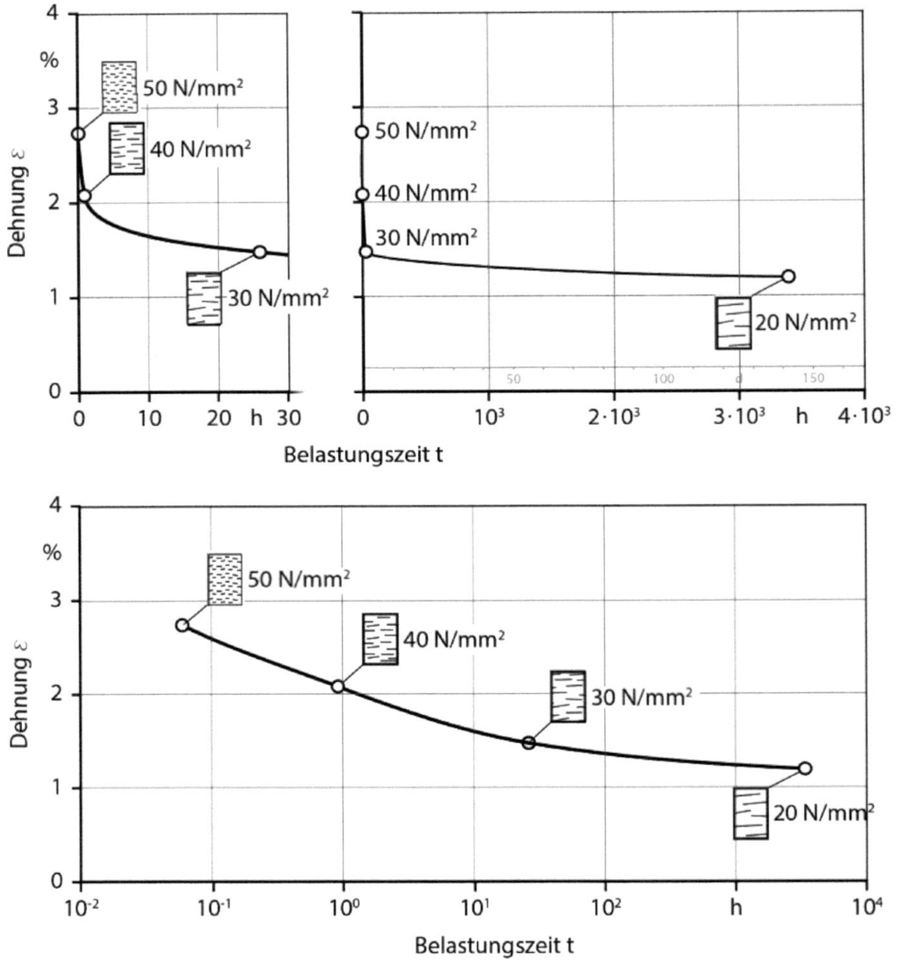

Bild 5.10 Einfluss der Belastungshöhe und -zeit in Stunden auf die Länge und Anzahl der Spannungsrisse bei Polymethylmetacrylat (PMMA) [4]
ε = Dehnung, bei der erste Spannungsrisse auftreten;
oben: lineare Auftragung;
unten logarithmische Auftragung

Die Darstellungen in Bild 5.10 und Bild 5.11 zeigen deutlich, dass zu Beginn von Spannungsrissversuchen eine starke Zeitabhängigkeit gegeben ist. Vor einer scheinbar gleichmäßigen Extrapolation, wie sie bei logarithmischer Auftragung vermutet werden kann, muss gewarnt werden.

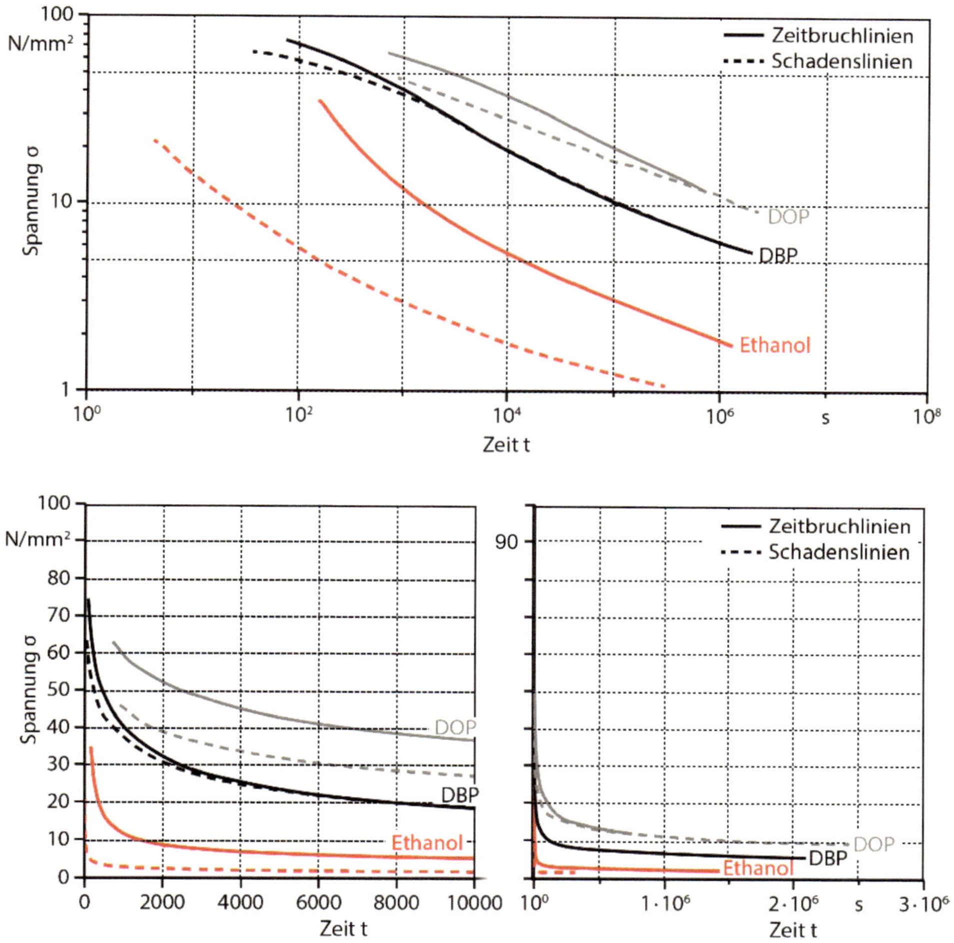

Bild 5.11 Zeit in sec zur Spannungsrissbildung und zur Zeitfestigkeit von gegossenem PMMA unter Einwirkung von DOP-Weichmacher, DBP-Weichmacher und Ethanol in logarithmischer und linearer Darstellung im Vergleich [16]

Während die Spannungsrissbildung bei entsprechenden Bedingungen relativ früh eintritt, bedeutet dieses noch keineswegs ein Total-Versagen des Bauteils, besonders, wenn die Last rein statisch weiterwirkt und die Kerbwirkung der Spannungsrisse weniger zur Wirkung kommt, wie z.B. bei stoßartiger Belastung, wenn kein viskoelastischer Kerbspannungsabbau möglich ist, Bild 5.11.

Die Spannungsrissbildung ist von der Höhe der einwirkenden Spannungen und der Einwirkzeit abhängig. Da der nichtelastische Verformungsanteil sich in kurzen Belastungszeiten am stärksten ändert, ändert sich die Spannungsrissbildung bei kurzen Zeiten am stärksten. Lineare Extrapolationen der Bildungszeit sind daher nicht möglich.

Vor der Extrapolation kurzzeitig gemessener Spannungsriss-Bildungszeiten auf längerfristige Einsatzzeiten wird gewarnt, vor allem bei logarithmischer Zeitauftragung.

Während die logarithmische Darstellung einen gradlinigen Abfall der Schadenslinien vortäuscht, erkennt man bei linearer Darstellung einen starken Abfall der Schadenslinien bei kurzen Belastungszeiten. Das bedeutet aber auch, dass Ergebnisse kurzer Prüfzeiten nicht direkt extrapolierbar sind.

Eine eindeutige zeitliche Festlegung von Mindest- oder Maximalzeiträumen ist in den Normprüfungen i. Allg. nicht festgelegt.

Es wird zum Großteil nur unterschieden zwischen Kurzzeiteinwirkung und längerfristiger Einwirkung bzw. Prüfzeit. Die Wahl der Prüfzeiten dient z. B. um die „verkürzte" Zeitspanne oder Herabsetzung der Zugbeanspruchungsgrenzen, die zu einer Craze bzw. Rissbildung und damit zur Schädigung des Materials führen, gegenüber Referenzmedien zu ermitteln. Wie hoch hier die jeweilige Verkürzung der Zeitspanne zur einer Rissbildung bzw. Schädigung ist, ist auch eine Funktion der gewählten Spannung, des jeweiligen Testmediums (z. B. in Verbindung mit der Korrelation der Löslichkeitsparameter zwischen Material und Medium) und der spez. Werkstoff- und Bauteileigenschaften.

So sind in den Normen je nach Bestimmungsverfahren unterschiedliche Zeiträume und Verfahren festgelegt. Es werden z. B. Verfahren vorgeschlagen, die nach einem festgelegten Zeitraum die Anzahl der Schädigungen auf verschiedenen Belastungsniveaus bewerten. Andere Verfahren unterscheiden in der Qualität der Versagensform auf den entsprechenden Belastungsstufen und setzen hier die Zeit, als entsprechende zu ermittelnde Kenngröße, fest.

Eine generalisierte Aussage über einen zu berücksichtigenden Zeitraum, der die verschiedenen Wirkmechanismen beschreiben und sie berücksichtigen kann, erfolgt jedoch nicht und erscheint auf Grund der Vielgestaltigkeit der Wirkmechanismen wenig erfolgsversprechend.

Da die Diffusion ein zeitabhängiger werkstoffspezifischer Vorgang ist (abhängig z. B. von der dynamischen Viskosität), ergeben sich unterschiedliche Wirkzeiten der Medien.

Die Wahl der Prüfmethodik und der zu untersuchenden Zeiträume richtet sich hierbei auch nach der späteren Verwendung der ermittelten Ergebnisse. Eine Rangordnungsprüfung von mehreren Werkstoffen und Bauteilen in ihrer Spannungsrissbeständigkeit benötigt zumeist geringere Prüfdauern, als Versuche die zu einer Kennwertermittlung z. B. einer Grenzspannung in Abhängigkeit von der

Zeit verwendet werden bzw. die zur Lieferung von Daten für konstruktive Zwecke vorgesehen sind.

Bild 5.11 und Bild 5.12 zeigen in der linearen Darstellung die zu Beginn der Messungen deutlich schnelleren Abnahmen der Spannungsrissbildung. In der verbreiteten logarithmischen Auftragung erscheint sich eine scheinbar insgesamt lineare Abnahme zu ergeben. Ein typisches Beispiel aus der Literatur ist die Spannungsrissbildung von PEI/PEEK-Blends über der Zeit, die bei linearer Auftragung den starken Abfall der Spannungsrissbeständigkeit zu Beginn der Prüfungen zeigt, Bild 5.12, der in der log.-Darstellung nicht einmal angedeutet ist.

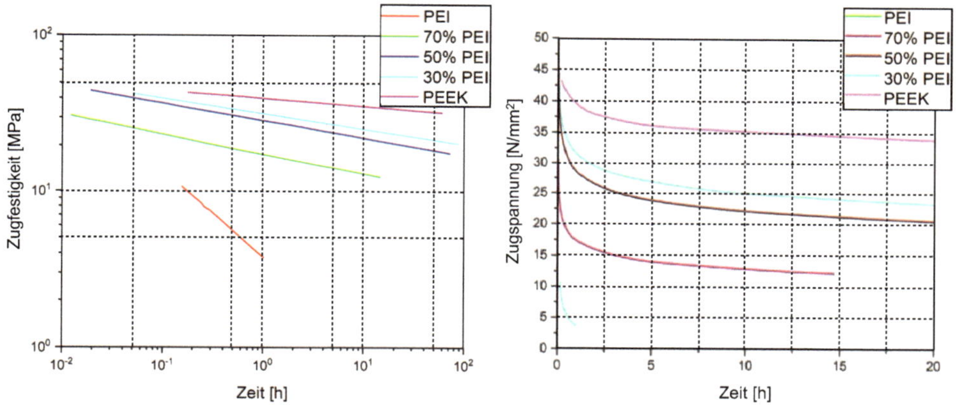

Bild 5.12 Bruchspannung durch Spannungsrissbildung von PEI/PEEK-Blends in Isooctan/Toluol in logarithmischer und linearer Darstellung [Harris-Robeson]

Und nicht zuletzt sind die minimal möglichen Prüfzeiten auch abhängig von dem gewählten Prüfverfahren. Der zu messende oder zumindest zu beschreibende Vorgang muss auch ergebnisorientiert und somit reproduzierbar sein.

5.1.3 Werkstoffliche Einflüsse

Es gibt keine systematische Zusammenstellung der Spannungsrissempfindlichkeit der verschiedenen Kunststoffe. Generell gibt es die größten Empfindlichkeiten bei amorphen Thermoplasten. Teilkristalline Thermoplaste sind unempfindlicher, da die Lösemittel nicht in die kristallinen Bereiche eindringen können und zudem die Entschlaufung von den in den kristallinen Bereichen verankerten Molekülketten behindert wird.

Bisher konnte noch keine verlässliche Gesetzmäßigkeit des Einflusses der werkstoffspezifischen Parameter wie Struktur, chemischer Aufbau, räumliche Anordnung und Gestalt der Makromoleküle formuliert werden. Die wichtigsten Zusammenhänge hat Ramsteiner im Buch „Kunststoffprüfung“ von Grellmann/Seidler im Kapitel 7 zusammengestellt [7] (siehe Abschnitt 5.1.4 „Einfluss der Löslichkeit und Oberflächenspannung“). Dabei diskutiert er besonders den Einfluss des Molekulargewichts und der Löslichkeit. Danach kann der Einfluss der Viskosität von Medien nicht unabhängig vom Molekulargewichtes der Makromoleküle gesehen werden.

Demzufolge erhöhen sich die Standzeiten bei höhermolekularen Kunststoffen nicht nur durch die erhöhte Zahl von Tie-Molekülen (Verbindungsmoleküle besonders zwischen Faltungslamellen) und die größere Auszugslänge der zu entschlaufenden Makromoleküle, sondern verringern sich auch bei Erhöhnug der Viskosität des Mediums.

Mit zunehmenden Molekulargewicht und höhermolekularen Anteilen erhöht sich die Spannungsrissbeständigkeit, mit zunehmender Verbreiterung verringert sie sich. ■

Allgemein wird behauptet, dass kleinere Sphärolithe beständiger gegen Spannungsrisse sind als größere. Kleinere Sphärolithe entstehen bei schnellerer Abkühlung verbunden mit einem niedrigeren Kristallisationsgrad. Bei niedrigerer Unterkühlung steigt die Zahl der Keime und damit die Zahl der Sphärolithe. Mit zunehmender Kristallisation erhöht sich die Dichte und damit die von den Sphärolithzentren ausgehenden Schwindungen, die zwischen den Sphärolithen aber auch zwischen den Lamellen innerhalb der Sphärolithe zu Zugspannungen führen. Dieses gilt besonders bei wachsender Sphärolithgröße, die besonders bei langsamerer Abkühlung entstehen.

Dabei bilden die Grenzflächen Lamelle/Lamelle oder Sphärolith/Sphärolith, aber auch Lamelle/amorpher Bereich Schwachstellen, die durch die tie-Moleküldichte zwischen den kristallinen Bereichen bestimmt wird, Bild 5.12.

Die tie-Moleküldichte hängt vom Molekulargewicht ab. Je länger die Moleküle sind, umso mehr Molekülabschnitte verlaufen zwischen den kristallinen Bereichen. Die Situation der tie-Moleküle ist schwer zu erfassen und wenig erforscht.

Einen Riss entlang der Lamellen durch die Sphärolithe verlaufend zeigt Bild 5.14. Wo innerhalb der Sphärolithen und unter welchen Bedingungen ein solcher Riss erfolgt, ist nicht erforscht und auch nicht einmal klar dargestellt.

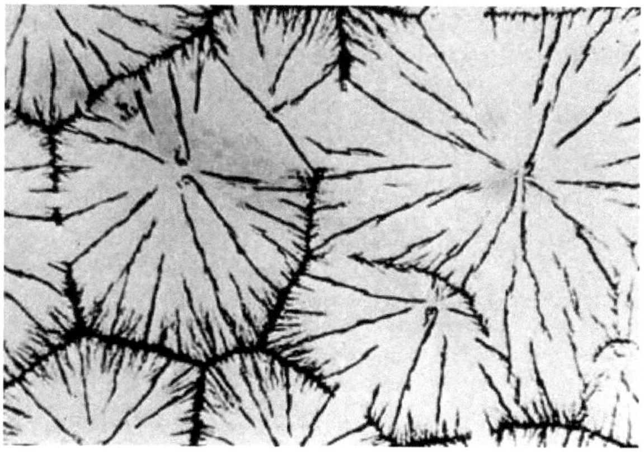

Bild 5.13 Rissbildung in den amorphen Bereichen entlang der Sphärolithgrenzen und der interlamellaren Faltungsblöcke in Polypropylen (PP) [nach Keith und Padden] *(Lichtmikroskopische Aufnahme)*

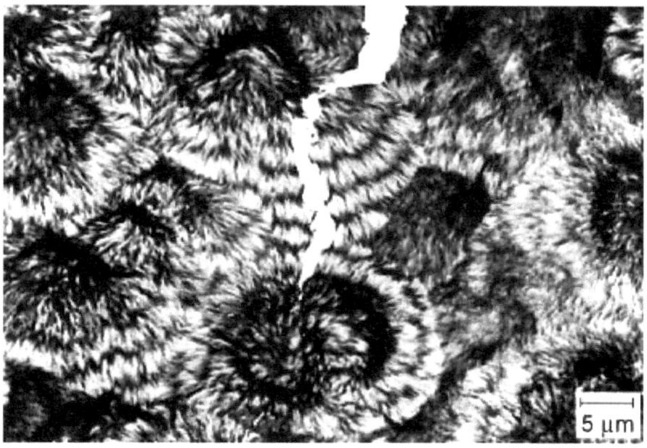

Bild 5.14 Spannungsriss in Kristallisiertem Polyethylen [PE-HD] *(Elektronenmikroskopische Aufnahme des Dünnschnitts)*

Die Differenz der Löslichkeitsparameter gibt einen ersten deutlichen Hinweis, aber keine absolut quantifizierbare Relation für die Neigung zum Spannungsrissversagen. Eine quantitativ vorhersagbare eindeutige Beziehung, ist auf Grund der Komplexität der Eigenschaften der Einzelkomponenten und deren Wechselwirkung nicht zu erwarten.

Im Zusammenhang mit den vielfältigen morphologischen Erscheinungen bei der Verarbeitung von Kunststoffen sind verschiedenartige Tests an Fertigteilen erforderlich, bevor in einem konkreten Anwendungsfall eine zuverlässige Aussage zum Spannungsrissverhalten gemacht werden kann.

Eine Reihe von Beispielen zeigt deutlich, dass eine geringe Differenz der Löslichkeitsparameter von Kunststoffen und Medium einen geringen Spannungsrisswiderstand zur Folge haben kann. Es wird aber auch von erhöhtem Spannungsrisswiderstand bei vergleichbaren Löslichkeitsparametern von Kunststoff und Medium berichtet. Dieses wird mit dem Auftreten lokaler Fließprozesse ohne Fibrillenbildung erklärt, die zu einer Verringerung des lokalen Spannungsfeldes an der Rissspitze führen.

Ebenso wird die kritische Dehnung, einer Grenzdehnung unterhalb derer keine Werkstoffschädigung durch Rissbildung oder Risswachstum auftritt und somit auch keine ersten Spannungsrisse auftreten, durch das Verhältnis der Löslichkeitsparameter bestimmt. Die geringsten kritischen Dehnungen ergeben sich, wenn die Löslichkeitsparameter von Kunststoff und Medium übereinstimmen (PPO), bzw. bestimmte Löslichkeitsverhältnisse vorliegen (PSU, PC), was auch für andere Kunststoff/Medium-Kombinationen gilt. Durchgesetzt hat sich das Verfahren der Anpassung der Löslichkeitsparameter allerdings kaum.

Eine sichere quantitativ vorhersehbare, eindeutige Beziehung ist auf Grund der Komplexität der Eigenschaften der Einzelkomponenten und deren Wechselwirkung nicht zu erwarten. Im Zusammenhang mit den vielfältigen morphologischen Erscheinungen bei der Verarbeitung von Kunststoffen sind verschiedenartige Tests an Fertigteilen erforderlich, bevor in einem konkreten Anwendungsfall eine zuverlässige Aussage zum Spannungsrissverhalten gemacht werden kann.

Eine zuverlässige Aussage über das Spannungsrissverhalten eines Bauteils ist schwierig.

Die Beständigkeit eines Kunststoffs gegenüber einem Medium bei unbekannten Löslichkeitsparametern kann in einem ersten Screeningtest durch Veränderung der Masse nach Lagerung in dem interessierenden Medium überprüft werden. Bei einer Erhöhung der Masse kann eine Neigung zum Spannungsrissversagen vorliegen. Bleibt dagegen die Masse konstant, ist eine hohe Spannungsrissbeständigkeit zu erwarten. Wird der Kunststoff stark an- oder aufgelöst, ist die Kombination Kunststoff/Medium unbrauchbar.

Kennzeichnend für das Molekulargewicht und leicht zu messen ist der Schmelzindex MVR. Die Spannungsrissuntersuchung mit der Biegeschablone nach ISO 22088 zeigt für PC mit zunehmenden Schmelzindex eine zunehmende Spannungsrissbildung, Bild 5.15. Deutlich erkennbar ist die Schwäche des Prüfverfahrens mit spritzgegossenen Proben, die angussnäher im oberen Bereich eine stärkere Molekülorientierung und damit einen höheren E-Modul einschließlich Zugspannung und -festigkeit in Probenlängsrichtung aufweisen, im unteren Bereich mit zunehmender Molekülverknäuelung empfindlicher werden. Dadurch erfolgt trotz der durch die Biegeschablone vorgegebenen gleichen Dehnungen eine geringere aufgebrachte Spannung bei geringerer Steifigkeit.

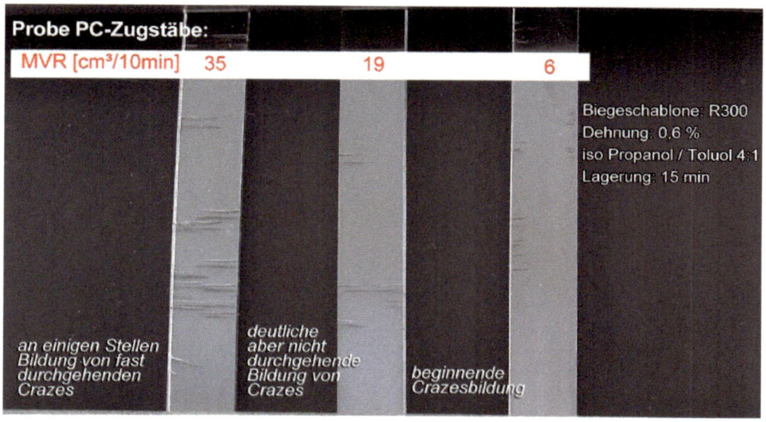

Bild 5.15 Spannungsrissbildung von PC mit unterschiedlichen Schmelzindizes im Biegeschablonentest bei 0,6 % Dehnung in der Zugzone nach 15 min. Lagerdauer in Iso-Propanol/Toluol-Gemisch (4:1, Biegeschablone-R300)

Durch Vernetzung werden Makromoleküle in ihrem Gleitverhalten gehindert und können sich daher erst nach dem Bruch lösen und entschlaufen. Durch eine Bestrahlung mit 10 bis 100 Mrad wird die Craze-Bildung und damit besonders die Standzeiten z. B. von PE um das Vielfache verbessert [7].

So führt z. B. eine Strahlenvernetzung eines PA 6 zu einer deutlichen Verbesserung der Spannungsrissbeständigkeit, Bild 5.16.

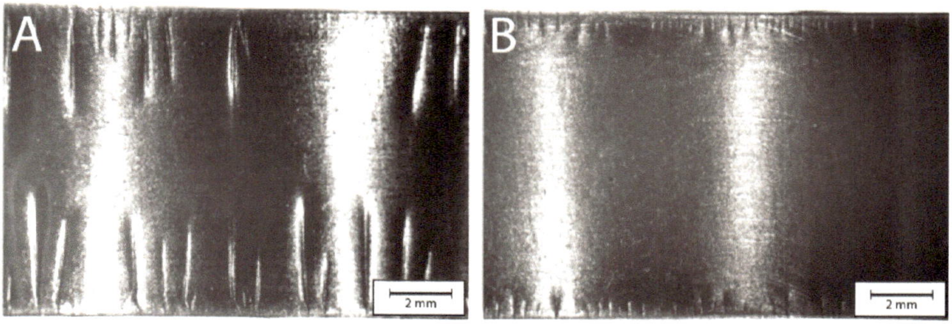

Bild 5.16 Verbesserung der Spannungsrissbeständigkeit von PA 6 durch 50 %-Vernetzung mittels Elektronenbestrahlung, gemessen in Biegeschablonenverfahren nach DIN EN ISO 22088, Randfaserdehnung 3,8 %; 24 Stunden in 30 %-Lösung $ZnCl_2$ [7]

A: starke Rissbildung an unbestrahlter Probe

B: leicht ausgeprägte Rissbildung im Kantenbereich der vernetzten Probe

5.1.4 Einfluss der Löslichkeit und Oberflächenspannung

Löslichkeit

Von größerer Bedeutung scheint die Löslichkeit zu sein, die für eine Reihe von Polymeren und Medien bekannt ist. Für eine Reihe von Kombinationen wurde festgestellt, je geringer die Differenz der Löslichkeit von Polymer und Medium ist, umso geringer ist der Widerstand gegen Spannungsrissbildung [6].

Es gilt auch, je kleiner der Unterschied im Wert der Löslichkeitsparameter von Kunststoff und Medium ist, desto stärker ist die Quellung. In Tabelle 5.1 sind die Löslichkeitsparameter verschiedener Kunststoffe und Medien zusammengefasst. Außer den Löslichkeitsparametern können auch andere Wechselwirkungen zwischen Kunststoff und Medium die Aufnahme des Mediums beeinflussen, wie Oberflächenspannungen, Viskosität der Medien, Dampfdrücke und osmotische Drücke. Die weichmachende Wirkung fördert die Spannungsrissbildung.

Tabelle 5.1 Löslichkeitsparameter ausgewählter Kunststoffe [6]

Kunststoff	Löslichkeitsparameter δ $[J/cm^3]^{1/2}$
PAN	25,5 bis 31,5
PB	16,5 bis 19
PC	19,7
PCTFE	14,7 bis 16,2
PE	16 bis 17
PET	20 bis 22
PIB	16 bis 17,5
PMMA	18,5 bis 26
PP	17 bis 19
PPO	16,6
PS	17,5 bis 20
PSU	22
PTFE	12,7
PVAC	20 bis 21,5
PVC	19 bis 22,5

Der Löslichkeitsparameter setzt sich aus drei Anteilen zusammen (Dipol, Wasserstoffbrücken, Dispersion), die jedoch für Polymere und Medien meist nicht bekannt sind. Bei der Oberflächenspannung können zumindest polare und dispersive Anteile messtechnisch unterschieden werden.

Tabelle 5.2 Löslichkeitsparameter, Viskosität und Oberflächenspannung σ_l verschiedener Medien [Ramsteiner]

Medium	Löslichkeits-parameter	Viskosität		Oberflächen-spannung
	[J/cm³]$^{1/2}$	(23 °C) [mPa·s]	(50 °C) [mPa·s]	σ_l[mN m^{-1}]
Hexamethylendisiloxan	12,3	0,5	0,4	15,4
Decan	15,8	0,85	0,6	23,4
Toluol	18,2	0,56	0,5	28,2
Isobutanol	22,7	3,2	1,9	23,0
n-Butanol	23,1	2,6	1,5	24,0
Propanol	24,6	1,9	1,2	23,4
Propylencarbonat	26,6	2,4	1,6	42,4
Methanol	29,9	0,7	0,6	22,4
Propandiol	30,7	44,0	12,0	35,8
Ethylenglykol	32,8	16,0	5,4	47,5
Formamid	36,0	3,2	1,9	58,0
Aceton	20,3	0,4	-	23,2
Methylethylketon	19,0	0,4	0,3	-
5 % Necanil® in H_2O	-	1,6	3,5	31,8
Palatinol A (Diethylphthalat)	20,5	11,0	4,0	36,7
destilliertes Wasser	47,9	1,0	0,6	72,0

5.1.5 Entstehung von Spannungsrissen

Als Modell zur Beschreibung des Spannungsrissverhaltens hat sich die zugspannungsinduzierte und beschleunigte Entschlaufung der Molekülketten durch die Weichmacherwirkung des Umgebungsmediums bewährt. Bei Zugbelastung entstehen zunächst an der Prüfkörperoberfläche lokal Verstreckungen senkrecht zur Zugspannung. Es bilden sich in Zugrichtung orientierte Molekülbündel, die Fibrillen mit dazwischen liegenden Hohlräumen, Bild 5.17.

In und durch diese Hohlräume diffundiert das Umgebungsmedium fortlaufend an die Rissspitze, wo es weichmachend wirkt und die Kettenentschlaufung beschleunigt und gleichzeitig die Wirkung des lokalen Zugspannungsfeldes reduziert.

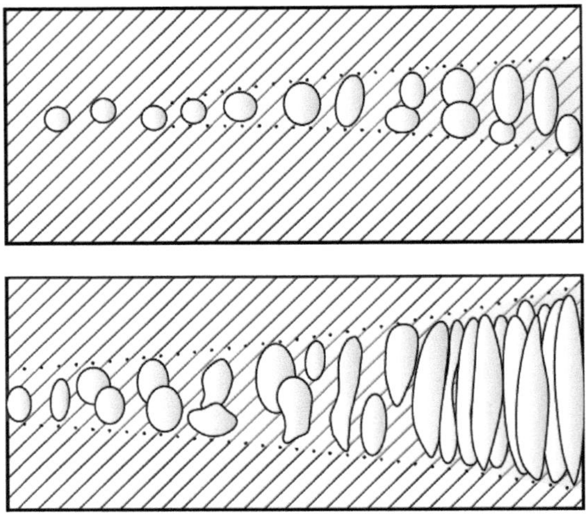

Bild 5.17 Umwandlung von Fehlstellen und Hohlräumen in Spannungsrissfibrillen [Micheler]

Die Spannungsrissempfindlichkeit ist umso höher, also die Spannungsrissbildung umso wahrscheinlicher:

- je höher die Medienaufnahme ist,
- je mehr das Medium die molekulare viskose Verformbarkeit erhöht,
- je niedriger viskos das Medium und je kleiner deren Moleküle sind, d. h. je schneller das Medium entlang der Hohlräume an die Rissspitze diffundiert und dort weichmachend wirkt,
- je niedriger die Oberflächenspannung des Mediums ist, umso leichter benetzt es,
- je weicher der Makromolekülverbund ist,
- je leichter die Makromoleküle im Verbund gleiten (viskos verformbar sind),
- je kürzer die Makromoleküle sind, umso kürzer sind sie im unverstreckten Material verankert,
- je größer die Anzahl der gemeinsam sich verstreckenden Moleküle ist (weniger Gleitebenen),
- je höher die einwirkende Zugspannung (äußere Belastung oder verarbeitungsbedingte Eigenspannung) ist,
- je höher die amorphen Anteile sind,
- und je niedriger das Molekulargewicht des Kunststoffs ist.

Durch Vernetzung werden Makromoleküle in ihrem Gleitverhalten gehindert und können sich daher erst nach Bruch lösen und entschlaufen, s. a. Bild 5.16. Durch eine Bestrahlung mit 10 bis 100 Mrad werden die Craze-Bildung und damit besonders die Standzeiten z. B. von PE um das Vielfache verbessert.

Die Standzeit und damit der Widerstand gegen die Spannungsrissbildung von linearem PE zeigt eine quadratische Abhängigkeit vom Molekulargewicht, da die Schmelzeviskosität mit der dritten Potenz vom Molekulargewicht steigt, was die Verarbeitung über den Schmelzezustand entsprechend erschwert.

Die Einbettung der Moleküle in Kristalle behindert deren Entschlaufung, was durch eine Nachtemperung gefördert werden kann, solange es die Lamellen betrifft. Wird durch eine Nachtemperung die Grenzfläche zwischen den Sphärolithen geschwächt oder unter Spannung gesetzt, wird die Spannungsrissbeständigkeit dagegen geschwächt.

Bei starker Molekülorientierung wird die Spannungsrissbeständigkeit in Orientierungsrichtung verbessert, senkrecht dazu dagegen geschwächt.

Sind Fibrillen entstanden, können Medien an die Rissspitze gelangen und weichmachend wirken. Dadurch werden die Kettenentschlaufung und das Wachstum der Crazes gefördert. Dieses geschieht umso langsamer,

- je höher viskos ein solches Medium ist und je langsamer es an die Crazespitze vordringt,
- je höher das Molekulargewicht und damit die Entschlaufungslänge ist,
- je enger die Molekulargewichtsverteilung, speziell je geringer der Anteil an kurzen Molekülen ist,
- je mehr kurze Seitengruppen das Entschlaufen der Makromoleküle erschweren.

Versuche, die Spannungsrissempfindlichkeit eines Kunststoffs direkt mit seiner Löslichkeit in einem Medium zu korrelieren, sind mehrfach unternommen worden, konnten bisher aber nicht zu einem praktisch brauchbaren Verfahren entwickelt werden [6].

Die Verteilung des Molekulargewichts wirkt sich insofern auf die Spannungsrissempfindlichkeit aus, als die niedermolekularen Anteile Schwachstellen bilden. Bei PE und PE-LLD nimmt die Beständigkeit gegen Spannungsrissbildung mit zunehmender Langkettenverzweigung zu. Bei PE-LD ist das Gegenteil beobachtet worden.

Die Spannungsrissempfindlichkeit und die Spannungsrissbildung sind nicht zuverlässig mit werkstofflichen Kennwerten zu beschreiben. Daher liegen im Wesentlichen empirisch ermittelte Tabellen vor, die nicht immer in ihrem Ergebnis übereinstimmen. ■

5.1.6 Spannungsrissauslösende Medien

Aufgrund vorliegender Erfahrungen werden für die wichtigsten Kunststoffe die in Tabelle 5.2 zusammengestellten Prüfmedien empfohlen, auch wenn die Wirkung bei verschiedenen Prüfmethoden unterschiedlich sein kann. Die Zusammenstellung erlaubt keine direkte Aussage über die Spannungsrissempfindlichkeit verschiedener Kunststoffe. Bei geringen Wandstärken von < 1 mm kann trotz erheblicher Spannungen die Rissbildung ausbleiben. Manchmal ist es schwierig von opaken, nicht transparenten und an eingefärbtem Kunststoff, Spannungsrisse zu erkennen. Es empfiehlt sich dann, die Teile in einem transparenten Material abzumustern und zu prüfen. Bei längerer Lagerung der Testflüssigkeit kann sich durch eingetretene Verdunstungen die Zusammensetzung ändern und zu abweichenden Prüfergebnissen führen.

> Medien, die Spannungsrisse ausgelöst haben, sind hinterher fast immer identifizierbar.

Tabelle 5.3 Empfehlungen für spannungsrissauslösende Prüfmedien bei verschiedenen Kunststoffen

Kunststoff	Prüfmedium	Versuch
PE	Tensid-Lösung (2 %), 50 °C Tensid-Lösung (2 %), 70 °C Tensid-Lösung (5 %), 80 °C	> 50 h, 48 h, 4 h
PP	Chromsäure, 40 - 50 °C	
PS	n-Heptan, Acetondampf, Toluol-n-Propanol 1:3 - 1:5, 1 - 10 min, Petroleum-Benzin, Siedebereich 50 bis 70 °C n-Heptan/n-Propanol (1:1)	
SB	n-Heptan, Petroleum-Benzin, Siedebereich 50 bis 70 °C n-Heptan/n-Propanol (1:1), Ölsäure - Olivenöl 1:1	
SAN	Toluol/n-Propanol (1:5) 15 min, Ethylalkohol, n-Heptan Tetrachlorkohlenstoff	15 min
ABS	Dioctylphthalat, Toluol/n-Propanol (1:3 - 1:5), Olsäure, PVC-Weichmacher, Monoalkohol, Methanol 15 min Essigsäure (80 %) 20 min, Toluol 1h	15 min, 20 min, 1 h
PMMA	Toluol/n-Heptan (2:3) 15 min, Ethanol n-Methylformamid	15 min
PVC	Methanol, Methylenchlorid 30 min, Aceton 3 h	30 min, 3 h
POM	Schwefelsäure (40 bis 50 %), Phosphorsäure (75 %) 3 min bei 50 °C, örtliche Benetzung	bis 20 min

Kunststoff	Prüfmedium	Versuch
PC	Toluol/n-Propanol (1:3 bis 1:10) 3 - 15 min, Methanol 5 min, Ethylenacetat/n-Propanol (toxikologisch günstig) Tetrachlorkohlenstoff Natronlauge (5 %)	3 - 15 min, 1 min, 10 min, 1 h
PC/ABS-Blend	Methanol - Essigsäure 3.1, Methanol - Ethylacetat 3:1, Toluol - Chlorkohlenwasserstoff	
PPE+PS	Tributylphosphat	10 min
PBT	In-Natronlauge, 50 %ige $ZnCl_2$	
PA 6	Zinkchloridlösung (35 %) (Lötwasser), Aceton Tetra-Kohlen-wasserstoff	20 min
PA 66	Zinkchloridlösung (50 %), 50 °C	15 - 60 min
PA 6-3-T	Methanol Aceton	1 min
PSU	Ethylenglykolmonoethylether Essigsäureethylester 1,1,1-Trichlroethan/n-Heptan (7:3)	1 min
PES	Toluol Ethylacetat	1 min, 1 min
PEEK	Aceton	1 h
PAR	Natronlauge (5 %) Toluol	1 h, 1 h
PEI	Propylencarbonat, Methylethylketon	

Tabelle 5.4 Zusammenstellung von Medien, die bei verschiedenen Kunststoffen Spannungsrisse auslösen [BASF u. Bayer]

spannungsriss-auslösende Medien	spannungsrissanfällige Kunststoffe									
	ABS	PMMA	PA	PC	PE	PP	PS	PVC	SAN	SB
Aceton	X		X	X			X		X	X
Ethanol	X	X					X		X	X
Ether	X				X		X		X	X
Alkohole					X					
Anilin					X	X				
Benzin	X		X		X		X		X	X
Erdöl					X					
Essigsäure					X	X				
Ester					X					
Glyzerin		X								
Heizöl					X					

Tabelle 5.4 Zusammenstellung von Medien, die bei verschiedenen Kunststoffen Spannungsrisse auslösen *(Fortsetzung)*

spannungsriss-auslösende Medien	spannungsrissanfällige Kunststoffe									
	ABS	PMMA	PA	PC	PE	PP	PS	PVC	SAN	SB
Heptan	X						X		X	X
Hexan	X						X		X	X
Isopropanol	X						X		X	X
Kaliumhydroxid					X					
Ketone				X	X					
Kohlenwasserstoffe, aromat.				X						
Metallhalogenide			X							
Methanol	X						X	X	X	X
Natriumhydroxid		X			X					
Natriumhypochlorid					X	X				
Paraffinöl		X								
Pflanzenöl	X						X		X	X
Quellmittel, chlorhaltig				X						
Salpetersäure					X	X				
Silikonsäure					X					
Schwefelsäure						X				
Tenside					X					
Terpentin				X		X				
Tetrachlor-kohlenstoff			X	X	X					
Wasser		X			X					

Besonders sorgfältig wurde die Spannungsrissempfindlichkeit von PMMA untersucht. Dabei wurden die kritischen Dehnungen ermittelt, bei denen unter Einwirkung verschiedener Medien erste Spannungsrisse auftreten, Tabelle 5.5.

Tabelle 5.5 Kritische Dehnungen, die bei Einwirkung verschiedener Chemikalien in PMMA erste Spannungsrisse auslösen [8]

Medium	kritische Verformung [%]	Medium	kritische Verformung [%]
Methylformamid	0,04	2-Ethylhexanol	0,37
2-Butoxyethanol	0,07	Diethylphthalat	0,39
Essigsäure	0,12	Schwefelkohlenstoff	0,39
Isopropanol	0,26	n-Heptanol	0,46

Medium	kritische Verformung [%]	Medium	kritische Verformung [%]
Diethylether	0,28	n-Octanol	0,48
Ethanol	0,30	Diburylether	0,56
n-Butanol	0,30	n-Hexan	0,79
Methanol	0,31	Dibuthylphthalat	0,89
Tetrachlorkohlenstoff	0,31	Ethylenglykol	0,94
n-Hexanol	0,34	Glycerin	1,40
Dimethylphthalat	0,37	Wasser	1,76

Kunststoffe reagieren durchaus unterschiedlich auf Lösemittel. Zu berücksichtigen ist, dass einige Lösemittel erst bei höheren Temperaturen wirken, Tabelle 5.2. Besonders häufig sind die Polyamide als wichtigster Konstruktionskunststoff und Polyethylen als wichtigster Apparate-Baukunststoff untersucht.

5.1.6.1 Polyamid

Bei Polyamiden spielt der Wassergehalt eine Rolle. Durch eindiffundierendes Wasser wird Polyamid weicher und verformbarer. Untersuchungen haben gezeigt, dass PA 6; PA 66 und PA 610 im trockenen Zustand unter Einfluss von Benzol, Benzin, Cyclohexan, Methylenchlorid, Tetrachlorkohlenstoff, Trichlorethylen, Tetrachlorethylen, Aceton, Tetrahydrofuran, Ethylacetat, Methylalkohol, Ethylalkohol, Glykol und destilliertem Wasser im Bell-Telefon-Test, also bei starken Dehn-Verformungen weit über die normale Anwendung hinaus, schnell deutliche Spannungsrisse bilden. Im luftfeuchten Zustand dagegen, der oberflächlich schnell eintritt, besonders wenn die Medien Wasser enthalten, zeigt sie bei den gleichen Chemikalien keinerlei Spannungsrissbildung. Allenfalls im Kontakt mit Salzsäure (2,5 und 10 %), Schwefelsäure (5 und 10 %) oder Salpetersäure (2,5 und 10 %) können Risse in Fließrichtung der Schmelz auftreten. Natronlauge (2,5; 10 und 50 %), Ammoniak (10 %), Essigsäure (5 %) und Zitronensäure erweichen durch die Wasseraufnahme aus den Chemikalien [15].

Einen entscheidenden Einfluss hat die Art der Belastung. Mit zunehmender Dichte steigt die Steifigkeit von Polyethylenen. Bei konstanter starker Dehnverformung im Bell-Test steigt damit auch die Zug-Spannung in der Probe, sodass sich in kürzerer Zeit Spannungsrisse bilden. Nimmt man dasselbe Polyethylen und prüft es im Zeitstandzugversuch, ergibt sich ein umgekehrtes Ergebnis. Mit zunehmender Dichte wird die Verformung und die Spannungsrissbildung geringer und damit auch die Zeit bis zu deren ersten Auftreten.

5.1.6.2 Polyethylen

Polyethylene ohne äußere oder innere Spannungen sind spannungsrissbeständig. Beim Einwirken von Spannungen können jedoch besonders polare Netzmittel schnell zu Spannungsrissen führen. Exemplarische Versuche werden gerne mit 5 %-oxethyliertem Fettsäureamid „Nekanil W" durchgeführt. Deren Oberflächenspannung ist etwa halb so hoch wie die von Wasser, was die Benetzung erheblich fördert.

Spannungsrisse werden ausgelöst durch Tenside wie Alkylsulfate, Alkylsulfonate, Alkylacrylsulfonate, Oxäthylierungsprodukte, Seifen, Alkohole wie Isopropylalkohol, Ester, Ketone, Äther (insb. Fruchtäther), Siliconöle, Kaliumhydroxid, Natriumhydroxis [17]. Während die Spannungsrissempfindlichkeit mit zunehmendem Molekulargewicht abnimmt, sind vernetzte Polyethylene wenig bis gar nicht spannungsrissempfindlich. Polypropylen zeigt ein ähnliches Verhalten wie Polyethylen.

Einen entscheidenden Einfluss hat die Art der Belastung. Mit zunehmender Dichte steigt die Steifigkeit von Polyethylenen. Bei konstanter starker Dehnverformung im Bell-Test steigt damit auch die Zug-Spannung in der Probe, sodass sich in kürzerer Zeit Spannungsrisse bilden. Nimmt man dasselbe Polyethylen und prüft es im Zeitstandzugversuch, ergibt sich ein umgekehrtes Ergebnis. Mit zunehmender Dichte wird die Verformung und die Spannungsrissbildung geringer und damit auch die Zeit bis zu deren ersten Auftreten.

5.1.6.3 Polystyrol

Die Crazebildung ist bei transparenten Kunststoffen und teilweise bei nicht gefüllten, nicht transparenten Kunststoffen mit dem Auge erkennbar.

> *„http://www.chemgapedia.de/vsengine/glossary/de/standard_00045polystyrol.glos.html"*

Standard-Polystyrol neigt stark zur Spannungsrissbildung und auch zur Spannungsrisskorrosion. Korrodierend wirkende Medien sind u.a. Fette, Öle und viele organische Lösemittel, insbesondere, wenn durch schnelles und ungleiches Abkühlen der Formmasse z.B. im Spritzgießwerkzeug oder durch ungünstige Anschnitte besonders Zug-Spannungen eingefroren werden.

> *„https://www.kunststoffe.de/themen/basics/verarbeitung-thermoplaste/spritzgiessen/artikel/spritzgiessen-645644"*

Der Angriff eines aggressiven Mediums auf ein Polystyrol kann chemische und/oder physikalische Veränderungen im Werkstoff bewirken und damit eine Spannungsrisskorrosion hervorrufen.

Unterschiedliche Stufen der Crazebildung sind:

- Bildung eines scherverformten Bereiches
- Hohlraumbildung (Poren) innerhalb dieses Bereichs
- Lokalisierung der weiteren plastischen Verformung (Fibrillierung)

Folgende Faktoren fördern eine Spannungsrissbildung:

- äußere (mechanische) Spannungen durch Montagevorgänge, behinderte Ausdehnung etc.
- innere Spannungen durch unsachgemäßes Verarbeiten
- längere Belastungsdauer
- höhere Temperatur
- geringere Molmasse
- geringer Kristallisationsgerad

Bei der medienunterstützten Spannungsrissbildung spielen auch die Diffusion und die Wechselwirkungskräfte zwischen Polymer und Molekülen des Mediums eine entscheidende Rolle. Die Wechselwirkungskräfte werden durch Löslichkeitsparameter charakterisiert. Nähern sich Löslichkeitsparameter von Medium und Polymer an, verstärkt sich die Neigung zur Spannungsrissbildung.

Als weitere, sehr wichtige Einflussgröße ist der Orientierungszustand zu nennen. Die Orientierung von Polymermolekülen kann beispielsweise durch plastische Verformung oder auch schon beim Herstellungsprozess von Teilen (Produkt und Probekörper unterschiedlich) erzeugt werden.

Bei Polystyrol gibt es spezifische Spannunsgriss auslösende Mittel wie Heptan, Hexan, Benzin, Äther, Methanol, Pflanzenöle und Ölsäure.

5.1.6.4 Lösemittel – Nichtlöser

Bei PVC ist eine Spannungsrissempfindlichkeit gegenüber Methanol bekannt.

Tabelle 5.6 Lösemittel und Nichtlöser bei Kunststoffen nach [18]

Polymer	Lösemittel	Nichtlöser
Aliphatische Polyester	Chloroform, Ameisensäure, Toluol	Methanol, Diethylether, aliphatische Kohlenwasserstoffe
Carboxymethylcellulose	Wasser	Methanol
Cellulose	wässriges Kupfertetraminhydroxid, wässriges Zinkchlorid, wässriges Calciumthiocyanat	Methanol, Aceton
Cellulose-2 1/z-Acetat	Aceton	Methylenchlorid
Cellulosetriacetat	Methylenchlorid, Chloroform, Dioxan	Methanol, Diethylether
Cellulosetrimethylether	Chloroform	Ethanol, Diethylether, Petrolether
Polyacryl- und Polymethacrylsäureester	Chloroform, Aceton, Ethylacetat, Tetrahydrofuran, Toluol	Methanol, Diethylether, Petrolether
Polyacrylamid	Wasser	Methanol, Aceton

Tabelle 5.6 Lösemittel und Nichtlöser bei Kunststoffen nach [18] *(Fortsetzung)*

Polymer	Lösemittel	Nichtlöser
Polyacrylnitril	Dimethylformamid, Dimethylsulfoxid, konz. Schwefelsäure	Alkohole, Diethylether, Wasser, Kohlenwasserstoffe
Polyacrylsäure	Wasser, verd. Alkalilaugen, Methanol, Dioxan, Dimethylformamid	Kohlenwasserstoffe, Methylacetat, Aceton
Polyamide	Ameisensäure, konz. Schwefelsäure, Dimethylformamid, m-Kresol	Methanol, Diethylether, Kohlenwasserstoffe
Polybutadien, Polyisopren	aliphatische und aromatische Kohlenwasserstoffe	Aceton, Diethylether, niedere Alkohole
Polydimethylsiloxan	Chloroform, Heptan, Toluol, Diethylether	Methanol, Ethanol
Polyethylen, Polybuten-1, isotaktisches Polypropylen	p-Xylol*, Trichlorbenzol*, Dekan*, Dekalin*	Aceton, Diethylether, niedere Alkohole
Polyethylenoxid	Wasser, Toluol, Dimethylformamid	aliphatische Kohlenwasserstoffe, Diethylether
Polyethylenterephthalat	m-Kresol, o-Chlorphenol, Nitrobenzol, Trichloressigsäure	Methanol, Aceton, aliphatische Kohlenwasserstoffe
Polyisobutylen	Hexan, Toluol, Tetrachlorkohlenstoff, Tetrahydrofura	Aceton, Methanol, Methylacetat
Polyoxymethylen	y-Butyrolacton*, Dimethylformamid*, Benzylalkohol*	Methanol, Diethylether, aliphatische Kohlenwasserstoffe
Polystyrol	Toluol, Chloroform, Cyclohexanon, Butylacetat, Schwefelkohlenstoff	niedere Alkohole, Diethylether, Aceton
Polytetrafluorethylen	unlöslich	
Polyurethane (unvernetzt)	Ameisensäure, y-Butyrolacton, Dimethylformamid, m-Kresol	Methanol, Diethylether, Kohlenwasserstoffe
Polyvinylacetat	Toluol, Chloroform, Methanol, Aceton, Butylacetat	Diethylether, Petrolether, Butanol
Polyvinylalkohol	Wasser, Dimethylformamid*, Dimethylsulfoxid*	Kohlenwasserstoffe, Methanol, Aceton, Diethylether
Polyvinylchlorid	Tetrahydrofuran, Cyclohexanon, Methylethylketon, Dimethylformamid	Methanol, Aceton, Heptan
Polyvinylfluorid	Cyclohexanon, Dimethylformamid	aliphatische Kohlenwasserstoffe, Methanol
Polyvinylisobutylether	Isopropanol, Methylethylketon, Chloroform, aromatische Kohlenwasserstoffe	Methanol, Aceton
Ataktisches Polypropylen	Kohlenwasserstoffe, Isoamylacetat	Ethylacetat, Propanol

5.2 Prüfmethoden

Die Spannungsrissbildung ist ein Phänomen, das vor allem durch die Eigenschaften des Kunststoffs, die fertigungsbedingte Struktur, das einwirkende Medium, die im Bauteil vorhandene und von außen durch Gebrauch einwirkende Zugspannung und im geringen Maße auch durch die Geometrie bestimmt wird. Dabei ist davon auszugehen, dass die Spannungsrissbildung bei dafür empfindlichen Kunststoffen durch die gezielte Einwirkung von besonders aktiv wirkenden Prüfmedien deutlich beschleunigt werden kann. Es ergeben sich damit folgende Prüfsituationen:

Beständigkeitsprüfung gegen Spannungsrissbildung durch Medien (bei allen Verfahren ist die Vergleichsmessung an Luft wichtig):

- generelle Spannungsrissempfindlichkeit eines Kunststoffs,
- Spannungsrissempfindlichkeit des Kunststoffs in der für das Bauteil vorgesehenen Umgebung mit und ohne Medieneinwirkung,
- Spannungsrissempfindlichkeit des Kunststoffs gegenüber bestimmten Medien.

Prüfung des inneren und äußeren Spannungszustandes:

- Spannungsrissempfindlichkeit des aus einem speziellen Kunststoff hergestellten Bauteils und der fertigungsbedingten Struktur gegenüber speziellen Medien im Gebrauch
- Unterstützung der Entwicklung von Formteilen.
- Zur Prüfung der Spannungsrissempfindlichkeit existieren zahlreiche genormte Prüfverfahren. Die wichtigsten Prüfverfahren sind in der DIN EN ISO 22088-1:2006-11 zusammengefasst, Tabelle 5.7.

Tabelle 5.7 Genormte Spannungsrissprüfverfahren nach DIN EN ISO 22088

Normenreihe DIN EN ISO 22088	Kunststoffe – Bestimmung der Beständigkeit gegen umgebungsbedingte Spannungsrissbildung (ESC)	bisher ISO	Stufen
Teil 1 (2006)	Allgemeine Anleitung		
Teil 2 (2006)	Zeitstandzugversuch	6252	1
Teil 3 (2006)	Biegestreifenmethode	4599	2
Teil 4 (2006)	Kugel- oder Stifteindruckverfahren	4600	2
Teil 5 (2009) E	Verfahren mit konstanter Zugverformung	neu	1 mit Messung
Teil 6 (2009) E	Verfahren mit langsamer Dehnrate	neu	1 mit Messung

Daneben gibt es eine Reihe weiterer Prüfverfahren, die spezielle Aussagen ermöglichen, deren Vorteil meistens im Vergleich mit bereits vorliegenden Ergebnissen liegt, Tabelle 5.8.

Tabelle 5.8 Gebräuchliche Prüfverfahren zur Beurteilung der Spannungsrissprüfung

Prüfmethode	Normen	Beanspruchung	Auswertung
Dow-Säbel-Test	-	Dehnung (kontinuierliche Änderung)	Rissbildungsausdehnung
Biegestreifenverfahren mit Schlitz (Bell-Verfahren)	ASTM D 1693	sehr hohe konstante Dehnung	Rissbildungszeit für 50 % der Proben
Notched-Constant-Tensile-load-Test (NCTL-Test)	ASTM D 5397/ DIN EN 14576	konstante Spannung mit scharfer Kerbe	Bruchzeit σ_B/ 100 h
Kriechversuch an Probekörpern mit umlaufender Kerbe (Rohrwerkstoffe)	ISO 16770	stat. Zugbelastung mit umlaufender Kerbe	Bruchzeit
Zugversuch an Spitzkerbproben (PENT)	ASTM F 1473	Spannung ≤ 2,4 MPa, $T \leq 80$ °C	visuelle Beurteilung
Verfahren Lüdenscheid	K. I. M. W. [12]	Biegebalken	Grenzspannung/ Rissbildung
ESCR-Test (Bayer AG)	ATI 1138 - 2001 [13]	zweistufig in einer konstanten Dehnung	Ermittlung mechanischer Kennwerte, erfordert spez. Vorrichtung
Labormethode B (BASF AG)	TI 06/96 [14]	zweistufig, konstante Dehnung, Kerbe in der Nähe der Bohrung	Ermittlung mech. Kennwerte (Restzugfestigkeit) bzw. Standzeit zum Bruch
Biegestreifenmethode	ISO 22088-3 (ISO 4599)	zweistufig, konstante Dehnung	optisch und Messung der Indikatoreigenschaft
Optisch-visuelles Verfahren	-	Lagerung von Formteilen in Medien	optisch-visuell
TnP-Test	VDI/VDE/ 2475	-	optisch-visuell
Biegestreifen (Bosch)	-	einstufig, konstante Dehnung	optisch-visuell, keine Indikatoreigenschaften

Da alle Verfahren keine definitiv eindeutigen Aussagen ermöglichen, sondern Einflüsse der Beanspruchungen der Prüfverfahren zeigen, sind in vielen praktischen Fällen rein optische Beurteilungen sinnvoll.

Die Prüfungen können grundsätzlich ein- und zweistufig durchgeführt werden, Tabelle 5.9.

Tabelle 5.9 Ein- und zweistufige Versuche zur Prüfung von Spannungsrissbildung [15]

einstufige Versuche:	
Prüfung:	Probekörper werden bis zum Auftreten von ersten Spannungsrissen (Schaden) oder einem Bruch (Versagen) in einem auf Zug belastet.
Vorteil:	relativ geringer apparativer Aufwand; evtl. optische Registrierung
Nachteil:	je nach Belastungshöhe evtl. sehr lange Dauer; mäßige Reproduzierbarkeit; stark vom Prüfer abhängig.
zweistufige Versuche:	
Prüfung:	1. Schritt: Probekörper werden in einem Medium eine festgelegte Zeit oder bis zum Auftreten von Spannungsrissen belastet, ohne dass ein Bruch auftritt. Dabei erfolgt eine Vorschädigung durch Quellen oder Diffusion.
	2. Schritt: Messen einer Indikatoreigenschaft, oft im Vergleich zu Luft und Wasser, um festzustellen, wie sich die Vorschädigung im 1. Schritt auswirkt.
zweistufige Versuche:	
Vorteil:	höhere Reproduzierbarkeit ; kürzere Prüfzeiten; vom Prüfer unabhängig; Indikatoreigenschaft mit konkreter Bewertung;
Nachteil:	höherer experimenteller Aufwand
einstufig mit gleichzeitiger Indikatormessung	während der Belastung im Medium wird eine verfügbare Indikator-Größe gemessen.
Vorteil:	geringerer Aufwand als im zweistufigen Versuch; vom Prüfer weitgehend unabhängig
Nachteil:	Indikatormöglichkeiten begrenzt

Eine eindeutige Zuordnung der verschiedenen Prüfverfahren zur Steifigkeit ist häufig nicht möglich, da ein allgemeiner optischer Eindruck schon als Bewertungskriterium genügt.

Daneben ist aber auch je nach Bauteilform und Anwendungsfall eine direkte Prüfung von Bauteilen möglich.

Bei der Untersuchung von Fertigteilen arbeitet man bevorzugt einstufig und bestimmt lediglich das Übermaß UG (Schädigungsdeformation), bei dem sichtbare Risse in der Umgebung des Lochs auftreten. Hingegen wird bei der Untersuchung von Probekörpern überwiegend zweistufig gearbeitet, indem nach der Medieneinwirkung die Restfestigkeit im Zug- oder Schlagbiegeversuch bestimmt wird.

Bei der Anwendung von Spannungsrissprüfungen ist darauf zu achten, ob es sich um reine Werkstoffbeurteilungen oder eine Bauteilbewertung handelt. Bei einer Werkstoffbewertung sind Prüfungen an zu diesem Zweck hergestellten Probekörpern sinnvoll. Sind fertige Bauteile auf ihre Spannungsrissempfindlichkeit hin zu prüfen, ist unbedingt zu berücksichtigen, dass extra hergestellte Proben eine eigene Formbildungsgeschichte haben, die deutlich von den Herstellungsbedingungen z. B. eines Schadensfalls abweichen können.

Für die praktische Prüfung der Spannungsrissempfindlichkeit haben sich von den in Tabelle 5.8 und Tabelle 5.9 aufgeführten Prüfverfahren folgende besonders bewährt:

- Zeitstandzugversuch, oft an speziell dafür hergestellten Zugproben,
- Biegestreifenversuch, meistens an speziell dafür hergestellten Biege-Prüfkörpern,
- Kugel- bzw. Stifteindrückverfahren an speziell dafür hergestellten Prüfkörpern oder an Bereichen der vorliegenden Formteile,
- Tauch- oder Benetzungsprüfung von ganzen Formteilen, wobei die letzten beiden Prüfungen an Formteilen direkt durchgeführt werden können,
- Bei der Durchführung der Prüfungen kann bis zum ersten Auftreten von Spannungsrissen gewartet werden,
- eine bestimmte Zeit für eine spannungsrissaktive Belastung vorgegeben werden,
- im Anschluss an die spannungsrissaktive Belastung mittels einer klassifizierenden Prüfung differenzierende Kennwerte ermittelt werden,
- ein allgemeines Bild der Spannungsrissbildung ohne spezifische Auswertung vermittelt werden.

Tabelle 5.10 Vor- und Nachteile von Normprüfverfahren zur Spannungsrissprüfung

Methode	Zeitstandversuch DIN EN ISO 22088-2	Biegestreifenverfahren; DIN EN ISO 22088-3	Kugel- oder Stift-eindrückverfahren DIN EN ISO 22088-4
Vorteile	eindeutig gleichbleibender Belastungszustand definierte Kennwertermittlung durch Erfassung funktioneller Abhängigkeiten	einfacher Versuchsaufbau	einfacher Versuchsaufbau höhere und eindeutigere Belastung beim Stift auf vielformige Prüfkörper anwendbar, geringer Oberflächeneinfluss (Kugel) mehrachsige Beanspruchung, Umfangszugspannung dominiert (gleichmäßig beim Stift)
Lebensdauervorhersage	direkt	nur relativ	nur relativ
Anwendung für Bauteile	aufwändig	aufwändig	einfach (besonders Stift)

Methode	Zeitstandversuch DIN EN ISO 22088-2	Biegestreifenverfahren; DIN EN ISO 22088-3	Kugel- oder Stifteindrückverfahren DIN EN ISO 22088-4
Nachteile	Aufwand an Zeit und Versuchsapparatur	sich ändernde Versuchsbedingungen (Belastungs-Relaxation, bleibende Verformung des Prüfkörpers)	kein eindeutiger Belastungszustand (besonders bei Kugel) hohe Anforderung an Probenpräparation

5.2.1 Zeitstandzugversuch

Der etwas aufwändige Zeitstandzugversuch nach EN ISO 22088, Teil 2 (eine Modifizierung des Zeitstandzugversuchs nach EN ISO 899-1) verwendet überwiegend den Vielzweck-Prüfkörper nach DIN EN ISO 3167. Dieser Versuch ist geeignet, die Spannungsrissempfindlichkeit von speziellen Kunststoffen zu ermitteln, Bild 5.17.

Der Zeitstandzugversuch erlaubt direkte Aussagen zur Lebensdauer.

Ein besonderer Vorteil liegt in der konstant bleibenden Höhe der Zugbeanspruchung, dem gleichmäßigen Zugspannungszustand quer über den Prüfkörperquerschnitt und einer vollständigen Benetzung der in ein Medium eingetauchten Probekörper. Die Auswertung kann in einem durchsichtigen Medienbehälter rein optisch erfolgen, wobei der Versuch unterbrochen werden muss.

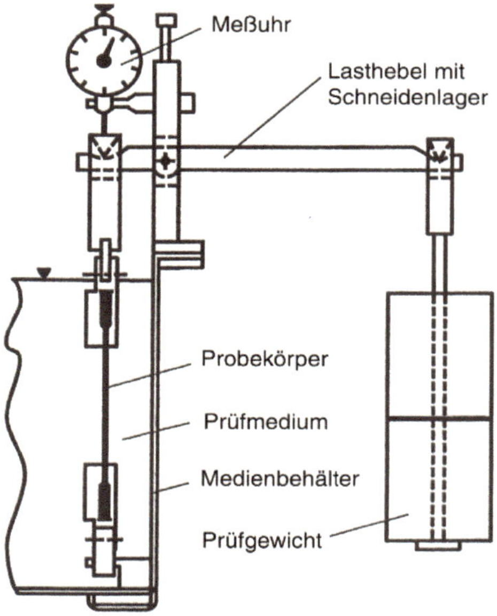

Bild 5.18
Prüfanordnung zur Ermittlung der Spannungsrissempfindlichkeit in Anlehnung an den Zeitstandzugversuch

Zum anderen kann nach Auftreten der Spannungsrisse eindeutig ein Festigkeits- und Verformungsabfall im Zugversuch, bevorzugt durch Aufnahme eines Spannungs-Dehnungs-Diagramms ermittelt werden. Weiterhin kann ein Bruch der Probe während der Versuchsdurchführung zu dessen Beendigung führen, wobei die verbliebenen Prüfkörperteile auf Spannungsrissbildung optisch untersucht werden können.

> Der Zeitstandzugversuch eignet sich für teilkristalline Kunststoffe meistens besser als die anderen Spannungsrissprüfverfahren.

Nachteilig ist, dass eine Spannungsrissbildung nicht direkt während des Versuchs beobachtet werden kann. Die erste Bewertung des Verhaltens kann jedoch bei der Verwendung von durchsichtigen Medienbehältern und passenden Prüfmedien rein optisch erfolgen, wobei der Versuch nicht unterbrochen werden muss. Direkte Proben aus Bauteilen sind nur bei ausreichend großen ebenen Flächen herauszuarbeiten. Derartige Flächen sind aber meistens nicht die kritischen, eigenspannungsreichen Stellen der Bauteile.

5.2.2 Biegestreifenverfahren

Beim Biegestreifenverfahren nach EN ISO 22088-3, neben den Stift- und Kugeleindrückverfahren das gebräuchlichste Prüfverfahren, werden die Probekörper auf eine kreisbogenförmige Schablone gespannt und dabei entsprechend dem Radius gebogen, sodass die freie Oberfläche der Probe eine größere Länge mit einer definierten Randfaserdehnung beansprucht.

Die Randfaserdehnung ε_x des Probekörpers hängt von der Dicke d des Probekörpers und vom Krümmungsradius r der Biegeschablone ab, Bild 5.19.

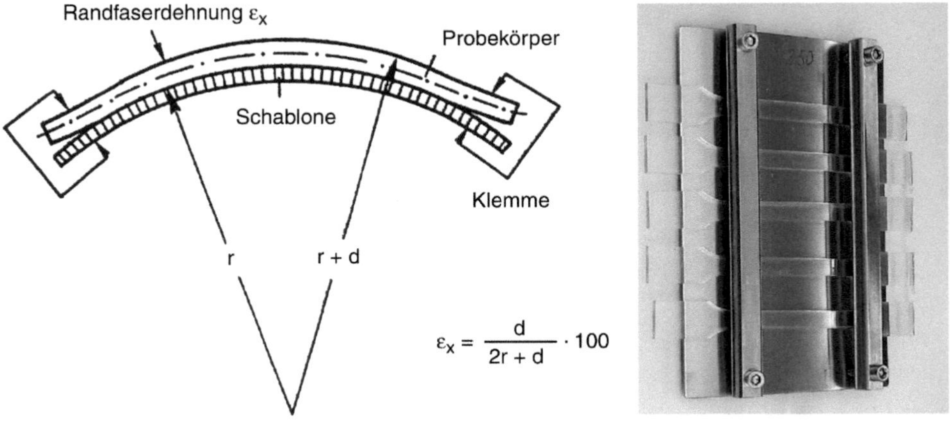

Bild 5.19 Definierte Randfaserdehnung ε_x beim Biegestreifenverfahren nach EN ISO 22088-3

In Tabelle 5.11 sind verschiedene Probekörperdicken und für die sich bei Variation der Biegeradien einstellenden Randfaserdehnungen angegeben. Als Schablonenmaterial eignet sich rostfreier Stahl mit der erforderlichen Formstabilität und guten Resistenz gegenüber den meisten Prüfmedien. Zudem beeinflusst rostfreier Stahl die zu prüfenden Kunststoffe nicht. Der Probekörper wird an seinen Enden mit u-förmigen Klammern locker gegen die Schablone gedrückt, damit er in der Prüfzone anliegt, Bild 5.20. Alle länger andauernden Biegebeanspruchungen führen zu einer Relaxation, einem Abbau der Biegespannungen in den maximal beanspruchten äußeren Randzonen. Die Randfaserdehnungen bleiben konstant, da sich die geometrischen Verhältnisse nicht ändern.

Tabelle 5.11 Randfaserdehnung (%) in Abhängigkeit von der Probendicke und dem Krümmungsradius der Biegeschablone [11]

Probenkörperdicke [mm]	Krümmungsradius [mm]						
	Randfaserdehnung ε_x in Zugzone [%]						
	50	100	150	200	250	330	500
2,0	2,0	1,0	0,7	0,5	0,4	0,3	0,2
2,5	2,4	1,2	0,8	0,6	0,5	0,4	0,3
3,0	2,9	1,5	1,0	0,7	0,6	0,5	0,3
3,5	3,4	1,7	1,2	0,9	0,7	0,5	0,4
4,0	3,9	2,0	1,3	1,0	0,8	0,6	0,4

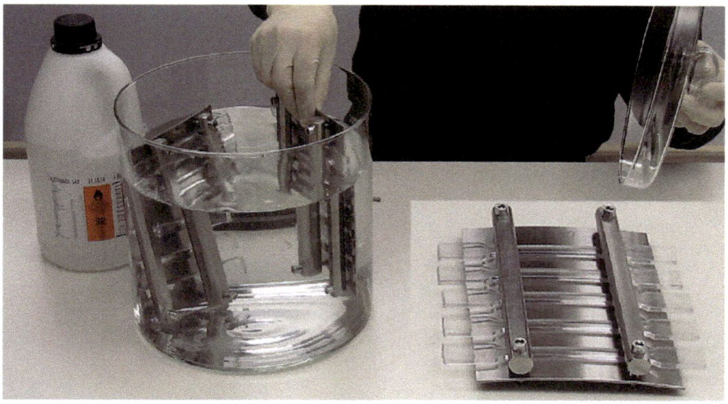

Bild 5.20 Schulterstäbe auf Biegeschablonen und in Prüfflüssigkeit eingetaucht

Unmittelbar nach dem Aufspannen werden die Probekörper mit dem Prüfmedium in Kontakt gebracht (eingetaucht). Pastöse Medien werden gut deckend auf die Probekörper aufgestrichen. Feste Prüfmedien, wie z. B. weichmacherhaltige Folien, werden vor dem Aufspannen zwischen zwei Probekörper gelegt und so an der Schablone befestigt.

Normalerweise wird bei Raum- oder Einsatztemperatur geprüft. Die Lagerungsdauer beträgt beim Kurzzeitversuch 24 h und kann bis auf 1000 h verlängert werden (Langzeitversuch). Versuchsreihen mit gestuften Randfaserdehnungen sollten mit ε_0 = 0 % beginnen und kleiner als die Streckdehnung sein. Für jede Dehnungsstufe sind drei bis fünf Probekörper zu prüfen.

Parallel zur Einlagerung im Prüfmedium erfolgen Versuche in einem Vergleichsmedium, normalerweise Luft, aber auch Wasser, besonders wenn es wie z. B. bei Rohr- oder Apparatebau-Materialien als Standard gilt.

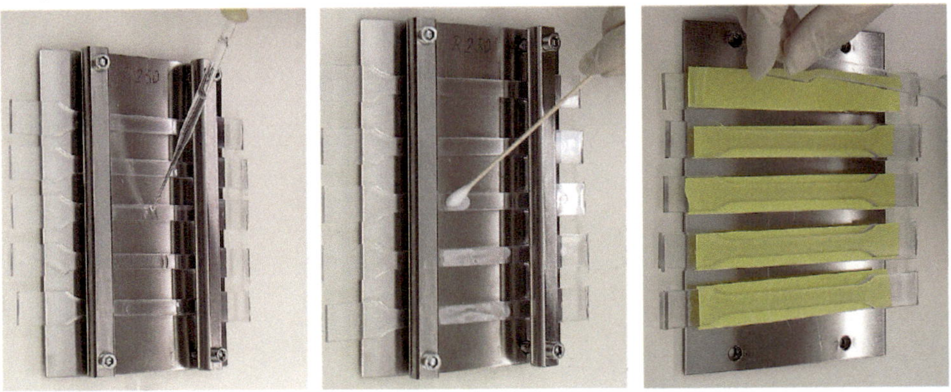

Bild 5.21 Weitere Möglichkeiten der Benetzung mit verschiedenen spannungsrissauslösenden Medien wie z. B. Flüssigtropfen, Pasten oder Feststoffen (z. B. Folien)

Nach Ablauf der Lagerungszeit werden die Probekörper visuell auf Spannungsrissbildung oder sonstige Veränderungen untersucht, nötigenfalls unter Zuhilfenahme eines Makroskops mit bis etwa zehnfacher Vergrößerung.

Ziel des Prüfverfahrens ist die Ermittlung der Schädigungsdehnung, d. h. der Grenzdehnung, bei der sichtbare Schädigungen auftreten, Bild 5.22. Die im Vergleichsmedium eingelagerten Referenzprobekörper werden gleichermaßen untersucht und bewertet, um festzustellen, ob die vorhandenen Veränderungen durch das Medium oder die mechanische Belastung hervorgerufen wurden. Früher wurde häufig der Säbeltest verwendet, da die Dehnung längs der Probe variiert.

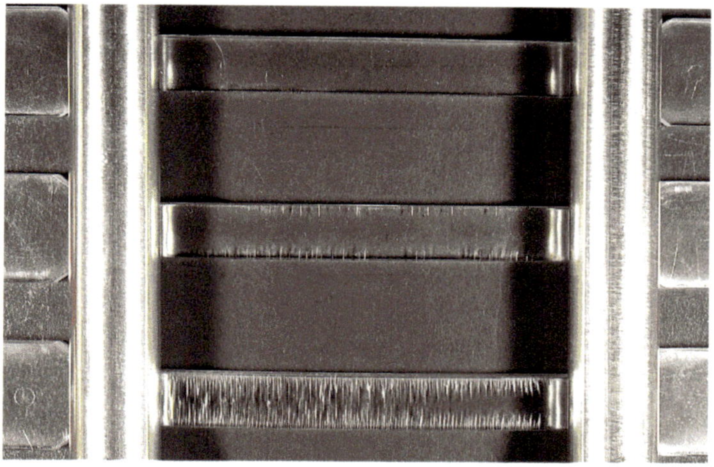

Bild 5.22 Spannungsrisse in PS, Biegeschablone mit dem Radius von 188 mm
Randfaserdehnung ca. 1,05%

Zusätzlich kann in einem zweiten Verfahrensschritt die Restfestigkeit und die Bruchdehnung der eingelagerten Probekörper im Zug-, Biege- oder Schlagbiegeversuch ermittelt werden. Diese Vorgehensweise empfiehlt sich vor allem dann, wenn Rissbildung kaum oder nicht festzustellen ist. Jedoch ist die Biegebelastung als kritisch anzusehen, da diese aufgrund der Biegebeanspruchung eine einseitige Spannungsrissbildung zur Folge hat. In einem anschließenden Zugversuch haben die Spannungsrisse wenig Einfluss, da die Kriechverformung während der Biegebelastung die Probe bleibend so verformt, dass im Zugversuch eine Rückverformung mit einer Druckbelastung des mit dem Spannungsriss beaufschlagten Bereichs eintritt. Der Schlagbiegeversuch weist große Streuungen auf, ohne bemessungsrelevante Werte zu ergeben. Bei steifen Kunststoffen ist die Biegeprüfung mit dem Spannungsrissbereich in der Zugzone vorteilhaft.

Es gibt hier eine Definiton für einen halbsteifen E-Modul von 70 bis 700 MPa und einen steifen Kunststoff E-Modul > 700 MPa, in ISO 527.

Ein typisches Beispiel für die Prüfung der Empfindlichkeit eines PC gegenüber einem Schutzlack zeigt Bild 5.23. Auf eine in eine Biegeschablone eingebrachte Probe wird ein Tropfen des Lacks mit unterschiedlichen Mengen Härter und Lösemittel aufgebracht. Die in der Zugzone der Biegung oben am größten auftretende Zugspannungen führen zur Craze-Bildung. In der unteren Druckzone ist keinerlei Crazebildung zu erkennen. Die seitliche Craze-Bildung neben dem Tropfen erfolgt nur dort, wo Zug aufgrund der Biegung wirkt.

Bild 5.23 Spannungsrissbildung an PC-Deckel, hervorgerufen durch lösemittelhaltigen Acrylharzkleber nach Biegestreifenverfahren
links: Seitenansicht
rechts: Aufsicht

5.2.3 Stift- und Kugeleindrückverfahren

Beim Kugel- und Stifteindrückverfahren (EN ISO 22088-4) wird eine definierte Dehnung erreicht, indem eine Kugel oder ein Stift mit genauem Durchmesser in eine ebenso genau hergestellte Bohrung eingedrückt wird, um somit eine Umfangsdehnung im Kunststoff zu erzeugen. Beim Stifteindrückversuch liegt wegen des konstanten Durchmessers von Stift und Bohrung ein eindeutiger, gleichmäßiger Dehnungszustand rund um den Eindringkörper vor, behindert aber etwas das Eindringen der Prüfflüssigkeit ins Innere des Prüfkörpers.

Das Kugel- oder Stifteindrückverfahren kann gleichermaßen zur Prüfung angewendet werden von

- Fertigteilen,
- Normprobekörpern,
- aus Fertigteilen entnommenen Probekörpern.

Stifte werden nach DIN EN ISO 22088-4 für Probekörper oder Formteile mit Wanddicken mit mehr als 1 mm empfohlen, Kugeln für mehr als 2 mm, bevorzugt 4 mm.

Stifte bewirken über die Probentiefe eine gleichmäßigere Beanspruchung. Bei Kugeln ist die Beanspruchung im Probenzentrum am Kugelradius am größten und nimmt zu den Rändern hin ab. Meistens bewirkt die Kugel eine einfachere Beanspruchung und ergibt geringere Schädigungsanzeigen.

Aus Fertigteilen werden nach Möglichkeit 10 bis 20 mm breite und 50 bis 80 mm lange Stäbe entnommen. Die Proben werden mittig auf ihrer breiten Seite mit einem Rundloch von genau 3,0 mm Durchmesser versehen. In die Fertigteile können an entsprechender Stelle mehrere Löcher eingebracht werden, die sich gegenseitig nicht beeinflussen dürfen. Um eine möglichst große Durchmessergenauigkeit über die gesamte Länge der Bohrung zu erreichen, werden die Proben mit einem präzisen Spiralbohrer (Durchmesser ≈ 2,89 mm) vorgebohrt und anschließend mit einer Reibahle auf 3,000 ± 0,005 mm Durchmesser mit gleichzeitiger Glättung der Lochwandung aufgerieben.

In der DIN EN ISO 22088-4 werden für die Geräte sowie die Kugeln und Stifte folgende Empfehlungen gegeben:

- Bohrmaschine mit ca. 1000 U/min
- Bohrer mit Durchmesser ± 0,1 mm
- Reibahle mit Durchmesser ± 0,05 mm (geeignet A3H7-Reibahle z. B. 3,004 - 3,008 mm)
- für Bohrungsdurchmesser Lehrdorne oder andere Messgeräte mit ± 0,005 mm Messgenauigkeit
- für Stiftdurchmesser Mikrometerschraube ± 0,001 mm
- Kugeln nach ISO 3290 bis 4 mm Grad G20, > 4 mm Grad G200

In diese Löcher werden (Wälzlager-)Kugeln oder Rundstifte aus Edelstahl mit definiertem Übermaß eingedrückt, Bild 5.24.

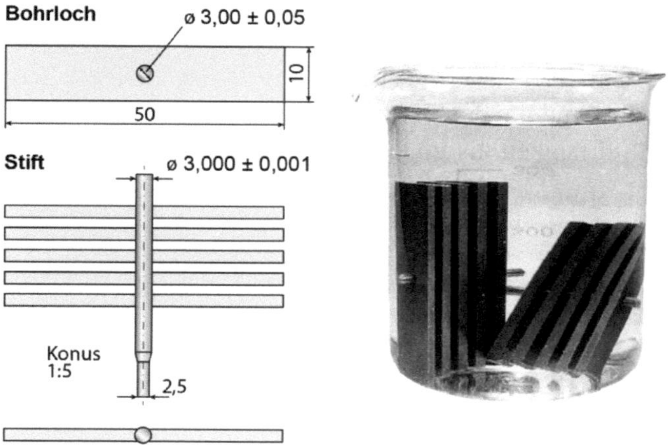

Bild 5.24 Stifteindrückverfahren nach EN ISO 22088 (links) und Normprobekörper aus amorphen bzw. teilkristallinen Kunststoffen auf Edelstahlstiften (rechts)

> Kugeln bewirken eine geringere Beanspruchung und damit eine zögerlichere Craze-Bildung als Stifte.

Mit zunehmendem Übermaß der Kugeln und Stifte entsteht eine sog. Deformationsreihe, beginnend mit der Deformationsstufe U_0, d.h. ohne Übermaß. Das größte Übermaß U_x sollte nicht größer als ca. 10% der Streckdehnung des Kunststoffs sein.

Die Durchmesser der für eine Deformationsstufe zu verwendenden Kugeln oder Stifte sollten höchstens um ± 0,001 mm vom mittleren Durchmesser abweichen. Das Übermaß kann ausreichend genau mit einer einachsigen Vergleichsdehnung korreliert werden: Übermaß [mm] x 10 ≈ Dehnung [%]. Eine Schritt für Schritt durchgeführte Vergrößerung der Stift- bzw. Kugeldurchmesser, ausgehend von 3,0 mm um jeweils 0,02 mm, hat sich in der Praxis bewährt.

Ein typisches Bild eines Stifteindrück-Versuches zur Überprüfung der Chemikalienbeständigkeit zeigt Bild 5.25. Ein Spritzgießteil mit gehobenem Molekulargewicht wird mit einer 3 mm Bohrung versehen. Ein 3,10 mm Stift wird eingepresst und die Prüfstelle mit einem 2K-Acrylharzkleber beschichtet. Nach drei Wochen Lagerung ergibt sich das Spannungsrissbild.

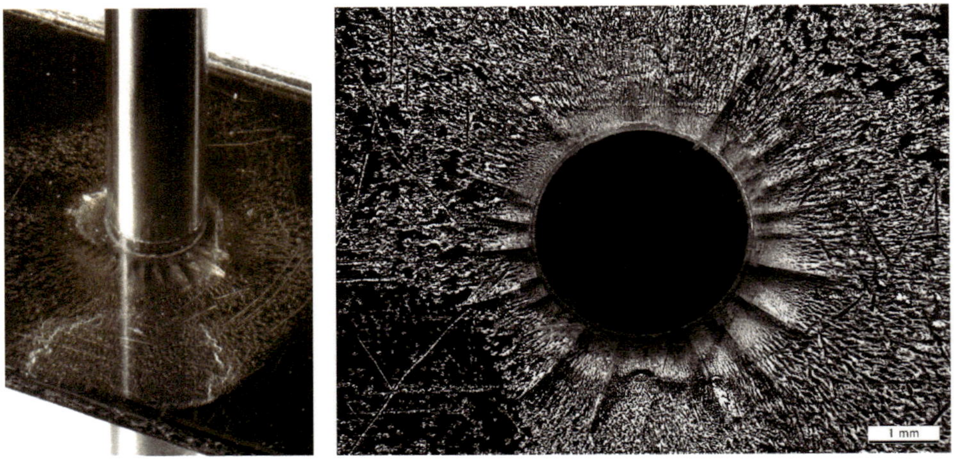

Bild 5.25 Spanungsrissprüfung mit eingedrücktem Stift mit 3,10 mm Ø in Bohrung von 3,00 mm Ø mit 2K-Acrylharzkleber nach drei Wochen Lagerung

Die Kugeln sind mit einer geeigneten Vorrichtung (z.B. Handvorschub einer Ständerbohrmaschine) in die Mitte der Lochlänge zügig und stoßfrei einzudrücken. Bei der Prüfung mit Stiften werden gleich mehrere Probekörper eine bestimmte Zeit lang mit dem Prüfmedium in Kontakt gebracht, bei flüssigen Medien komplett eingelagert. Bei pastösen Prüfmedien wird die Bohrung vor dem Eindrücken der Kugeln bzw. Stifte beide Seitenflächen damit bestrichen.

Beim Einführen der Metallstifte unter leichter Drehbewegung entwickelt man rasch ein Gefühl dafür, welche Durchmesserstufe gerade noch gängig ist und welche schon sperrt. Gewaltsames Einführen kann zu nicht überschaubaren Verformungen oder gar zur Erwärmung der Kontaktfläche führen.

Nicht korrosionsfreie Kugeln und Stifte sind vor dem Einbringen zu entfetten, da sie zum Korrosionsschutz meistens gefettet gelagert werden. ■

Ein Vergleich der Schädigungsbilder von Polycarbonat-Probekörpern im Stift- und Kugeleindrückverfahren bei identischen Übermaß zeigt, dass

- die Spannungsrissbildung bei einer Kugel geringer ist und später ausgelöst wird als bei einem Stift;
- die Belastung besonders an der Probenoberfläche bei einer Kugel immer geringer ist als bei einem Stift;
- kurze Einlagerungszeiten ergeben größere Kennwertschwankungen;
- bei größeren Wanddicken (z. B. 4 mm) beanspruchen die Kugel mehr das Innere der Proben und nicht die Oberflächenerscheinungen, die z. B. stärker orientiert und wegen der schnellere Abkühlung weniger entspannt sind;
- Stifte zur Prüfung von fertigen Bauteilen besser geeignet sind als Kugeln, weil sie gleichzeitig über die gesamte Wanddicke wirken;
- auf einen an einem Ende konisch verjüngten Stift (1 : 5) können mehrere Probekörper aufgeschoben werden und somit parallele Prüfungen durchgeführt werden.

Einen Vergleich der Schädigungsbilder zeigt auf Bild 5.26 Proben aus PC mit den Übermaßen von Stift und Kugel von 3,02; 3,07 und 3,12 mm in Bohrungen von 3,00 mm abgebildet sind, die 15 min lang in Toluol/n-Propanol 1 : 3 gelagert waren.

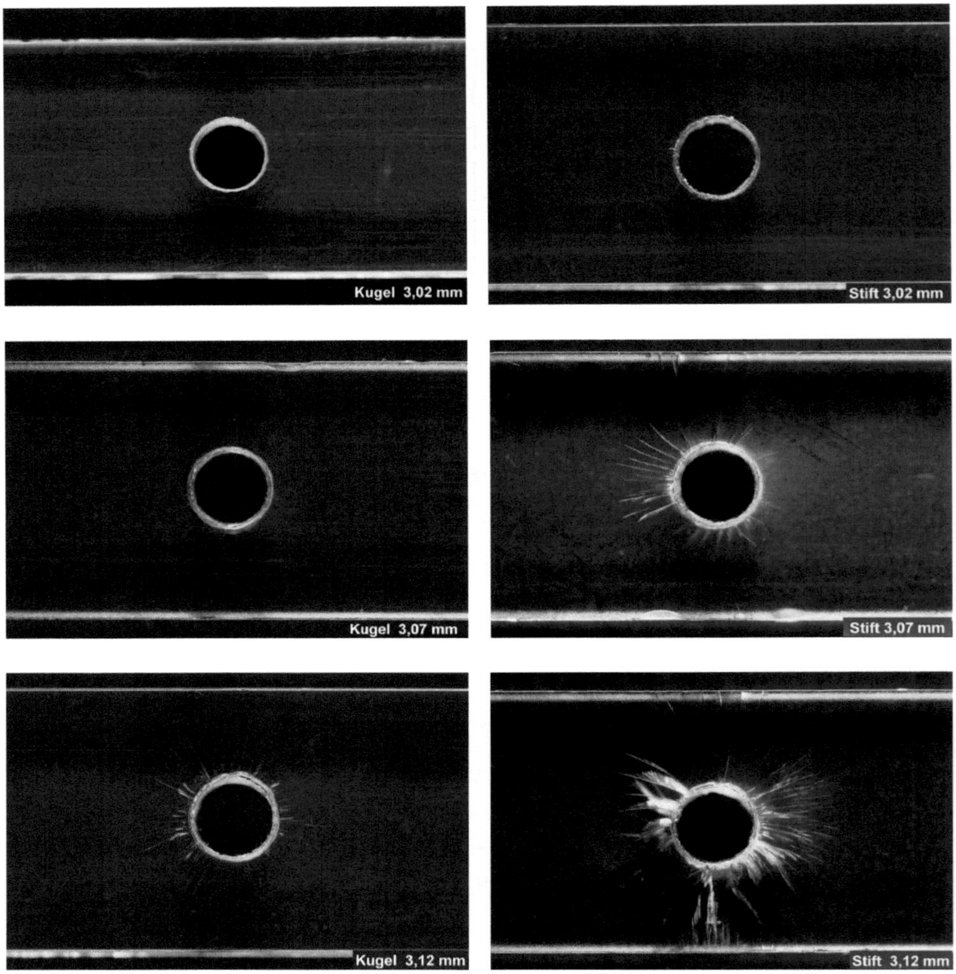

Bild 5.26 Vergleich der Spannungsrissbildung an einem Vielzweckkörper beim Kugeleindruckverfahren (links) bzw. beim Stifteindruckverfahren (rechts)
Material PC, Typ Makrolon® 2805;
Lagermedium: Toluol/n-Propanol 1:3/15 Minuten

Um den Einfluss von Chemikalien auf Kunststoffe unter Crazebildung zu prüfen, kann die Probe nach dem Entfernen des Stiftes oder der Kugel aus dem Bohrloch nach einem Verfahren wie dem Zugversuch geprüft werden, der einen Vergleich mit dem Kunststoff im Ausgangszustand zulässt. Bei einem Standard-PC ergeben vergleichende Messungen den deutlichen Einfluss von Crazes auf die mechanische Materialbelastung in der für sie kritischen Form, der Zugbeanspruchung, Bild 5.27.

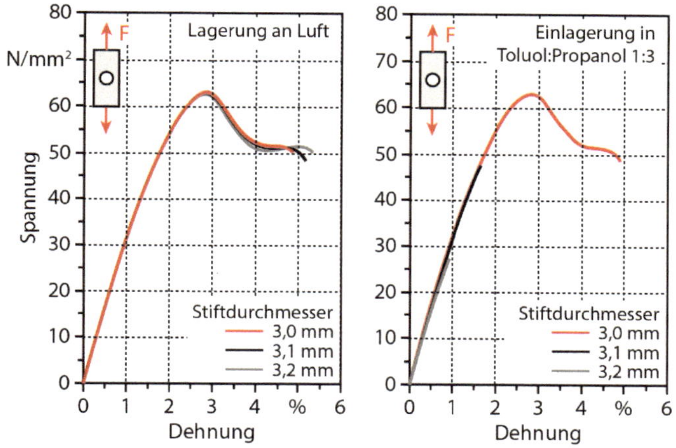

Bild 5.27 Spannungs-Dehnungs-Diagramme von Zugproben aus PC nach Spannungsrissversuchen mit unterschiedlichen Stiftübermaßen
links: Versuche in Luft (1 h)
rechts: nach Lagerung in Toluol/Propanol 1:3 (3 min)

Während bei Lagerung in Luft auch unterschiedliche Stiftübermaße praktisch keinen Einfluss auf die Zugfestigkeit haben, ergibt sich bei Proben nach einer 3-Minuten-Lagerung in Toluol/Propanol (1 : 3) ein starker Einfluss. Die Bruchdehnung nimmt deutlich ab. Die Arbeitsaufnahme (Fläche unter dem σ-ε-Diagramm) variiert, da sie vor und nach der Streckgrenze gemessen wird, Bild 5.28.

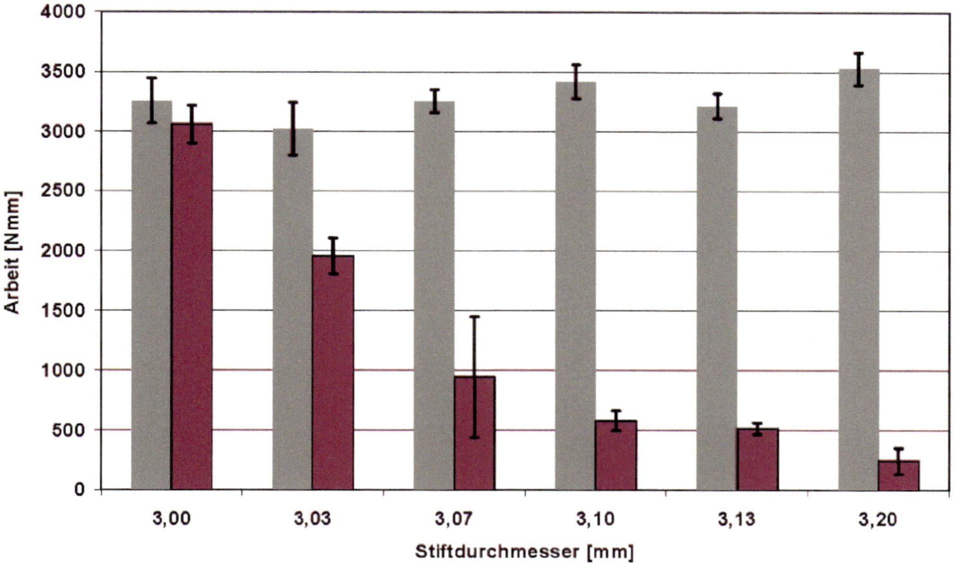

Bild 5.28 Vergleich der Brucharbeiten im Zugversuch an PC-Proben aus dem Stifteindrückverfahren nach 3 min Lagerung an Luft (grau) bzw. Toluol/Propanol 1:3 (schraffiert)

Während die mechanische Arbeitsaufnahme, die die Zähigkeit charakterisiert, bei Proben in Luft durch unterschiedliche Stiftübermaße nicht beeinflusst wird, fällt sie bei erhöhten Stift-Übermaßen durch Crazebildung bei einem Übermaß von ca. 2 % (3,20 mm) auf etwa 1/10 des Ausgangswertes ab, sodass besonders bei stoßartiger Beanspruchung ein frühes Versagen eintritt.

Prüfkörper aus dem verwendeten PC ohne Kugel- und Stifteinsätze zeigen nach Lagerung in Toluol/Propanol Ansätzen keinerlei Einwirkung der Chemikalien, Tabelle 5.12.

Tabelle 5.12 Mechanische Kennwerte aus den Zugversuchen an Polycarbonat Typ Makrolon® 2805 bei unterschiedlichen Einlagerungen, Mittelwerte mit Standardabweichung

Einlagerung	Zeitdauer Einlagerung	Zugmodul E [N/mm²]	Streckspannung σ_y [N/mm²]	Streckdehnung ε_y [%]	Bruchdehnung ε_a [%]
an Luft	–	2630 ± 10	65,0 ± 0,2	5,84 ± 0,04	113 ± 7
in Toluol/ Propanol 1:10	15 min	2610 ±10	64,5 ± 0,1	5,89 ± 0,02	122 ± 8
in Toluol/ Propanol 1:10	75 min	2570 ± 20	64,3 ± 0,2	5,91 ± 0,01	123 ± 11
in Toluol/ Propanol 1:3	15 min	2640 ± 30	64,3 ± 0,2	5,89 ± 0,02	123 ± 8

Obwohl das Kugel- und das Stifteindrückverfahren in einem Normteil behandelt werden, gibt es Unterschiede beim Einsatz der beiden Verfahren. Präzise Kugeln sind meist einfacher zu beschaffen. Sie haben im Einsatz eine Hauptbeanspruchungsstelle am Meridian. Probekörperbereiche mit vorhandenen und das Ergebnis beeinflussenden Orientierungen oder Strukturunterschiede können durch angepasste Platzierung der Kugeln im Bohrlochbereich bevorzugt untersucht und als Ergebnis Abhilfemaßnahmen vorgenommen werden.

Das Stifteindrückverfahren eignet sich besser für stärker relaxierende Kunststoffe wegen der einheitlicheren Beanspruchung. Es wird der gesamte Wandquerschnitt erfasst. Stifte können mehrfach belegt werden.

Das Stifteindrückverfahren stellt eine höhere Belastung bei gleichem Nennwert dar. Die Reaktionen erfolgen schneller und stärker. Zugproben zeigen einen schnelleren und stärkeren Festigkeits- und Bruchdehnungsabfall als beim Kugeleindrückverfahren, Bild 5.29.

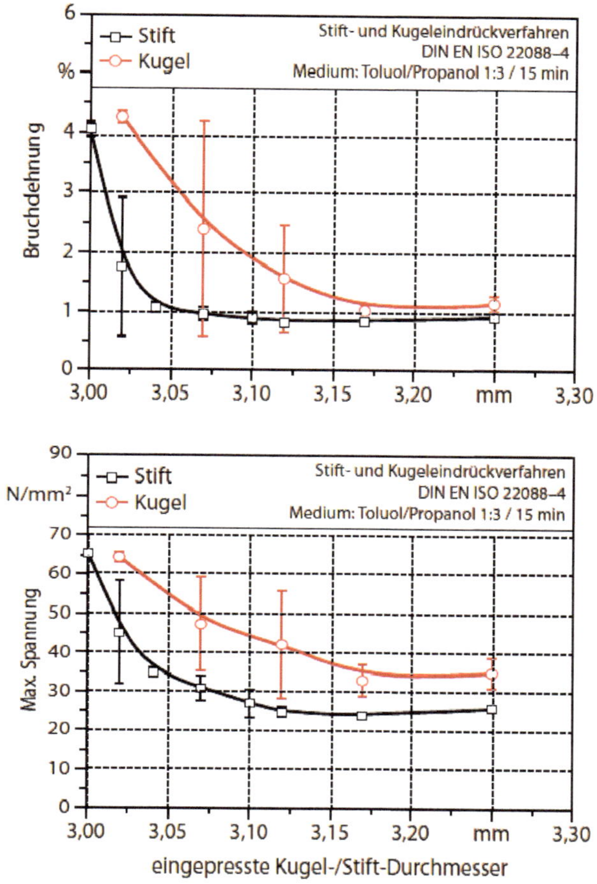

Bild 5.29 Restfestigkeit und Restbruchdehnung von PC (2805) nach Stift- und Kugeleindruckprüfung in Vielzweckprobekörper nach DIN EN ISO 3167 Typ A (10 x 4 mm) in Toluol/Propanol 1 : 3 nach 15 min Einlagerung

Die DIN EN ISO 4599 schlägt die Bestimmung eines Grenzübermaßes vor. Zur Auswertung trägt man in einem Diagramm die Versuchswerte, z. B. die Bruchfestigkeit in Abhängigkeit von den Kugel- bzw. Stiftübermaßen, auf. Als Maßgröße sieht die Norm das Übermaß vor, bei dem die Kurve vom Nullwert ausgehend um 5 % (Zug- oder Biegefestigkeit) oder 20 % (Reißdehnung, Schlagzähigkeit) abgefallen ist, Bild 5.30.

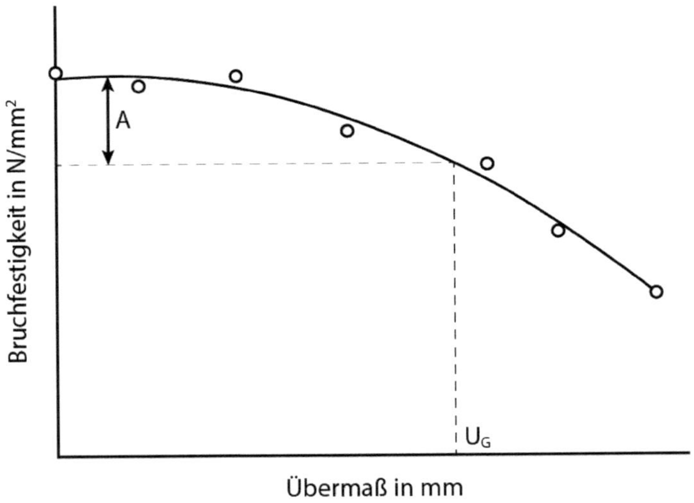

Bild 5.30 Bestimmung des Grenz-Übermaßes UG mittels des Festigkeitsabfalls A nach DIN EN ISO 4599

Ob dieses Auswerteverfahren praktisch sinnvoll ist, hängt von der Beurteilung des Problems ab. Es dürfte aber insgesamt weniger Bedeutung haben.

Nach EN ISO 22088-4 (2006) können bei Zugprüfungen die Kugeln und Stifte im Probekörper verbleiben. Werden sie vor den Prüfungen entfernt, muss sichergestellt sein, dass dieser Vorgang die Ergebnisse nicht beeinflusst. Verbleibende Kugeln und Stifte bei Zugbeanspruchung ändern den Spannungszustand rund um das Loch und somit auch die Ergebnisse. Inwieweit ihre Entfernung die Ergebnisse beeinflussen, ist kaum zu ermitteln.

Eine vergleichende Betrachtung der Spannungsrissbildung im Biegestreifenverfahren nach EN ISO 22088-2 und dem Stifteindrückversuch nach EN ISO 22088-4 zeigt Bild 5.31.

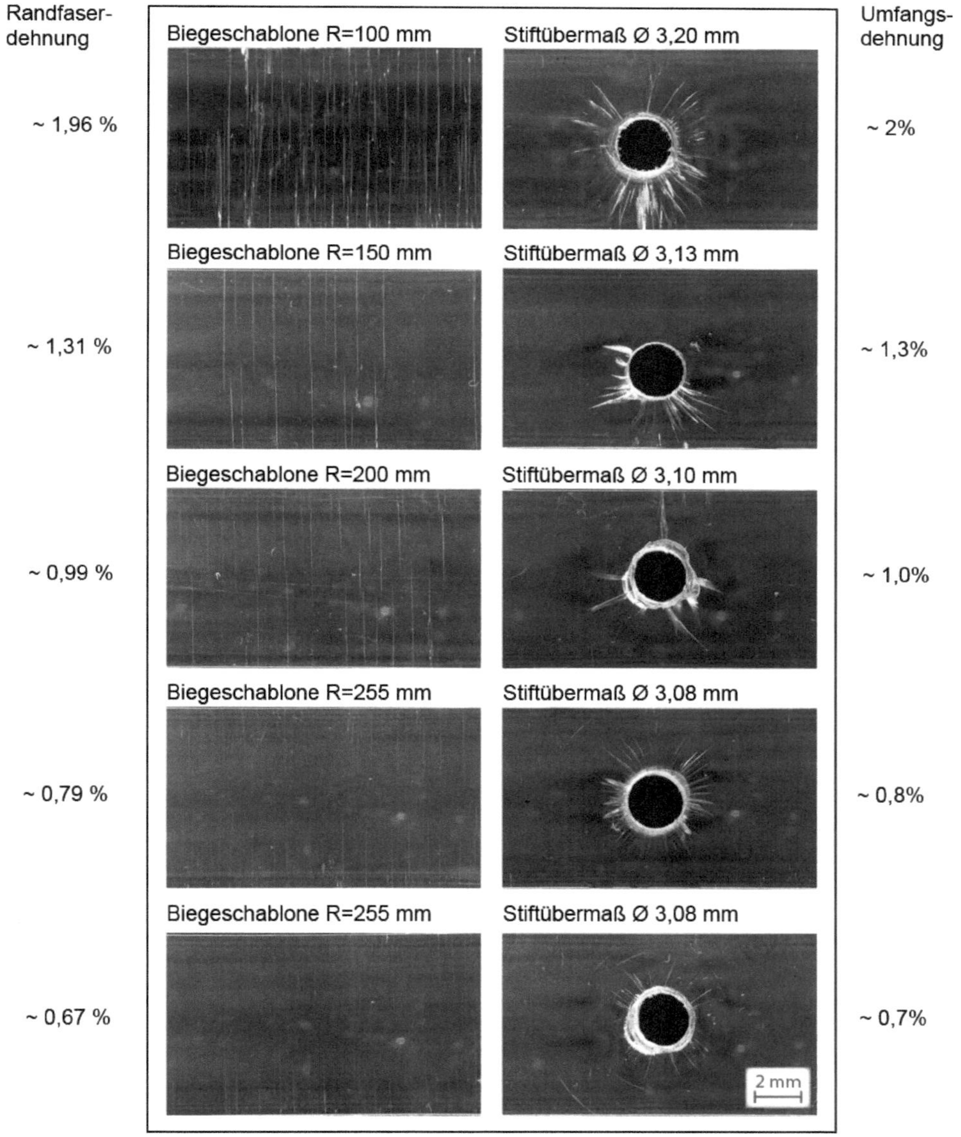

Bild 5.31 Biegeschablone- (links) und Stifteindrückverfahren (rechts) im Vergleich Spannungsrissbildung an PC ®Makrolon 2800
nach 3 min in Toluol:iso Propanol (1:3) mm)

5.2.4 Dow-Säbel- und Bell-Test

Neben den vier genannten, häufig angewandten Tests: Zeitstandprüfung, Biegestreifenverfahren, Stift- und Kugeleindrückverfahren sowie dem Tauch- und Benetzungsverfahren gibt es den mehr technologisch ausgerichteten, ursprünglich für PE entwickelte Bell-Test, 31B, sowie eine Reihe Tests, die mit sich stetig ändernder Beanspruchung versuchen eine Belastungsgrenze zu ermitteln. Dazu gehören der ursprünglich für PS entwickelte Dow-Säbel-Test, 31A, und der Biegebalken-Test, Bild 5.33. So logisch der Biegebalken-Test mit eindeutiger Zugspannungsverteilung (linear zur Einspannung ansteigend) erscheint, so wenig hat er sich praktisch durchgesetzt, weil wegen der großen Streuung der Ergebnisse, eine Zuordnung zur Belastungshöhe nicht möglich ist. Eigentlich müssten die Spannungsrisse zunächst und verstärkt in der Nähe der Einspannung auftreten.

Bild 5.32 Dow-Säbel-Test (Parabel) und Bell-Test zur Prüfung der Spannungsriss-Anfälligkeit

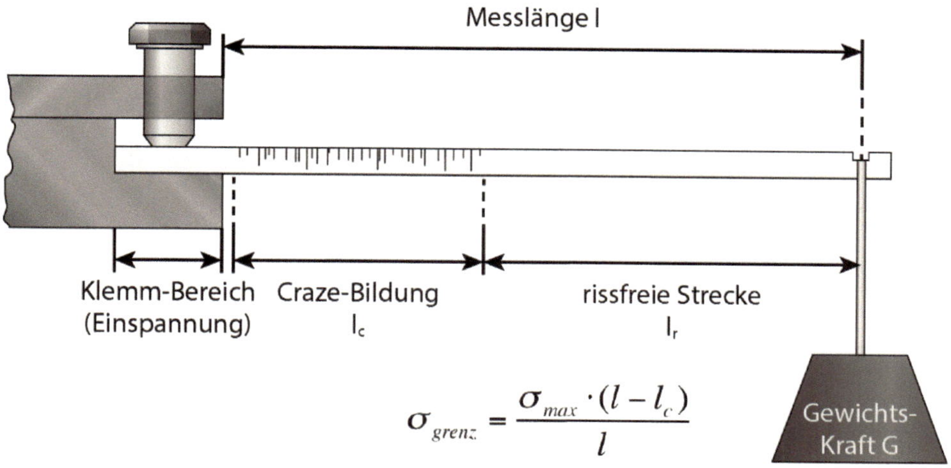

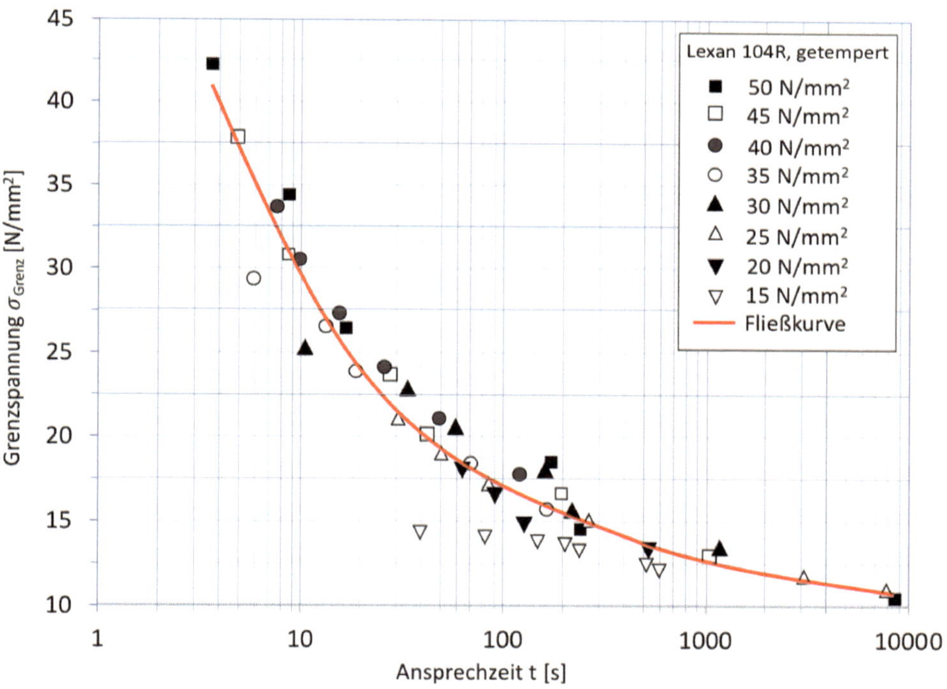

Bild 5.33 *(Fortsetzung auf Seite 254)*

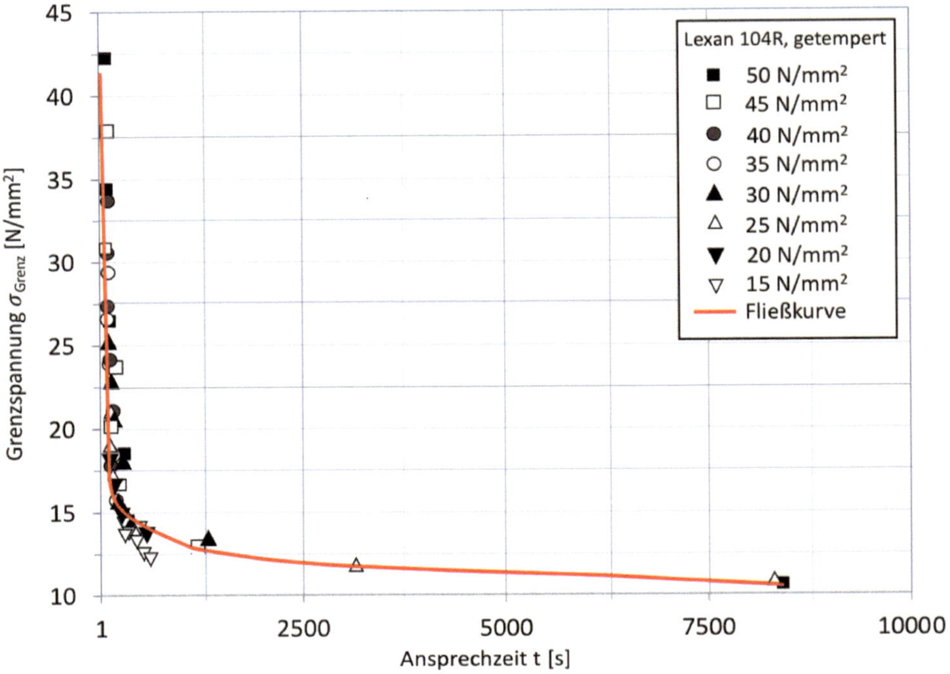

Bild 5.33 Biegebalken-Test mit stetig sich ändernder Beanspruchung in linearer und logarithmischer Auswertung der Ansprechzeit [K. I. M.W] *(Fortsetzung)*

Während die logarithmische Darstellung eine scheinbare klare Differenzierbarkeit der Grenzspannung bei der Craze-Bildung ermöglicht, zeigt die lineare Darstellung die geringe Differenzierbarkeit. Noch deutlicher wird das bei einem Wöhlerdiagramm. Wenn der Rissbeginn und der darauf folgende Bruch in einem abgewogenen Verhältnis zu erfolgen scheint, sieht man bei der linearen Darstellung die ebenfalls geringe Differenzierbarkeit bei wenigen Lastspielen und die geringe Stetigkeit bei hohen Lastspielzahlen mit einer vergleichsweise großen Risswachstumszeit, wodurch die Differenzierung der Art des Risswachstums fragwürdig wird, Bild 5.34.

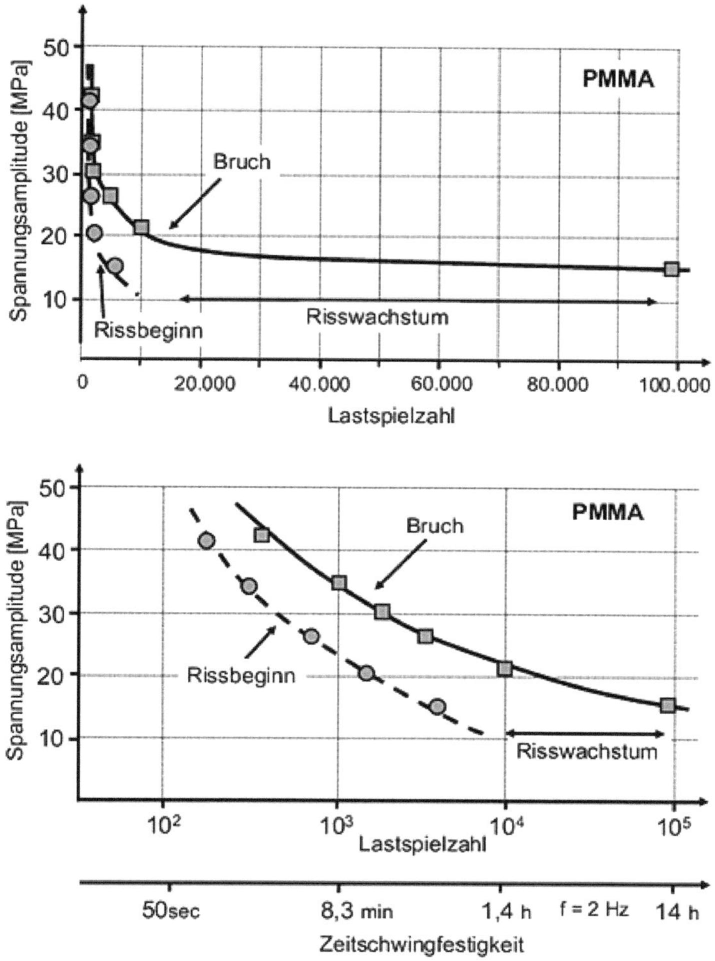

Bild 5.34 Rissbeginn, Risswachstum und Bruch einer PMMA-Probe in linearer und logarithmischer Auswertung im Wöhlerversuch

5.2.5 Spannungsrissprüfung bei Fertigteilen

Die Eigenschaft bestimmter Medien, schon bei geringen mechanischen Beanspruchungen Spannungsrisse in Kunststoff-Bauteilen hervorzurufen oder zu beschleunigen, kann auch dazu benutzt werden, Eigenspannungen in Fertigteilen nachzuweisen.

Eigenspannungen sind nicht mit Orientierungen zu verwechseln, bei denen es sich um eingefrorene entropieelastische Deformationen der Makromoleküle bzw. deren Überstrukturen handelt, die sich nur bei höheren Temperaturen (oberhalb der Glasübergangstemperatur) mit der Zeit zurückbilden können (Relaxation). Während die Wirkung von Eigenspannungen bei Raumtemperatur bzw. unterhalb der Glasübergangstemperatur derjenigen von mechanischen Spannungen durch äußere Belastung entspricht, können sich Orientierungen bei Entlastung in diesem Temperaturbereich nicht zurückbilden. Eingefrorene Orientierungen beeinflussen die lokale Verformbarkeit erheblich und somit das Entstehen von Spannungsrissen.

Der in der Praxis gelegentlich benutzte Begriff „Orientierungsspannungen" ist unglücklich gewählt. Er beschreibt das Verhalten, bei dem Chemikalien als Lösungsmittel wirken, zwischen die Makromoleküle dringen, deren Beweglichkeit erhöhen und so zu einer Spannungsrissbildung führen können, einen definierten Spannungswert aber nicht beinhaltet.

Die Spannungsrissprüfung wird in erster Linie zur Abschätzung der Gebrauchstauglichkeit von Fertigteilen (z. B. Infusionsflaschen) und zur Kontrolle des Verarbeitungsprozesses herangezogen. Dabei werden die Formteile oder Formteilabschnitte ohne zusätzliche äußere Krafteinwirkung mit Medien in Kontakt gebracht, die eine spannungsrissauslösende Wirkung auf den jeweiligen Kunststoff ausüben. Je nach Höhe der Eigenspannungen und Wirksamkeit des Mediums treten nach einer kürzeren oder längeren Zeitspanne Spannungsrisse auf, Bild 5.35.

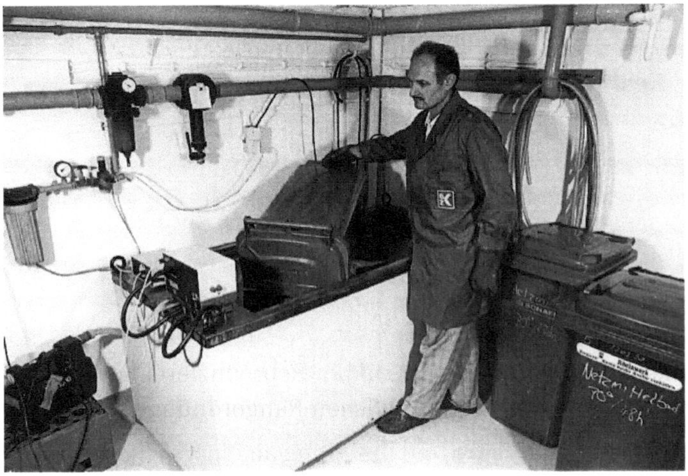

Bild 5.35 Güteüberwachter Müllgroßbehälter (240 l) aus PE-HD nach 48 h Netzmitteltest in Laventin bei 70 °C

Mit Hilfe der Spannungsrissprüfung werden besonders Orte höchster Zugspannungen und deren Richtung qualitativ beurteilt. Darüber hinaus sind ungefähre Abschätzungen über die Höhe der Eigenspannungen im Fertigteil möglich. Dazu sind für die jeweilige Kunststoff-Medium-Kombination Kalibrierkurven erforderlich, die den Zusammenhang zwischen Crazebildungszeit, Spannungszustand, Kunststoffzustand und Temperatur wiedergeben. Die Kalibrierkurven können näherungsweise mit den oben beschriebenen Prüfverfahren zur Beurteilung der Spannungsrissbildung erstellt werden, wozu es aber einiges an Erfahrung bedarf.

5.2.6 Beurteilung der Prüfverfahren

Die Prüfverfahren zur Bestimmung der Spannungsrissbeständigkeit von Kunststoffen gehen entweder von einer aufgebrachten Zugspannung oder einer Dehnung aus. Bei konstanter Dehnung relaxiert die Spannung mit der Zeit, bei konstanter Spannung ist mit einer Zunahme der Dehnung zu rechnen. Das Verhältnis von Spannung und Dehnung wird durch den Elastizitätsmodul, der durch den morphologischen Aufbau und die molekulare Struktur gekennzeichnet ist, angezeigt. So können mit durchaus bewährten Spannungsriss-Prüfverfahren gegensinnige Ergebnisse erzielt werden.

> Es ist daher ratsam, die Prüfverfahren unter dem Gesichtspunkt der Anwendung der Formteile und ihrer Beanspruchung auszuwählen. ■

Breite Streuung ergibt sich insbesondere bei rein optisch bewerteten Ergebnissen. Die quantitative Beurteilung wird durch eine Ermittlung von z. B. mechanischen Kennwerten verbessert. Die Probekörperanzahl muss angepasst werden.

Der Bell-Test wird bei sehr hoher Verformung durchgeführt, die bei realen Bauteilen selten auftritt. Dennoch ist dieser vor mehr als 50 Jahren entwickelte Test noch heute in den Zulassungsgrundsätzen des DIBt, der obersten deutschen Baubehörde, vorgesehen.

Eine Korrelation der Prüfverfahren untereinander ist kaum gegeben. Allen Prüfverfahren ist eine große Streuung der Messergebnisse gemeinsam, sowohl was die Vergleichbarkeit der Ergebnisse wie ihrer Reproduzierbarkeit betrifft. Ähnliche Prüfverfahren führen dennoch zu ähnlichen Rangordnungen.

Der an sich vernünftige Versuch, die Belastung an einem Prüfkörper stetig zu erhöhen, wie es bei dem Verfahren des KIMM mit dem einseitig eingespannten Biegestab zumindest für die Spannung und den Biegestreifenverfahren mit variablen Radius für die Dehnung gilt, leidet in seinen Aussagemöglichkeiten an der großen Streuung der Ergebnisse, die keine definierte Beanspruchungsgrenze zulassen.

Die Spannungsrissbildung erfolgt bei Einwirkung von Medien oberflächlich, aber gerade diese Bereiche werden bei den meisten Verarbeitungsverfahren in der Kunststofftechnik durch die variierbaren Prozessparameter am stärksten beeinflusst. Einen Probekörper ohne Eigenspannungen und Orientierungen mit völlig gleichmäßiger Morphologie gibt es so gut wie nicht. Mit Fehlstellen und Störungen ist immer zu rechnen. Wenn die Versuche an extra für die Untersuchungen gefertigten Probekörpern durchgeführt werden, ist die Übertragbarkeit auf reale Formteile zumindest nicht selbstverständlich. Formteile weisen immer Eigenspannungen, Orientierungen und strukturelle Unregelmäßigkeiten auf, die meistens empfindlicher sind und dazu noch lokal unterschiedlich auftreten.

Ein Vorteil der Spannungsrissprüfung ist, dass sie im Zugbereich der Probekörper erfolgt. Die Zugfestigkeit ist bei weitgehend kompakten Kunststoffen die schwächste mechanische Kenngröße, sodass eine Schwachstelle geprüft wird. Diese wirkt sich besonders negativ bei schlagartiger Beanspruchung aus und ist daher eine häufige Versagensursache. Mittels der Spannungsrissprüfung werden also automatisch potentielle Schwachstellen aufgedeckt.

Es existieren nur wenige verwertbare Informationen über die Spannungsrissempfindlichkeit von Kunststoffen bei Medienangriff. Die Beständigkeitstabellen sind bekanntlich nur sehr eingeschränkt verwendbar, weil sie den rein chemischen Angriff auf spannungsfreie Formteile berücksichtigen, wohingegen im Gebrauch fast immer mit mechanischen Beanspruchungen zu rechnen ist.

Der Zeitstandzugversuch wird angewendet, wenn zeitlich konstante Lastspannungen im Fertigteil vorliegen. Dies ist bei Rohren oder Behältern unter Druck und bei Belastung mit Gewichtskräften der Fall. Der kostenintensive Zeitstandzugversuch erfordert eine vergleichsweise aufwendige Prüfapparatur mit relativ großem Raumbedarf. Aus diesem Grunde werden die anderen Prüfverfahren bevorzugt, auch wenn sie mit konstanten und damit relaxierenden Verformungen arbeiten.

Infolge des ausgeprägten Relaxationsverhaltens thermoplastischer Kunststoffe sind dann aber Kurzzeitversuche bei niedrigen Umgebungstemperaturen sinnvoll. Bei Biegestreifenverfahren sollte der zeitabhängige Spannungsabfall im Prüfkörper näherungsweise abgeschätzt werden.

Das Kugel- bzw. Stifteindrückverfahren weist gegenüber dem Biegestreifenverfahren zwei Vorteile auf:

- Fertigteile lassen sich oft direkt oder durch Entnahme von Proben untersuchen,
- es werden nur geringe Mengen vom Prüfmedium benötigt.

Nachteilig gegenüber dem Biegestreifenverfahren dürften der weniger genau zu definierende Dehnungszustand (insbesondere beim Kugeleindrückverfahren) und die kleine Prüffläche an der Oberfläche sein. An die Präzision der Prüfgeräte und an die Qualität der Probenvorbereitung werden hohe Anforderungen gestellt. Bei der einstufigen Vorgehensweise sollten die Stifte gegenüber den Kugeln bevorzugt werden.

Immer wenn die Probekörper ohnehin aus der Formmasse herzustellen sind oder wenn genügend große Probekörper aus dem Fertigteil entnommen werden können, ist das Biegestreifenverfahren vorzuziehen.

Unstrittig ist jedoch, dass im Zeitstandversuch der eindeutigste Belastungszustand herrscht. Er trägt auch dem Grund-Werkstoffverhalten am ehesten Rechnung, da Verarbeitungseinflüsse, z. B. Hautbildungen, Schlieren, Flecken, mechanisch, spanend vor der Prüfung entfernt werden können. Dem steht der Prüfaufwand entgegen.

Einige Schlussfolgerungen:

- die Bewertung der Crazebildung ist subjektiv beeinflusst;
- es gibt keine Schnellprüfmethode mit geringer Wertestreuung;
- die Ergebnisse an Laborproben und realen Fertigteilen können sehr differieren;
- die Messwerte und die subjektiven Beurteilungen zeigen breite Streuungen;
- der Vergleich der Ergebnisse verschiedener Verfahren ist schwierig, häufig noch nicht richtig untersucht;
- die Kenntnis der z. T. eingeschränkten Aussagekraft der jeweiligen Prüfmethodik sollte bekannt sein und wenn notwendig und gewünscht, durch ein zusätzliches Verfahren minimiert werden.

5.3 Anwendungsbeispiele

5.3.1 Heizkörperhalter (Medieneinwirkung – Molekulargewicht – Kautschukkomponente)

Um die Kosten eines Design-Heizkörperhalters erheblich zu senken, wurde bei einer PC/-ASA-Mischung der Kautschukgehalt reduziert und das Molekulargewicht besonders des PCs abgesenkt, Bild 5.36. Der MFR-Wert bei 260 °C/5 kg wurde von 6 auf 25 g/10 min erhöht. Die Streckspannung und der E-Modul änderten sich praktisch nicht, wohl aber die Bruchdehnung, die von 110 auf 20 % abfiel. Die Folge waren Weißbrüche nach dem Aufbiegen und anschließendem Zurückbiegen der in sich weißen, rot lackierten Halter, Bild 5.36, und eine erhöhte Spannungsriss-Empfindlichkeit gegenüber dem Lösemittel im Lack. Nach einer Minute Lagerung in reinem Butylacetat ergaben sich beim unlackierten Halter Spannungsrisse, Bild 5.37.

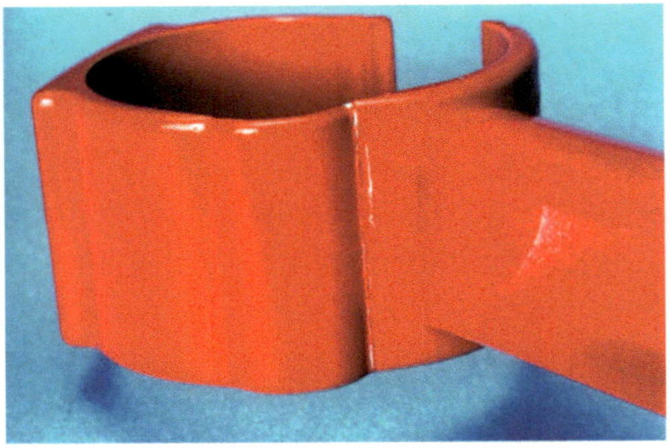

Bild 5.36 Heizkörperhalter aus weißem, rot lackierten PC/ASA mit Weißbruch wegen zu geringer Zähigkeit des neuen Materials

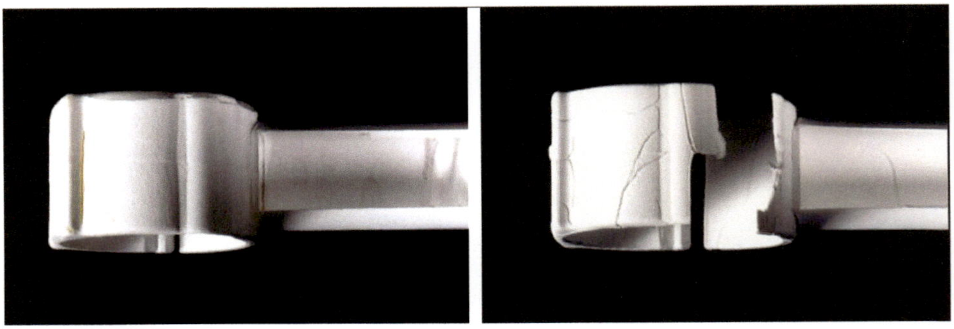

Bild 5.37 Spannungsrissempfindlichkeit nach Lagerung in Butylacetat (Lösemittel des Lackes)

5.3.2 Flugzeugfrontscheibe (Medieneinwirkung – Molekulargewicht)

Die Frontscheibe eines kleinen Flugzeugs sollte eine Dicke von 3,8 mm, die Seitenscheibe von 2,4 mm haben. Während die Seitenscheibe die geforderte Dicke aufwies, betrug diese bei der Frontscheibe nur 3,1 mm. Die Glasübergangstemperaturen betrugen in beiden Fällen 118 °C, was auf ein Guss-PMMA hindeutet. Deutliche Unterschiede gab es in der Lösungsviskosität. Sie betrug bei der 2,4 mm-Seitenscheibe an der Außenseite 390 g/ml, in der Scheibenmitte 645 g/ml, an der Innenseite der Scheibe 495 g/ml. An der Außenseite hat ein auffälliger Abbau stattgefunden. Bei der 3,1 mm-Frontscheibe betrugen die Lösungsviskositätswerte außen 67 g/ml; in der Mitte 133 g/ml und im Inneren 94 g/ml. Das sehr viel geringere Molekulargewicht der Frontscheibe erklärt die Spannungsrissempfindlichkeit bei Anwendung eines Scheibenreinigungskonzentrates, sodass bei starker, thermisch bedingter Kontraktion ein Versagen auftrat, Bild 5.38.

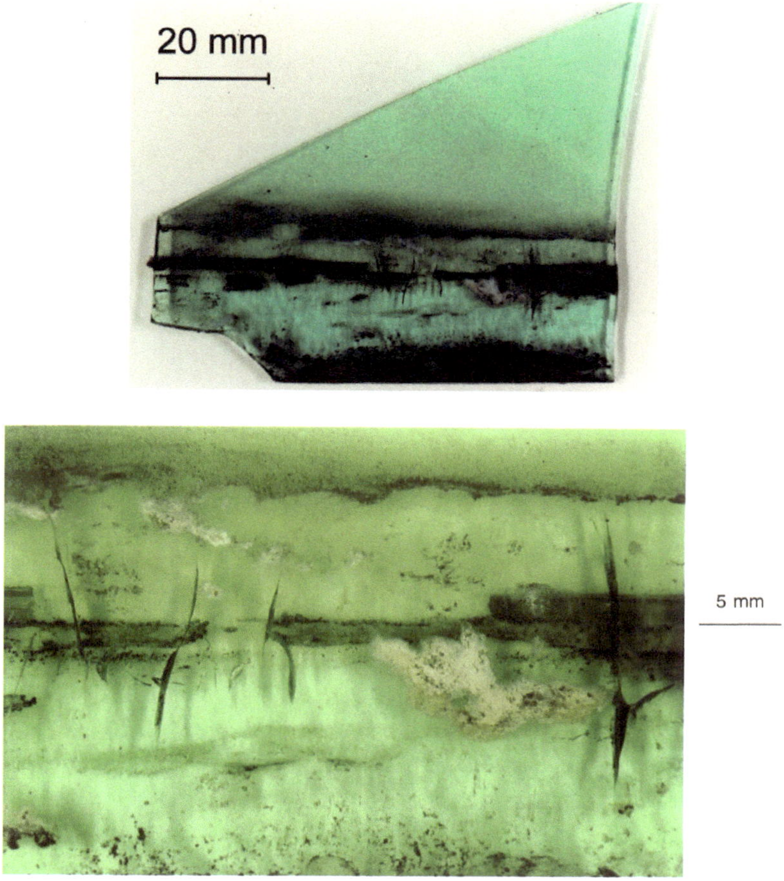

Bild 5.38 Spannungsrisse in einer Frontscheibe eines Kleinflugzeuges
oben: *Scheibenrandstück mit Blick auf Scheibeninnenseite*
unten: *Frontscheibenfragmente*
Rissbildung im Bereich Scheibenfassung von Innen gesehen

5.3.3 Stellgetriebe (äußere Spannungen – Fetteinwirkung)

Ein elektrischer Stellmotor wurde in eine Halterung aus PPO eingeklemmt und positioniert, Bild 5.39. Die Halterung aus PPO war zylindrisch und längs geschlitzt. Ihr Durchmesser war etwas geringer als der Außendurchmesser des zu positionierenden Elektromotors. Dieser war aus Gründen des Korrosionsschutzes außen gefettet. Beim Einspannen des Motors traten die höchsten Zugspannungen in der Kunststoffhülse im unmittelbaren Kontaktbereich zur gefetteten Oberfläche des Motors auf. Dadurch ergaben sich an der Stelle Spannungsrisse höchster Zugspannungen im Bogen zum Sockel.

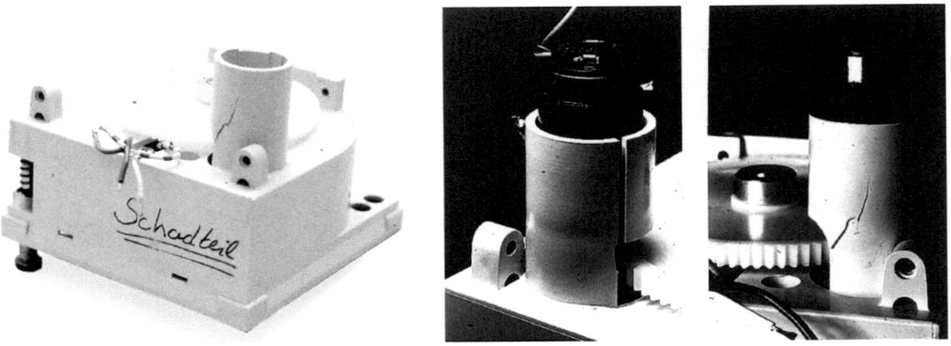

Bild 5.39 Spannungsrissbildung im PPO-Bogen einer Einspannung eines äußerlich gefetteten Elektromotors eines Stellgetriebes

5.3.4 Campingpumpe (Molekulargewicht – Metallkorrosion)

Eine Campingpumpe mit einem Gehäuse aus ABS wies im Gebrauch Crazes auf. Der Gehäusekörper enthält einen Elektromotor zum Pumpen von Wasser speziell für ein Campingwaschbecken. Nach dem Einsetzen des Motors wurde das Gehäuse mit einem Deckel mit Ultraschall dicht geschweißt, Bild 5.40.

Da die Naht keine eindeutige Kontaktgestaltung hat, ist eine vollständig dichte Verschweißung nicht gegeben. Das eindringende Wasser führt zu einer Korrosion der Elektromotorbleche und damit zu einem Volumenauftrag der Korrosionsprodukte. Dieser Auftrag bewirkt eine Aufweitung des Gehäuses und setzt dieses unter eine Umfangs-Zugspannung. Da als Material für das Gehäuse ein niedermolekulares ABS eingesetzt wurde, wird unter Einwirkung von Netzmitteln die Craze-Bildung gefördert.

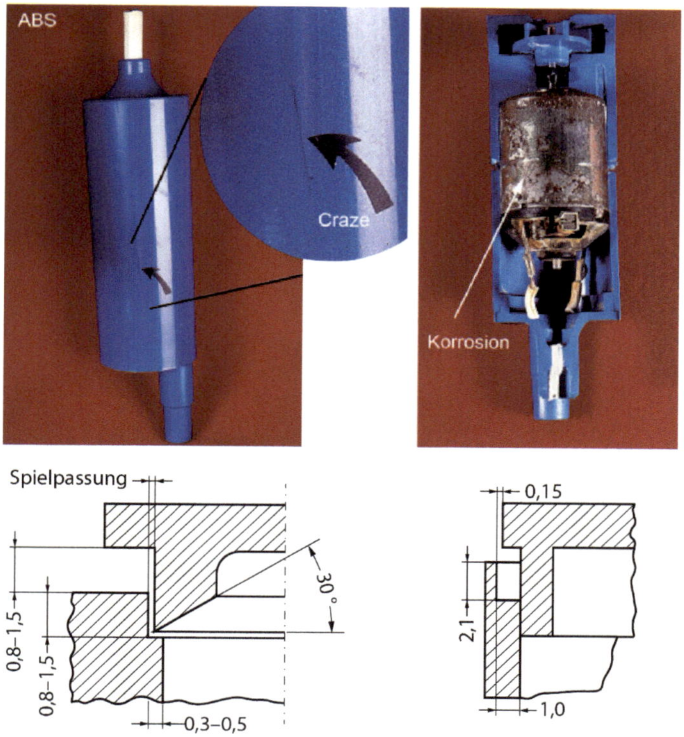

Bild 5.40 Campingpumpe aus ABS mit Spannungsrissen in der Nähe einer unzureichenden US-Schweißnaht

oben links: *Pumpe mit Crazes*
oben rechts: *geöffnetes Gehäuse mit Korrosionspuren auf Motorblechen*
unten links: *Gestaltung einer US-Schweißnaht*
unten rechts: *fehlerhafte Gestaltung der nach ZVEI US-Deckelverschweißung der ABS-Pumpe*

5.3.5 Inserts

Dokumententaschen aus einem PC mit 20 % Ruß als Antistatikforderung werden mit einer Transporteinrichtung verbunden. Die Verbindung erfolgt über Inserts, die mittels Ultraschall eingeschweißt werden, Bild 5.41.

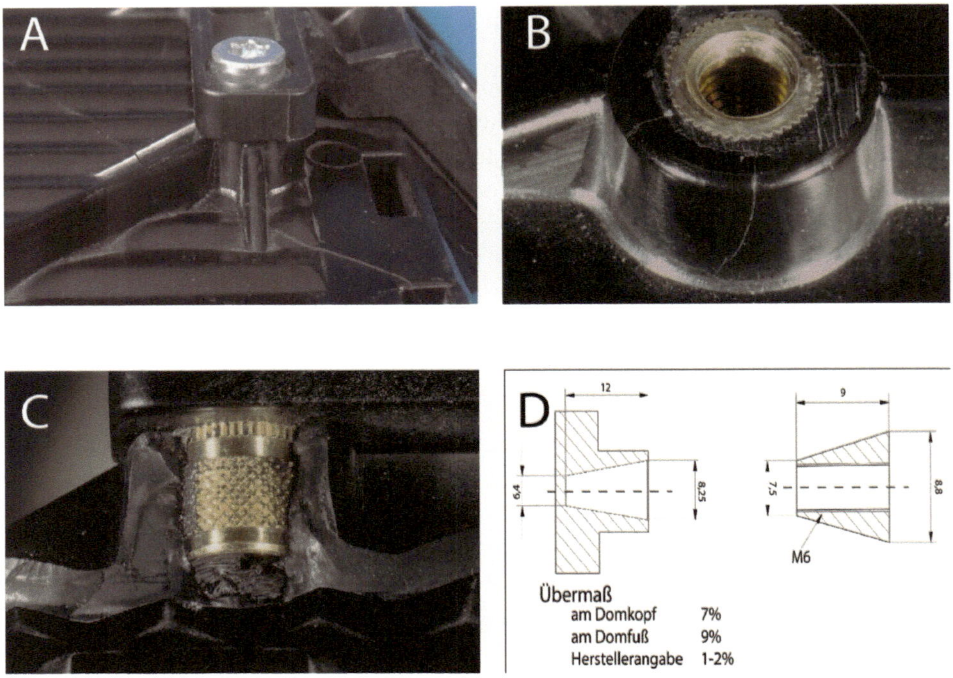

Bild 5.41 Spannungsrisse im Aufnahmedom einer Transporttasche aus PC + 20% Ruß [Antistatikanforderungen mit einen mit US eingeschweißten Insert mit nicht optimierten Abmessungen]

A: *Dokumententasche*
B: *Insertverbindung mit Rissen*
C: *Bruchfläche mit Insert*
D: *techn. Zeichnung*

Schadensschlussfolgerung:

- Spannungsrissbildung erst nach Einsetzen der Inserts = falsche Dimensionierung
- konstruktive Bewertung bestätigt das große Übermaß von dem verwendeten Dom(-kopf, -fuß) zum Insert bewirkt hohe radiale Expansionspannungen und damit eine erhöhte Umfangsdehnung
- zudem hat das niedrige Molekulargewicht vom PC eine geringe Spannungsrissbeständigkeit zur Folge

Die metallischen Inserts der Verschraubung werden mittels Ultraschall in die Dokumententaschen eingebracht. Aufgrund der im Bereich der Verschraubungen beginnenden Risse wurde vermutet, dass durch das Einbringen der Inserts Spannungen im Bereich der Doms erzeugt werden. Dies wurde mit Hilfe eines Spannungsriss auslösenden Mediums (Toluol-Propanol-Gemisch 1:3) an Bauteilen mit und ohne eingepressten Inserts überprüft. Nur die Bauteile mit eingepressten Inserts zeigen nach der Lagerung eine Rissbildung, wodurch sich bestätigt, dass durch das Einpressen der Inserts Spannungen in den Domen verursacht werden. Konstruktive Überprüfungen zeigen, dass das Übermaß sowohl am Domkopf als auch am Domfuß deutlich über der Herstellerempfehlung liegt. Versagensfördernd, aber nicht versagensursächlich, ist zudem die Verwendung eines niedermolekularen Polycarbonates. Dieses muss jedoch aufgrund der Bauteilgeometrie und des hohen Rußgehaltes eingesetzt werden.

In die vorhandenen, etwas keilförmigen Konstruktionen der Aufnahme-Dome werden Messing-Inserts mit Übermaßen um 8 % eingesetzt, obwohl Werte um 1 bis 2 % empfohlen werden. Als Ausgleich trägt die Wanddicke statt mit den geforderten 2,5 mm mit 4 mm der höheren Belastung Rechnung. Ebenso ist das Molekulargewicht eher überdurchschnittlich. Spannungsrissversuche an Probekörpern ohne Inserts mit Iso-Propanol-/Toluol 1:3 haben gegenüber dem Zustand ohne Netzmittel keinen relevanten Unterschied gezeigt, somit ist die Wahl des Molekulargewichts des PCs gerechtfertigt, Bild 5.41. Bei eingesetzten Inserts treten dagegen deutlich mehr Risse auf. Die Risse im Aufnahmeauge sind somit auf die geometrisch ungünstige Auslegung zurückzuführen, Bild 5.42.

Untersuchungsmethode:

Medieneinlagerung von Bauteilen

Probekörper: **ohne Insert**
Medium: Toluol:Propanol (1:3)
Zeit: 20 min
Ergebnis: keine Rissbildung

Probekörper: **mit eingesetztem Insert**
Medium: Toluol:Propanol (1:3)
Zeit: 20 min
Ergebnis: ausgeprägte Rissbildung

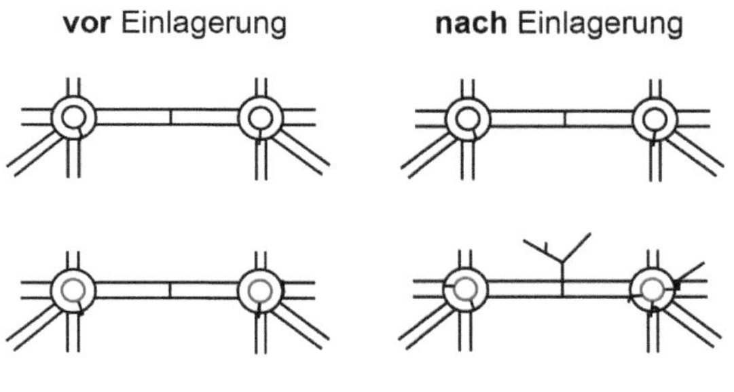

Bild 5.42 Untersuchungsmethode der Aufnahmeaugen mit und ohne Netzmittel

5.3.6 Ungeklärtes Phänomen

Man geht davon aus, dass lokaler Medieneinfluss die wahrscheinlichste Ursache ist, Bild 5.43. Tropfen oder Fingerabdrücke reichen manchmal aus. Es scheinen lokale, nicht eindeutig orientierte Zugeigenspannungen vorzuliegen, die sich lokal auf wenige Millimeter eher punktartig konzentrieren. Möglicherweise sind lokale Belastungen im entropieelastischen Zustand während der Fertigung aufgetreten.

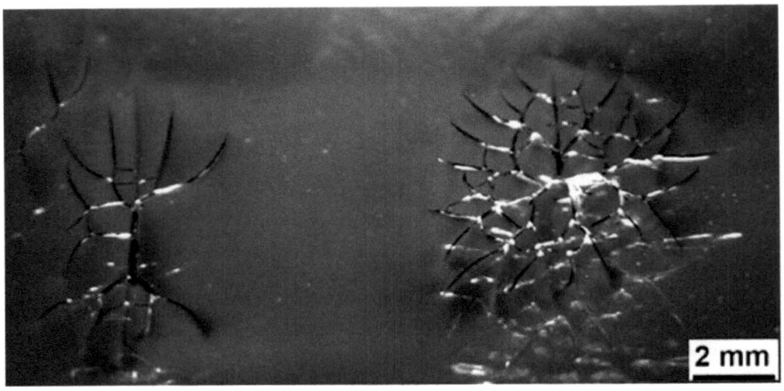

Bild 5.43 Blumenartige Crazes in flächig thermogeformten PC

5.3.7 Untersuchte Thermoplaste

Tabelle 5.13 Spannungsrissauslösende Medien

Untersuchte Thermoplaste (+Formteile)	Spritzgussriss-auslösende Medien	Versuchsbedingungen Temperatur/Zeit	Prüfverfahren
PA 6 unverstärkt (Probekörper)	Lack, Beize	RT/bis 2 Wochen kraftfrei eingelagert	N
ABS (-Perfusorgehäuse)	verschiedene Desinfektionsmittel	RT/bis 48 h	B
(-Probekörper)	Schmierstoffe	RT/bis 1 Woche	S
(Kaffeemaschinengehäuse)	Kaffee, Kalklöser	90 °C/wechselnde Beanspruchung	S
PS	Lack, PVC-Band	RT/bis 2 Wochen	B
(-Probekörper)	Kleber, Verdünner	RT/einige Tage	B
(-Kassengehäuse)	„Petroleum-Benzin“	22 °C/5 min	N
PC (-Kaffeemaschine) (-Teekannen)	Kaffee, Tee, Klarspüler „Tolmol: n-Propanol 1:3“	90 °C/RT/einige min bis mehrere Tage	S, N
(-Radiogehäuse)	Kaffee, Kalklöser	90 °C/wechselnde Beanspruchung	S
(-Uhrzeiger)	„Tolmol: n-Propanol“	RT/5 bis 10 Minuten	N, B
PPO (-Zahnräder)	„Tributylphosphat“	RT/10 min	N
PE – HD (-Müllbehälter) (-Flaschenkasten) (-Polzangen)	Laventin-w 5 %	70 bis 80 °C/1 bis 3 Tage	N
N: Netzmitteltest B: Biegestreifenverfahren S: Stifteindrückverfahren			

5.4 Abschluss

Die Ermüdungsbeständigkeit von Polymeren in einer Spannungsrissumgebung ist ein komplexes Thema, bei dem molekulare Variablen einen starken Einfluss haben. Eine Erhöhung des Molekulargewichts führt zu signifikanten Verbesserungen der dynamischen Belastbarkeit von amorphen und teilkristallinen Polymeren. Diese Verbesserung wird vor allem auf eine Erhöhung der Spannungsrissbeständigkeit und eine Verbesserung der Fibrillendichte zurückgeführt. Eine Erhöhung der Kettengleichmäßigkeit, die zu einem höheren Grad der Kristallinität beiträgt, führt ebenfalls zu einer Verbesserung der Spannungsrissbeständigkeit aufgrund des höheren Gleitwiderstands von Polymerketten innerhalb der kristallinen Strukturen und durch stärkere Verankerung in den amorphen Bereichen.

Kurzketten-Verzweigungen helfen, die Entflechtung von Molekülen in spannungsrissaktiven Medien zu verhindern; die besten Ergebnisse ergeben sich bei relativ langen Ketten mit gleichmäßigen Kurzketten.

Die Fertigungsbedingungen und besonders die Art und Richtung der einwirkenden Spannungen haben ebenfalls einen großen Einfluss auf das Ermüdungsverhalten. Molekül-Orientierungen können sich dabei positiv und negativ auswirken, Alterungseffekte meist negativ.

Es bestehen verschiedene Strategien, die Beständigkeit eines Polymers gegenüber Spannungsrissbildung zu erhöhen. Dazu gehören die Erhöhung der Molekulargewichte, Elastomer-Modifikationen und die spezielle Seitenkettenverzweigung der Makromoleküle. Alle diese Modifikationen zielen darauf ab, die Crazebildung zu reduzieren, deren Ausbreitung zu stabilisieren und die Benetzung innerhalb der Crazes zu reduzieren (nach Altstädt).

5.5 Normen

DIN EN 2155-19: 1996	Prüfverfahren für transparente Werkstoffe zur Verglasung von Luftfahrzeugen – Bestimmung der Spannungsrissbeständigkeit
DIN EN 2155-20:2001	Prüfverfahren für transparente Werkstoffe zur Verglasung von Luftfahrzeugen – Bestimmung der bleibenden Festigkeit von Acrylgläsern nach Spannungsrissbildung

DIN EN 14576: 2005	Prüfverfahren zur Bestimmung der Beständigkeit von geosynthetischen Kunststoffdichtungsbahnen gegen umweltbedingte Spannungsrissbildung
DIN EN 60811-406: 2012	Prüfverfahren für nichtmetallische Werkstoffe – Sonstige Prüfungen – Prüfung der Spannungsrissbeständigkeit von Polyethylen-Polypropylenmischungen
DIN EN ISO 22088-1: 2006	Bestimmung der Beständigkeit gegen umgebungsbedingte Spannungsrissbildung (ESC) – Allgemeine Anleitung
DIN EN ISO 22088-2: 2006	Bestimmung der Beständigkeit gegen umgebungsbedingte Spannungsrissbildung (ESC) – Zeitstandzugversuch
DIN EN ISO 22088-3: 2006	Bestimmung der Beständigkeit gegen umgebungsbedingte Spannungsrissbildung (ESC) – Biegestreifenverfahren
DIN EN ISO 22088-4: 2006	Bestimmung der Beständigkeit gegen umgebungsbedingte Spannungsrissbildung (ESC) – Kugel- und Stifteindrückverfahren
DIN EN ISO 22088-5: 2009	Bestimmung der Beständigkeit gegen umgebungsbedingte Spannungsrissbildung (ESC) – Verfahren mit konstanter Zugverformung
DIN EN ISO 22088-6: 2009	Bestimmung der Beständigkeit gegen umgebungsbedingte Spannungsrissbildung (ESC) – Verfahren mit langsamer Dehnrate
DIN EN ISO 16495: 2013	Verpackungen zur Beförderung gefährlicher Güter – Prüfverfahren
ISO 8779: 2010	Rohre aus Polyethylen (PE) für Bewässerungssysteme – Spezifikation
ISO 8796: 2004	Rohre aus Polyethylen PE 32 und PE 40 für die Bewässerung – Spannungsrissbeständigkeit bei Verwendung von Einsteckfittings – Prüfverfahren und Anforderungen
ISO 16770: 2004	Bestimmung der Spannungsrissbeständigkeit von Polyethylen unter Medieneinfluss (ESC) – Kriechversuch an Probenkörper mit umlaufender Kerbe (FNCT)
ASTM D 1693: 2013	Standard Test Method for evaluation of stress-Cracking of ethylene plastics

ASTM D 2561: 2012	Environment stress crack resistance of polyethylene blow molded containers
ASTM D 5397: 2012	Standard Test Method for evaluation of stress crack resistance of polyolefin geomembranes using notched constant tensile load test
ASTM D 5571: 2010	Standard Test Method for evaluation of stress crack resistance (ESCR) of plastic tighted drums not exceeding 60Gal(227L) in rated capacity
ASTM F 1473: 2013	Standard Test Method for Notch Tensile Test to Measure the Resistance to Slow Crack Growth of Polyethylene Pipes and Resins

siehe auch Abschnitt 5.2 „Prüfmethoden“

5.6 Verwendete Literatur

[1] Kambour, R.P., Russel, P.R., Electron Microscopy of Crazes in PS and Rubber Modifield PS, USE of Jodine-Sulphur Eutectic as a Craze Reinforcing Impreganant

[2] Stabenow, J., Haaf, F., Morphologie von ABS-Pfropf-Kautschuken, Makromolekulare Chemie, Bd. 29/30 (1973) Z. Angew.

[3] Kambour, R.P., Die Rolle des Crazing beim Bruchmechanismus von glasartigen Polymeren, Z. Werkstoffe und Korrosion 18 (1967) 5, S. 393 - 400

[4] Menges, G., Erleichtertes Verständnis des Werkstoffverhaltens bei verformungsbezogener Betrachtungsweise, Fortschritts-Bericht VDI R. 5, Nr. 12 (1971)

[5] Grellmann, W., Seidler, S., Kunststoffprüfung, 2. Auflage, Carl Hanser Verlag, München, 2011

[6] V. Krevelen, D.W., Properties of Polymers, Elsevier Verlag, Amsterdam, 1994

[7] Ramsteiner, F. persönliche Mitteilungen in: Grellmann, W., Seidler, S., Kunststoffprüfung, Carl Hanser Verlag, München, 2005

[8] Brocka, Z., Werkstoff- und Einsatzpotenzial strahlenvernetzter Thermoplaste, Dissertation, LKT, Universität Erlangen-Nürnberg, 2008

[9] Dolezel, B., Die Beständigkeit von Kunststoffen und Gummi, Carl-Hanser Verlag, München, 1978

[10] Engel, L., Klingele, H., Ehrenstein, G.W., Schaper, H., Rasterelektronenmikroskopische Untersuchungen von Kunststoffschäden, Carl Hanser Verlag, München, 1978

[11] Baur, E., Brinkmann, S., Osswald, T., Schmachtenberg E., Saechtling - Kunststoff-Taschenbuch; 30. Aufl., Carl Hanser Verlag, München, 2007

[12] Ehrenstein, G. W., Pongratz, S., Beständigkeit von Kunststoffen, Carl Hanser Verlag, München, 2007

[13] Ehrenstein, G.W., Kunststoff-Schadensanalyse, Carl Hanser Verlag, 1992

[14] K.I.M.W., Projekthandbuch: Spannungsumrisse - Ursache und Gegenstrategie, Lüdenscheid, 2009

[15] TI 06/96, Die Prüfung von Kunststoffen auf Spannungsrissbildung, BASF SE, 1996

[16] Arndt, T., Charakterisierung der Anfälligkeit für umgebungsbedingte Spannungsrissbildung bei Kunststoffen; Gesellschaft für Korrosionsschutz, Jahrestagung 2005 Frankfurt

[17] Fischer, F., Spannunsgrissbildung und Spannungsrisskorrosion bei Kunststoffen, Z. Werkstofftechnik 1970, Nr. 2, S. 74/83

[18] Braun, D., Erkennen von Kunststoffen, 5. Auflage, Carl Hanser Verlag, München 2012

- Altstädt, V., The Influence of Molecular Variables on Fatigue Resistance in Stress Cracking Environments, Adv. Polymer Sci (2005) 188; 105 – 152; Springer-Verlag, Berlin
- ATI 1138, Spannungsrissbildung – Biegestreifenverfahren Bayer AG, 2001
- BASF, Die Prüfung von Kunststoffen auf Spannungsrissprüfung, BASF Techn. Information 2014
- Ehrenstein, G. W., Engel, L., Klingele, H., Schaper, H., SEM of Plastics Failure – REM von Kunststoffschäden, Carl Hanser Verlag, München, 2010
- Fischer, F., Zeitstand- und Spannungsrissverhalten bei Kunststoffen, Z. f. Werkstofftechnik, J. of Materialstechnology, 1. Jahrg. 1970/Nr.2
- Glück, L., Spannungsrissbildung in Polyethylen, Forschungsvorhaben DIBT-ZP 52-5-14.1-1167/05, Berlin, 2009
- Hull, D., Microstructure and Properties of Crazes, in: Deformation and Fracture of High Polymers, Plenum Press, New York, 1973
- Jansen, J. A., Enviromental Stress-Cracking the Plastic Adv. Material Process (2004) 50 – 54

Index

Symbole

A

B

C

Q

R

S

Z